»Neben Ilse Aichingers ›Die größere Hoffnung‹ (1948) ist Erich Frieds 1951 fertiggestellter, 1960 erschienener Roman ›Ein Soldat und ein Mädchen‹ wohl das wichtigste Dokument literarischer Geschichtsbewältigung der damals jungen, um ihre Jugend gebrachten österreichischen Generation. Beschrieb die Aichinger, gleich alt wie Fried, das Schicksal eines rassisch verfolgten Mädchens, wagte Fried, um den Preis des Mißverstandenwerdens, eine radikal-humane Gegenperspektive: Über einen komplizierten Erzählungsrahmen nähert er sich der Psyche eines deutschen Mädchens, das als Lager-Kapo eingesetzt war und darum nach dem Krieg zum Tode verurteilt und hingerichtet wurde. Ihr letzter Wunsch erfüllt sich: mit einem amerikanischen Wachsoldaten verbringt sie ihre letzte Nacht. Der Soldat – ›deutscher Jude, heimatloser Emigrant und nun waffenklirrendes Gespenst in den Ruinen des eigenen Landes‹ – versucht, seine Gefühle unter Kontrolle zu bringen, Anklage, Haß, Liebe, Verständnis, Vergebung, Furcht vor der Wiederholung der Greuel zusammenzubringen und damit zu leben. Die ganze Romanstruktur bildet seine Verwirrung und Ohnmacht ab bei seiner Suche nach dem Menschen im Unmenschen, nach dem Opfer im Henker.«
Die Presse, Wien

Erich Fried, geboren 1921 in Wien, floh nach der Besetzung Österreichs nach England und lebte seitdem in London. War als Fabrikarbeiter, Milchchemiker, Bibliothekar und Redakteur bei der BBC tätig, seit 1968 freier Autor und Übersetzer. Außer dem Roman ›Ein Soldat und ein Mädchen‹ publizierte er Gedichte und Essays, daneben machte er sich als Übersetzer einen Namen (u. a. Shakespeare, Dylan Thomas). Er erhielt den ›Prix International des Éditeurs‹ (1977), den Preis der Stadt Wien für Literatur (1980), den Büchner-Preis (1987). Erich Fried starb im November 1988 in Baden-Baden. Im Fischer Taschenbuch Verlag erschienen außerdem vom selben Autor die Gedicht-Bände ›Anfechtungen‹ (Bd. 10343), ›Befreiung von der Flucht‹ (Bd. 5864), ›Die Freiheit, den Mund aufzumachen‹ (Bd. 10344), ›100 Gedichte ohne Vaterland‹ (Bd. 10988), ›Von Bis nach Seit‹ (Bd. 11783), ›Reich der Steine‹ (Bd. 5959), ›Frühe Gedichte‹ (Bd. 9511) und ›Warngedichte‹ (Bd. 2225).

ERICH FRIED

EIN SOLDAT
UND EIN MÄDCHEN

ROMAN

FISCHER TASCHENBUCH VERLAG

23.–24. Tausend: Februar 1994

Ungekürzte Ausgabe
Veröffentlicht im Fischer Taschenbuch Verlag GmbH,
Frankfurt am Main, März 1984

Lizenzausgabe mit freundlicher Genehmigung
der Claassen Verlag GmbH, Hildesheim
Copyright © 1960 by Claassen Verlag, Düsseldorf
Neuausgabe 1982 im Claassen Verlag, Düsseldorf
Satz: Hanseatische Druckanstalt GmbH, Hamburg
Druck und Bindung: Clausen & Bosse, Leck
Umschlaggestaltung: Buchholz/Hinsch/Hensinger
Printed in Germany
ISBN 3-596-25432-9

Gedruckt auf chlor- und säurefreiem Papier

INHALT

ERSTER TEIL

EIN BERICHT

EIN SOLDAT UND EIN MÄDCHEN

Ein Soldat und ein Mädchen. Der Soldat war ein Soldat, und
das Mädchen war ein Mädchen. Und nun sind sie beide fort
und kommen nicht wieder zurück, und dieser Bericht ist das
letzte, was übriggeblieben ist.
Der Erzähler hat den Soldaten erst gesehen, als er kein Soldat
mehr war. Das Mädchen hat er nie gesehen. Dem Erzähler
hat es der Soldat erzählt. Der Soldat war der Erzähler des
Erzählers, und nun ist der Erzähler der Erzähler des Soldaten
geworden. Da gerät leicht alles durcheinander. Außerdem
fehlt mir die Gabe, aus einer wirklichen Begebenheit eine
wahre Geschichte zu machen. Ich habe mir diese sonst
fragwürdige Begabung nie so sehr gewünscht wie in diesem
Fall.
Ein Stoß Notizen und Manuskripte: meine Notizen zu dieser
Geschichte, die Manuskripte des Soldaten, meine eigenen
Manuskripte; dazu noch Alternativfassungen, Fußnoten,
Briefe und biographische Erläuterungen zum Text. Aber
obenauf ein sorgfältig getipptes Titelblatt. In Großbuchsta-
ben, gesperrt, in die Mitte der Seite gerückt, die beiden Worte

DAS LETZTE

aber daneben ein handgeschriebener Vermerk: zu abge-
braucht! Kein guter Titel.
Darunter, klein getippt, auf der rechten Hälfte des Blattes ein
englisches Motto:

Thou hast committed –
Fornication: but that was in another country,
And besides, the wench is dead.
[The Jew of Malta]

Sonst steht auf dem Titelblatt nichts, nur mit Bleistift ist
etwas hingekritzelt, aber wieder durchgestrichen, unleser-
lich.
Das Motto heißt auf deutsch ungefähr:

Getrieben hast du –
Hurerei: doch das war in einem anderen Land,
Und außerdem, die Dirne ist tot.
[Der Jude von Malta]

›The Jew of Malta‹ ist ein altes englisches Theaterstück aus der Zeit Shakespeares. Von Marlowe. Aber ich habe es nie gelesen. Das Zitat habe ich nicht selbst gefunden, es steht bei Eliot, als Motto für sein Gedicht ›Portrait of a Lady‹.
Auch bei Hemingway habe ich es gefunden, am Anfang seines Kriegsromans ›A Farewell to Arms‹. Das Buch soll viel aus seinem eigenen Leben enthalten. Wenigstens hat mir das jemand gesagt. Was ist da so ein Zitat? Ein Verrat des schreibenden Menschen an sich selbst? Oder Bitterkeit? Oder nur ein Versuch, von seinem eigenen treuen Schatten um jeden Preis den rechten Abstand zu halten?
Und auch hier soll es wieder Motto sein, denn auch hier paßt es. Zwar nicht originell, ein Zitat zum dritten Mal zu verwenden, aber wenn man sich selbst nicht mehr ertragen kann und nicht weiß, woran man sich halten soll, sucht man Gesellschaft.

Wenn es ein Roman wäre, dürfte das Buch frühestens mit dieser Gesellschaft beginnen. Eine Abendgesellschaft in Hampstead, London. Das Zimmer zu klein. Gedränge von Menschen, die sich nicht kennen, Bruchstücke von Substanzen, die aneinander haften wollen, aber nicht können, bunt zusammengewürfelt wie die Wohnungseinrichtung: Emigrantenmilieu.
Im Zigarettenrauch schwimmen Gesprächsfetzen; auch über den Rauch selbst wird gesprochen, über Lungenkrebs und Zigaretten: »Was da nur verraucht wird! In Deutschland, knapp nach dem Krieg, wäre das ein Vermögen gewesen. Damals konnte man für eine Handvoll Zigaretten ein Mädel haben. Die meisten haben das auch getan. Na ja, warum nicht?«
Eine Frage, die keine Antwort erwartet hat. Aber dann doch eine Antwort, gepreßt, eine Spur lauter: »Manche haben das auch *nicht* getan.« Der geantwortet hat, steht auf, kommt auf mich zu. Ich möchte mit ihm eigentlich nicht ins Gespräch

kommen. Jemand hat gesagt, er schreibt oder hat einmal geschrieben. Also lieber hinüber ins andere Zimmer, wo ich mir mein Glas füllen lasse.

Aber ein, zwei Stunden später stehe ich dann doch neben ihm. Er sitzt und summt. Nicht unsympathisch; ein wenig dick vielleicht, aber das ist oft nur eine Art elastischer Panzer gegen die eigenen Nerven. Summt ein Lied, das ich in all den Jahren in England nicht mehr gehört habe:

> »...sonst wird dich der Jäger holen
> mit dem Schießgewehr!
> Seine große, lange Flinte
> schießt auf dich den Schrot,
> färbt dich dann die rote Tinte,
> und dann bist du tot,
> färbt dich dann die rote Tinte,
> und dann bist du tot.«

Das erste Mal summt er »to-ho-hot«, das zweite Mal kurz »tot«. Einen grauen amerikanischen Gabardineanzug trägt er und eine schwarze Armbinde. Ein wirklicher Amerikaner oder Engländer trägt kaum eine Armbinde, höchstens einen schwarzen Fleck. Er ist kein wirklicher Amerikaner, Engländer auch nicht. Er hat vorhin deutsch gesprochen, glaube ich, und überhaupt sind nur drei oder vier Engländer hier, sonst lauter deutsche und österreichische Emigranten.

> »Liebes Füchslein, laß dir raten:
> Sei doch nur kein Dieb,
> sei doch nur kein Dieb!
> Ei, was brauchst du Gänsebraten?
> Nimm mit Maus vorlie-hie-hieb.
> Ei, was brauchst du Gänsebraten?
> Nimm mit Maus vorlieb!«

»Nicht unkomisch«, sagt er laut. »Erst schießens' ihn tot und dann kommens' ihm mit guten Ratschlägen!« Sein Argument ist nicht ganz logisch, denn der Fuchs könnte doch die gestohlene Gans wieder hergeben, ehe ihn der Jäger holen kommt.

Die Dame des Hauses sieht ihn neben mir stehen und stellt

vor: »Herr Dr. Sowieso. Zu Besuch aus den Vereinigten Staaten.« Sie erwähnt, daß ich schreibe. Er lacht, ist vielleicht doch nicht mehr ganz nüchtern. »Ja, ja, das wollt' ich auch einmal, aber ich hab's aufgegeben. Ich bin ... gescheitert bin ich, mein Lieber!« Und dann, ohne weitere Einleitung, mit der Unaufhaltsamkeit des Betrunkenen: »Da, schaun Sie her, das hab ich geschrieben ... Aber ich war damals nicht ganz ...« Er tippt sich an den Kopf. Dann raschelt das Papier aus seiner Brieftasche.

Unangenehm, wenn einem Manuskripte so unter die Nase gehalten werden. Meistens schlechtes Zeug, man ist dann verlegen. Gott sei Dank, wenigstens Schreibmaschine; schon ziemlich zerknittert, Verse. Keine Überschrift, kein Zwischenraum zwischen den Zeilen:

Soldaten der Freiheit haben den Galgen gebaut,
Mühelos haben sie einen Henker gefunden,
Und dann standen sie und henkten sechseinhalb Stunden.
Zuletzt hat ihnen wahrscheinlich nicht mehr gegraut.

Schwer muß der Anfang gewesen sein, mit den Frauen,
Besonders eine von ihnen war schön und mutig und jung.
Aber dann später kamen sie sicher in Schwung
Und faßten zu ihren Händen wieder Vertrauen.

Vor Weihnachten, wenn sonst das Schweineschlachten beginnt,
Ist das geschehen, in Hameln, im Jahre des Sieges,
Kurz nach Ende des Großen Gerechten Krieges.
In Hameln herrschte schon Hunger und kalter Wind.

Hameln ist eine Stadt im westfälischen Land,
Dort stand der Galgen, dort liegen die armen Sünder.
Durch seinen Rattenfänger und viele verlorene Kinder
War der Ort schon zuvor seit alters bekannt.

Was ich davon halte? – Also: Jede Zeile mit großen Anfangsbuchstaben ... ist das nicht zu zeremoniell? Nein, das ist überhaupt ein kleinlicher Einwand! Und das Gedicht selbst? Ich weiß nicht; eine Dichtung ist das nicht, unbegabt aber auch nicht. Die zwei letzten Strophen zum Beispiel stellen die

Hinrichtungsszene wirksam und unheimlich einfach in die großen Zusammenhänge hinein: Anfang des Hungerwinters nach dem Krieg, westfälisches Land (das war einmal das Land der Droste) ... aber ist es nicht jetzt Hannover? – Oder doch wieder Nordrhein-Westfalen? – Weiß ich nicht – wie fremd man wird! – Aber auch das spielt keine Rolle ... das jedenfalls ist der Raum. Präzise genug, westfälisches Land.

Westfälisches Land, Westfälischer Friede ... da hätten wir auch die Zeit, den Raum und die Zeit ... die Zeit nach dem großen Krieg, die Zeit nach dem Abtreten des Rattenfängers ... ein abgründiger Vergleich, gerade weil er nicht neu ist. *Durch seinen Rattenfänger und viele verlorene Kinder?* Aber auch die Hingerichteten sind verlorene Kinder. Auch wenn man sie Kriegsverbrecher genannt hat, auch wenn sie wirklich Kriegsverbrecher waren. Sie waren verlorene Kinder, schon bevor sie Kriegsverbrecher wurden.

Einige starke Zeilen: *Und dann standen sie und henkten sechseinhalb Stunden.* Müßte aber doch eigentlich heißen: *sechseinhalb Stunden lang.* Oder ein Komma nach *henkten?* Sonst kann doch niemand wissen, wer gehenkt wird, die Menschen oder die sechseinhalb Stunden? Haarspalterei! – Außerdem: stimmt vielleicht. Tötet man nicht immer zugleich auch die Zeit, wenn man Menschen tötet? Mindestens die Hinrichtungszeit, wahrscheinlich mehr, viel mehr? Eine Art, die Zeit totzuschlagen. Die Zeit ist dann eine tote Zeit.

>»Färbt dich dann die rote Tinte,
>Und dann bist du tot!«

Nein, nicht philosophieren, sondern das Gedicht ansehen! Warum weiche ich denn immerzu aus? ... Also: ... Ansonsten ist dieses Gedicht zu sehr Leitartikel. Zu dürr, und viele Phrasen: *Soldaten der Freiheit.* Natürlich ironisch gemeint, wäre sonst ganz unerträglich. Aber auch ironisch gemeint liegen solche Worte einem Gedicht im Magen. Ein Gedicht hat eben einen empfindlicheren Magen als ein Zeitungsleser oder eine Kulturepoche des Abendlandes. Auch ironisch gemeint sind es noch Phrasen. Aber doch nicht Phrasen schlechthin, sondern Phrasen, die sich gegen Phrasen wenden, die gegen sich selbst laut werden. Das ganze Gedicht mit seinen harten, breitrollenden Zeilen, ohne jedes dichterische

Bild... das hat etwas Unerlöstes. Die Verdammnis, die sich selbst verdammt, der Rauch, der sich in Rauch auflöst.

Und dabei waren sie *Soldaten der Freiheit*, trotz aller Ironie! Oder nicht? Doch nicht ihre Schuld, wenn die Wirklichkeit der Freiheit manchmal so aussieht! Und wenn man Bilanz zieht, so haben sie immer noch unendlich viel mehr Freiheit gebracht als... Aber darf man solche Bilanzen ziehen? Nein, das Erstaunlichste an dem Gedicht ist, daß dieser Mann da es geschrieben hat. Ja. Da steht er, vierschrötig, ein wenig hilflos. Und da steht auch das Gedicht, schwarz auf weiß, mindestens so wirklich wie der Mann selbst.

Und *Hameln*? Das war doch das Urteil im Belsenprozeß... Die Hinrichtungen damals... Wirklich sonderbar. Gewiß, auch ich bin gegen Todesstrafe, aber deshalb hätte ich doch noch lange nicht so ein Gedicht geschrieben! Immerhin waren diese Verurteilten entsetzliche Menschen. Unvergleichlich weniger beklagenswert als ihre Opfer. Oder doch nicht? Vielleicht gilt zuletzt jeder Mensch gleich viel, sogar wenn er selbst ein Feind dieser Gleichheit war? Aber verflucht nochmal, der Mann da neben mir ist doch Emigrant. Wie ich. Und auf den ersten Blick als Jude zu erkennen. Woher nimmt er da diese persönliche Anteilnahme – denn das ist doch schon mehr als Mitleid –, diese Bitterkeit?

»Ich kann nicht viel dazu sagen«, sage ich, hilflos, weil ich zuviel dazu sagen könnte. »Ich selbst schreibe ganz anders...« Und dann stelle ich doch die Frage: »Wie kamen Sie eigentlich dazu, das zu schreiben?«

Er lacht, aber kein wirkliches Lachen. »Sein S' mir nicht bös, aber bevor ich Ihnen Antwort geb', möcht' ich lieber Sie selber was fragen: Das Gedicht da, macht Ihnen das einen Eindruck?«

»Ja, doch, Eindruck gewiß. Vor allem menschlich...«

»Dankschön! Also, dann will ich Ihnen was sagen: nämlich, menschlich ist dieses Gedicht ein Dreck! Sie entschuldigen schon. Nämlich, auf was es mir wirklich ankommt, das hab' ich da nicht hineinbringen können. So gut wie gar nichts von dem, um was sich's mir dreht. Und außerdem hab' ich das da doch über Belsen geschrieben, und was weiß denn ich von

Belsen, außer was alle wissen? Dort waren doch die Engländer! Ich bin nie im Leben dort gewesen. Ich war bei den Amerikanern! Ich hab' keinen und keine von dort gesehen, nicht die einen und auch nicht die andern.«

Er beugte sich vor und schüttelte den Kopf.

»Nein, mein Lieber, dieses Gedicht ist eine Lüge! Die letzte und gefährlichste Art Lüge: wenn einer schon ganz nah is' bei seiner eigenen Wahrheit, aber er will nicht oder er kann nicht und sagt dafür was anderes! Wohlgemerkt, diese andere Wahrheit, die kann auch ganz wahr sein; aber meine eigene Wahrheit ist es nicht. Sehen Sie, das ist das reine Dampfabblasen: man sagt was Ähnliches, eine Umschreibung, damit man nur ja nicht das Eigentliche sagen muß. Bei uns zu Haus, als Kinder, da haben wir Verstecken gespielt: ›Wasser, Wasser! – Es brandelt, es brandelt! – Feuer, Feuer!‹ Und in dem Gedicht, da brandelts. Aber Feuer, mein Lieber? Feuer ist das keines! Nein, was mich erledigt hat, das war etwas ganz Ähnliches. Ganz ähnlich. Aber das – das, was wirklich war –, das hab' ich nicht schreiben können. Sie, mein Lieber, Sie würden das vielleicht können. Und wissen Sie, warum? Weil es Sie eigentlich nichts angeht! Ich will Sie nicht beleidigen, aber, verstehn Sie, was einem selber passiert, das kann der Mensch dann oft nicht sagen. Es fehlt ihm der Abstand. Und wo man keinen Abstand hat, dort kann man auch nicht scharf einstellen und anvisieren. Das ist so, wie mit dem Toten Winkel bei der Artillerie. Und weil ich *das* nicht schreiben kann, drum hat das ganze Schreiben auch nicht viel Sinn für mich. Ich glaub', ich muß es überhaupt aufgeben. Sie kennen doch den alten Witz, wie ein Kritiker zu einem Dichterling sagt: ›Also erst schreiben Sie einmal ein, zwei Jahre lang gar nichts, und nachher...‹ – ›Ja?‹ – ›Nachher geben Sie 's ganz auf!‹«

Es zuckte in seinem Gesicht, er versuchte sich selbst Beifall zu lachen, ziemlich zerrüttet. Er begann zu erzählen. Gut erzählte er nicht, wenigstens nicht an jenem ersten Abend, aber es kam nicht darauf an. Ich traf ihn am nächsten Tag wieder. Wir haben zehn oder zwölf Abende miteinander verbracht. Mit dem, was er zu erzählen hatte, ließ sich das Gedicht wirklich nicht vergleichen. Dennoch war ich fast froh, als er vor Monatsende nach Amerika zurückfuhr.

Das also ist der Rahmen, das abgenutzte Sprungbrett für die

Kunstform der sogenannten *wahren Geschichte*. Noch dazu unbeholfen; daß der Mann auch Schriftsteller ist oder mindestens doch früher geschrieben hat. So dick trägt nur das Leben selbst auf; grenzenlose Möglichkeiten, aber alle trivial: zwei Spiegel im Londoner Nebel, einander gegenübergestellt, und eine unendliche Reihe wechselseitiger Bespiegelungen, während sie langsam erblinden. ›*Das ist im Grund der Herren eigner Geist, in dem die Zeiten sich bespiegeln.*‹ Ich mich in ihm, er sich in mir, und die Zeit in uns beiden.

An den Abenden, die wir so verbracht haben, sind noch weitere Manuskripte aufgetaucht. Ein Gedicht, das er sich abgeschrieben hatte, Verfasser vergessen. An die fünfzehn kurze Prosastücke und einige längere, alles in allem eine dicke Mappe voll.

»Die liegen schon die ganze Zeit in meinem Koffer herum, du kannst sie behalten. Ich will das alles los sein. Mir hängt es zum Hals heraus!«

So nahm ich die Manuskripte. Erst viele Monate später, als ich zum ersten Mal versuchte, das Buch zusammenzustellen, begann er sich für seine Manuskripte wieder zu interessieren und schickte Briefe mit Erläuterungen und Korrekturvorschlägen. Damals aber, als wir uns kennenlernten, bekundete er wenig innere Anteilnahme, außer daß er mich am Tag, an dem er mir den ersten Stoß Manuskripte brachte, zu duzen begann. Aber er erzählte gut, besser als in vielen seiner Geschichten. Nur an ein oder zwei Stellen stockte er und konnte nicht weiter. An diesen Stellen nahm er schon damals seine Manuskripte zu Hilfe. »Da, lies selber, was ich darüber geschrieben hab'. Viel besser, wie wenn ich versuch', davon zu reden.«

Mundartliche Färbung, wenn er sprach, aber gekonntes, strenges oder bewußt experimentelles Schriftdeutsch. Das war nicht sein einziger Gegensatz und Widerspruch. Für seine Geschichte aber ist das kaum wichtig.

Oder doch; wenn es mir nur um eine Romanfigur zu tun wäre? Wenn ich den ganzen Mann, seine Geschichte und seine literarischen Versuche, seine Grübeleien und Erklärungen nur erfunden hätte? Die Spaltung zwischen nachlässigem Sprech- und Briefstil und literarischer Sorgfalt wäre dann nur ein weiterer kleiner Einfall.

Nein. So ist es auch nicht. Zwar, ich will mich nicht besser

machen, als ich bin: so, wie ich diese Geschichte nieder-
schreibe, hat sie sich nicht zugetragen. Schon allein die
Rücksicht auf tote und lebende Menschen hätte mich zu
zahllosen Verdrehungen und Verfälschungen gezwungen. –
Aber so, mir nichts, dir nichts, erfindet man solche Begeben-
heiten auch nicht. Das überläßt man der Wirklichkeit. Außerdem wäre es schamlos. Etwa als hätte ich mir ausgedacht, daß
ich meinen Vater nicht wiedererkannte, als ihn die Gestapo
freiließ, am 24. Mai 1938. Aber die Gestapo hat ihn wirklich
freigelassen, und ich habe ihn wirklich nicht wiedererkannt.
Nicht, ehe man mir gesagt hatte: »Das ist Ihr Vater.«
Er war genau einen Monat lang verhaftet, vom 24. April bis
zum 24. Mai. Zweimal vierundzwanzig. Und er ist noch am
selben Tag gestorben. Der war zugleich auch sein achtund-
vierzigster Geburtstag. Zweimal vierundzwanzig ist acht-
undvierzig. So etwas erfindet man nicht.
Aber mit solchen Gedanken hatte ich mich festgefahren. Die
Geschichte von dem Mann und seinen Erlebnissen kam nicht
über den Anfang hinaus. Ich glaube, damals dachte ich noch
an einen Roman, Zeitroman, Tatsachenroman, Schlüsselroman, ich weiß nicht mehr.
Ich ließ den ganzen Papierstoß längere Zeit liegen und
begann dann von neuem, mit einer Art Verzeichnis meiner
Quellen und dessen, was ich wußte. Das sah so aus:

Von den Personen kenne ich nur eine, meinen Gewährsmann, der zur Zeit der Handlung Soldat war. Als ich ihn traf,
war er längst wieder Zivilist und, wie gesagt, ein wenig dick
geworden. Nicht unsympathisch, nicht viel über dreißig.
Mittlere Größe, kräftiger Brustkorb, der Kopf groß, starke,
breite Stirne, kluge Augen. Aber die Nase zu breit, die Lippen
zu wulstig. Mund und Kinn unsicher und nicht fest genug.
Die obere und die untere Hälfte dieses Gesichts paßten nicht
recht zusammen; schwer zu sagen, ob es ein noch nicht ganz
gewordenes oder ein nicht mehr ganz vorhandenes Gesicht
war. Intelligent und gutmütig, sinnlich und unharmonisch,
stark und schwach zugleich, differenziert und primitiv, ein
Kopf voller Möglichkeiten.
Ich kenne auch eine Photographie des Mädchens Helga. An
die Bildberichte aus den Zeitungen erinnere ich mich nur

noch ungenau. Die anderen Personen – Nebenfiguren – sind mir nur aus dem Munde des Soldaten bekannt.

Einzelheiten des Ortes, der Zeit und der Handlung kenne ich überhaupt nicht, weder die genauen Gepflogenheiten bei der Urteilsverkündung, bei der Bewachung der Häftlinge und bei der Hinrichtung, noch die Stimmung, die damals geherrscht haben muß, um die Menschen herum, in ihnen und über ihnen allen. Solche Einzelheiten und Umstände sind aber so wichtig, daß ich heute hier in London – nur auf einen tief in die Ereignisse verstrickten Gewährsmann gestützt – höchstens einen Bericht schreiben kann, aber unmöglich ein Milieu malen, mit Lokalfarbe und vielen kleinen Nebensachen, ohne die die Menschen Schatten oder Skelette bleiben.

So ist das Ganze ein Fragment, unverläßlich und unangenehm. Nicht einmal die Tugend einer naiven Erzählung, einfach weiterzulaufen, hat es, teils weil ich die Lücken in meinem Material irgendwie überbrücken muß, teils weil mir der nötige Abstand fehlt.

Helga, eine der Hauptangeklagten, war nach wochenlanger Verhandlung verurteilt worden. Es war ein großer Prozeß gewesen, ihr Bild war in der Presse vieler Länder erschienen, und einige Soldaten der verschiedenen Siegernationen, die ihre Zeitungen weniger lasen als nach Mädchenbildern durchsuchten, wie das Soldaten tun, hatten ihren Kopf ausgeschnitten und neben Filmschauspielerinnen und Sportlerinnen an die Wände ihrer Quartiere geklebt.

Es waren mehrere Todesurteile gefällt worden, gegen Männer und gegen Frauen. Helga hätte als Jüngste und nicht gerade am schwersten Belastete vielleicht Aussicht gehabt, mit dem Leben davonzukommen. Aber sie hatte während der Verhandlung weder geweint noch gebetet oder öffentlich Reue bekundet, sondern scheinbar unbewegt erklärt, sie bedaure ihr Tun als Lageraufseherin nicht im mindesten.

Es ist merkwürdig, daß vor Gericht derlei trotzige Bekenntnisse immer für bare Münze genommen werden, obwohl sie oft nur eine letzte dünne Wand sind, hinter der mehr echtes Entsetzen, Schuldgefühl und Verzweiflung aufgespeichert sein kann als bei den meisten bereitwillig Zerknirschten.

Wie immer dem sein mag, Helga hatte getrotzt und im Verhandlungssaal mehrmals mit dem Gruß des abgetanen Regimes gegrüßt. Dieses Verhalten machte ihren Fall hoffnungslos, obgleich man ihr nicht gerade einen Mord nachgewiesen hatte, sondern nur zahllose kleinere Taten, die allerdings immer noch so unfaßbar arg waren wie alles in jenen Lagern. Zu dieser ganzen langen Liste von angelernten Grausamkeiten und stumpfen Herzlosigkeiten bekannte sie sich. Sie habe auf Befehl gehandelt, aber auch aus Überzeugung.

Hätte sich ein Kranker in der Sprechstunde seines Psychologen benommen wie Helga vor Gericht, so wären die Heilungsaussichten vielleicht nicht ungünstig gewesen. Beharrliches Festhalten an etwas, was eigentlich gar nicht mehr da war, eine Haltung, die ihr in Fetzen vom Leib hing wie eine endgültig ausgediente Uniform, das ließ sich doch nicht viel länger tragen. Es würde ein Zusammenbruch kommen müssen, und dann könnte man anknüpfen, helfen, ändern...

Vor diesem Forum jedoch hatte nicht das Werden das Wort, nicht was aus ihr werden sollte, sondern einzig und allein, was aus ihr geworden war, die begangenen, vergangenen Vergehen und Verbrechen, deren Furchtbarkeit den Richtern den Blick für Art, Grenzen und Grad von Helgas eigener Verstrickheit in diese Schuld trübte. Wo aber eine Gegenwart von ihrer Vergangenheit eingeholt wird, dort ist immer ein Wohnort des Todes. Dort entspringt das Todesurteil oder das Altwerden, die Resignation oder der Wahnsinn, das Biegen oder das Brechen. Dort hört man das Knacken, mit dem die Sehne reißt, der Bogen splittert, das Rückgrat bricht.

Was Helga getan hatte, war ungeheuerlich und unerträglich. Das ist nicht zu bezweifeln. Aber das für die Mitmenschen unerträglichste Symptom zeigt nicht immer den schwersten seelischen Schaden an. Eine grausame Lageraufseherin, kaum erst erwachsen und von Kreaturen erzogen, die solche Grausamkeit forderten und als verdienstvoll bezeichneten, hätte ein leichterer Fall sein können als etwa ein Patient, der vielleicht nur über Müdigkeit und Anfälle von Trauer klagt, deren Grund er nicht kennt. Wenn man Menschen helfen will, ist Vorurteilslosigkeit das erste. Dem Vorurteilslosen darf man auch nicht leichtfertig Urteilslosigkeit vorwerfen. Aber dort, vor Gericht, ging es nicht um das erste, sondern um das letzte, um das Urteil; von Anfang an um das Ende.

Zu erwähnen ist noch Helgas Schönheit, die von Anfang an bis zum Ende die Berichterstatter und Pressephotographen auf sie aufmerksam gemacht und die Vertreter der Justiz – lauter Männer – fast ein wenig erbittert hatte, soweit diese sich Gefühlen nicht völlig versperrten. Ihnen schien Helgas Schönheit irgendwie im Gegensatz zu ihrer Hartnäckigkeit zu stehen, dabei aber auch wieder besonders gut zu ihrer Haltung zu passen, etwa wie Don Juan bei einer ungewöhnlich schönen Frau größeren Widerstand erhofft. Jedenfalls schien Helga durch Aussehen und Auftreten besonders geeignet, an ihr ein Exempel zu statuieren.

Man kann sich schwer des Eindrucks erwehren, daß die wirkliche Helga, ihr wirkliches Gesicht, ihre wirkliche Gestalt, vor dem geistigen Auge ihrer Richter bald verschwommen sein und älteren Bildern Platz gemacht haben muß, dem bekränzten Opfertier oder dem nackten gefesselten Mädchen, das in die Grundfesten der neuen Brücke, des neuen Hauses eingemauert wird, um dem Bau Glück zu bringen. Zu klarem Bewußtsein ist das den Richtern sicher nicht gekommen, aber ein hoher Beamter, der mit dabei war, soll später gesagt haben, manchmal sei es gewesen, als habe das Verfahren nur noch die Linien einer alten, verblaßten, stellenweise fremdartigen und unverständlichen, aber immer vorgezeichneten Schrift mit roter Tinte nachziehen müssen. Sogar die Verteidigung, die ihr Bestes getan habe, sei nur eine Schnörkellinie dieser Schrift gewesen.

Mir hat diesen Ausspruch der Soldat erzählt, und ich mußte an den Studenten Anselmus in E. T. A. Hoffmanns Märchen ›Der goldene Topf‹ denken, denn auch Anselmus glaubte schwach vorgezeichnete Schriftzüge zu sehen, wenn es mit seiner exotischen Abschreibearbeit flott vorwärtsging.

Über das eigentliche Wesen von Helgas Schönheit kann ich trotz der Schilderungen des Soldaten nichts Gewisses sagen. Auch ihr Bild, ein auf Zigarettenkarton geklebtes Zeitungsphoto, hilft nicht viel. Es war wohl nie sehr scharf gewesen, und als der Soldat es mir zeigte, war es schon stark abgegriffen. Nur eines läßt sich vielleicht sagen, mehr nach der Schilderung als nach dem Bild, daß es ein sehr junges Gesicht war, mit ziemlich langem, rötlichblondem Haar, mit sehr guten Zähnen und mit großen, von keiner Furche gezeichneten oder näher umschriebenen Flächen. Wangen, Stirne und Kinn waren blank und makellos, vielleicht eines von den Gesichtern, die manchmal zu lebenden Bildschirmen werden können, auf denen alte Mysterien und heruntergekommene Riten plötzlich aufleuchten und für kurze Zeit ihr vergängliches, aber tödlich lebensnahes Licht- und Schattenspiel treiben.

Der Soldat weiß sich der Farbe von Helgas Augen trotz allen Nachdenkens nicht zu entsinnen. Sie können grün, grau oder blau gewesen sein oder etwas von allen drei Farben gehabt haben. Auf dem Zeitungsbild hat Helga einen starren Blick, aber das liegt vielleicht nur an dem Blitzlicht. Das Gesicht sieht auf dem Bild merkwürdig zeitlos aus – unbestimmt, ohne verschwommen zu sein –, eines von jenen Gesichtern, in die man sich alles hineindenken kann, wie in den blassen, kalten Winterhimmel, ins Kielwasser eines Schiffes oder ins Rattern eines Zuges, bis man zuletzt nicht mehr weiß, was man wirklich gesehen hat.

Als das Urteil verkündet wurde, hatte Helgas Mutter geschrien, war aber ohnmächtig geworden, noch ehe man sie aus dem Gerichtssaal führen konnte. Der Vater hatte ununterbrochen den Kopf geschüttelt, nicht stark, aber sehr schnell, wie ein Zittern. Helga sah ihre Eltern flüchtig an, ganz ohne Liebe, verkniff die Lippen und kehrte dann dem Publikum den Rücken, so plötzlich, daß sogar die Blitzlichtaufnahmen der Pressephotographen ein wenig unscharf wurden. Man führte Helga in einen der kleineren Räume, man gab ihr Kognak zu trinken, und die Wärterinnen sowie die wachhabenden Soldaten der Besatzungsmacht, die aus einem Abstand von einigen Schritten zusahen, stellten fest, daß sie Haltung bewahrte.

In einem dieser kleineren Räume, vielleicht sogar in demselben, hat sie dann einige Wochen später das gesagt, was zum eigentlichen Anfang der hier berichteten Begebenheit wurde.

Es geschah, als man sie nach ihrem letzten Wunsch fragte. Helgas Antwort – genauer: ihre zweite Antwort – war vielleicht noch im Augenblick, in dem sie den Mund auftat, nichts als Trotz und Bitterkeit, oder ein kindischer Versuch, so hartgesotten zu sein, wie sie im Prozeß erschienen war. Vielleicht war es auch Auflehnung gegen den Tod, obwohl – oder gerade weil – Helga sich geweigert hatte, nach dem Urteil ein Gnadengesuch zu unterzeichnen.

Wie dem auch gewesen sein mochte, die Frist für Gesuche und Berufungen war nun um, der von der Besatzungsmacht bestellte Verteidiger hatte ihr gesagt, es bestehe keine Hoffnung auf Begnadigung und sie müsse nach menschlicher Voraussicht am nächsten Morgen sterben.

Geistlichen Beistand? Nein. Ob sie ihre Eltern sehen wolle? Nein. Sie schüttelte den Kopf. Auch der Verteidiger und die Wärterinnen neben ihr schüttelten den Kopf, fast zugleich mit ihr, leise und bekümmert. Aber das bedeutete etwas anderes. Der Verteidiger war einen Augenblick lang ihr Vater und die Wärterin ihre Mutter, und sie war das Kind, das nicht einer bändigen konnte und mit dem es eines Tages ein böses Ende nehmen würde: ›Noch dazu ein Mädchen; wenn ein Junge so wild ist, in Gottes Namen!‹

Selbst wenn Helga sich in jenem Augenblick darüber Rechenschaft gegeben hätte, daß gerade der unerträglich enge Lebenskreis ihrer Eltern sie hinausgeschleudert hatte, wie einen Stein, durch die Jugendorganisation des Regimes hindurch, immer weiter, bis an den äußersten Rand des Lebens, ins Lagerkommando, und sie nun über den Rand der Erdscheibe hinausschleuderte . . . selbst wenn sie sich darüber Rechenschaft gegeben hätte, diesen Menschen um sie herum hätte sie es nicht gesagt. Sie hätte sie sonst gar noch trösten wollen. Trösten? Es ging ihr nicht mehr so gut, daß sie Trost ertragen konnte! Dazu gehörte noch Kraft, sich trösten zu lassen; und mit ihrer Kraft mußte sie sparsam sein. Sie schüttelte den Kopf: Nein.

Ob sie noch einen Wunsch habe? Sie riß die Augen auf und verzog die Nase. Sie hatte nur einen Wunsch: Nicht weinen! Ihnen nicht diese Freude machen!

Aber auch das stimmte nicht. Auch das war nicht wahr und fiel zu Boden und tiefer hinab ins Bodenlose, wie alles andere, woran sie geglaubt hatte und was nicht wahr gewesen war. Alles war ganz anders, alles und alle. Sie waren ja gar nicht so, daß sie sich über ihre Hilflosigkeit gefreut hätten. Aber das machte sie nur noch hilfloser. Hilflos und haltlos und bodenlos war dieses neue, letzte Leben. Kein Leben mehr, und man konnte sich an nichts mehr halten. Nur das Sterben war immer noch das Sterben, und ein Henker war und blieb ein Henker, todsicher. Daran änderte sich so leicht nichts, daran konnte man sich halten.

Wieder verzog sich das Gesicht, rümpfte sich die Nase. Nicht weinen, solang ich nicht allein bin! Nicht vor allen Leuten. Alles andere lieber!

»Ihr könnt mich alle...« platzte sie heraus. Mitten im Wort verlor sie die Stimme und schlug sich die Hände vors Gesicht.

Die Wärterin, die sie stützte, zuckte zusammen. Helga konnte es deutlich spüren, denn es unterbrach ihr eigenes Zucken, das mit dem Schluchzen kam und verging.

Der eine Soldat brach bei Helgas Worten in ein kurzes, abgebissenes Lachen aus. Helga ließ die Hände sinken und stampfte mit dem Fuß auf. »Ja, ich habe noch einen Wunsch.« Sie schüttelte sich frei. Ihre Stimme klang gar nicht mehr sehr laut. »Ich will heute nacht mit wem schlafen. Mit diesem Ami da: mit dir!« Sie zeigte auf den Soldaten, der sofort verstummt war und sich immer noch die Hand vor den Mund hielt. Offenbar verstand er Deutsch. »Ich will heute nacht mit dir schlafen.«

Dieser Soldat ist natürlich der Mann, der mir die Begebenheit erzählt hat. Die Schilderung ist deshalb vielleicht nicht in allen Einzelheiten verläßlich, denn derlei wird von der Erinnerung oft verfälscht. Und auch ich habe da und dort verfälscht, nicht nur, um Spuren zu verwischen, sondern auch, weil mir all das mehr bedeutet, als ich erklären kann, weil es mir keine Ruhe läßt. Manchmal ist es so stark, daß ich mich schon bei der deutlichen Erinnerung an Ereignisse ertappt habe, die in Wirklichkeit der Soldat erlebt hat, nicht ich.

Fest steht aber, daß der Soldat nach Helgas Worten kein Auge mehr für den Gefängnisraum hatte, für die Umstehenden und für ihr Verhalten, ja kaum mehr für Helga selbst. Er weiß noch, daß er rot wurde. »Nie in meinem Leben habe ich mich so geschämt, und ich habe am ganzen Körper gezittert.«

Hier möchte ich ein eigenes Erlebnis berichten:
Ich arbeitete zur Zeit, als das in Deutschland geschah, in einer kleinen Fabrik im Londoner Stadtviertel Mayfair, die handgemachte Glasknöpfe, Ohrringe und Broschen herstellte. Während der Arbeit sprach man über Gott und die Welt, auch über den Prozeß, den die Zeitungen damals in zahlreichen Bildberichten auf der ersten Seite brachten.
Nach Bekanntgabe der Todesurteile veranstalteten die Arbeiter einen sogenannten ›Mock Gallup Poll‹, eine scherzhafte Rundfrage, wer von ihnen willens wäre, mit Helga zu Bett zu gehen. Moderne Bildberichterstattung bringt Menschen oft auf allerlei Gedanken. Jedenfalls betrachte ich das heute sogar irgendwie als Beweis, daß auch Helgas letzter Wunsch nicht ganz unverständlich ist. Natürlich hatten die Glasarbeiter in London von diesem Wunsch keine Ahnung. Die Abstimmung muß sogar ein bis zwei Wochen, bevor Helga den Wunsch äußerte, stattgefunden haben.
Von den Arbeitern erklärten sich neun Zehntel bereit. Es wurde gelacht und geschmunzelt. Zur Belohnung wollten sie ihr dann das Leben schenken. Nur einer, ein dicker, viel zu rotbackiger Kahlkopf, ehemaliges Mitglied der *British Union of Fascists*, der Handvoll englischer Faschisten, war dafür, das Mädchen nachher dennoch hinrichten zu lassen oder sogar eigenhändig vom Leben zum Tode zu befördern. Er war ein geschickter Glasbläser, immer betont herzlich. Es hieß, er wolle Vorarbeiter werden, und man traute ihm nicht.

Es muß nun erklärt werden, daß die Erfüllung eines letzten Wunsches nicht etwa ein wirkliches verbrieftes Recht der Verurteilten ist, sondern ein ungewisser alter Brauch, lebendig erhalten vielleicht nur von der Verlegenheit derer, die mit den Armensündern zu tun haben. Denn das ist immer eine üble Aufgabe, ganz gleich, aus welchen Gründen ein Todesurteil gefällt worden ist. Angesichts des Todeskandidaten stellt man plötzlich fest, daß man ein schlechtes Gewissen hat.

Das Urteil mag höchst gerecht gewesen sein, aber mit einem Mal gilt das alles nicht, und man ist mitverantwortlich. Entweder, weil man zum Tode des Verurteilten beiträgt, oder, weil man nichts dagegen unternimmt, oder auch nur, weil man in der Nähe ist. Es geht auch gar nicht um Recht oder Unrecht. Ob Menschen ein Recht haben, die Todesstrafe zu verhängen, ist freilich höchst fraglich. Aber der Verurteilte hat oft, wenn nicht den Tod, so doch sicher schwere Strafe verdient, außerdem könnten die Leute um ihn her zu seiner Rettung auch beim besten Willen kaum etwas unternehmen. Und doch bleibt das Schuldgefühl wach, so stark, daß alle Gegengründe wie schlechte Ausreden zu wirken beginnen, durch die man sich nur immer tiefer in seine Schuld verstrickt.

In unserer Zeit, in der so viel von Schuld ganzer Gruppen geredet wird, ist dieses eindeutige Gefühl vielleicht eines der greifbarsten Beispiele für ein Bewußtsein solcher Schuld. Und, wie niemals bei einer wirklichen Gruppenschuld, so liegt auch hier kein juristisch nachweisbares Verschulden vor; nichts, worauf sich Gesetze oder klare Moralregeln gründen ließen; aber gerade deshalb ist es quälend und unheimlich. Wer wirklich glaubt, daß er den Kriegsgefangenen, an denen er vor Jahren einmal zufällig vorbeikam, seine Zigaretten nur aus Mitleid oder gar aus politischer Überzeugung gegeben hat, und nicht aus ganz unlogischem schlechtem Gewissen, der wird diese Überlegungen nicht verstehen. Ja, es bleibt nicht einmal bei der Schuld von Menschen: ein ganzes Gebäude, sogar eine ganze Gegend kann vom Geruch der Schuld ergriffen werden. Die gleichen Desinfektionsmittel verbreiten eine andere Atmosphäre in einem Gefängnis als in einem Krankenhaus. Der Karbolduft in einem Gefängnis hat mehr als Ungeziefer und Krankheitskeime zu bekämpfen, und die Wärter brauchen ihn nötiger als die Gefangenen.

Die Alten haben ihre Opfertiere mit auserlesenen Kräutern gefüttert: das geschah nicht nur, um den Göttern das Beste darzubringen, allerdings auch nicht aus Tierliebe in unserem Sinn, aber nicht alle Opfer waren von Anfang an Tieropfer. Von dort bis zur Henkersmahlzeit ist es nicht mehr weit. Dies ist nur eine der Wurzeln des Wunschrechtes der Verurteilten, und wenn es auch kein verbrieftes Recht ist, so ist es doch seltener gebrochen worden als die meisten verbrieften Rechte.

Außerdem aber unterbricht nichts im Leben, nicht einmal der Eintritt in ein Kloster, den Menschen so deutlich wie sein Todesurteil. Das weiß man, und so verwandelt sich das, was als Strafvollzug gedacht war, unversehens in ein Schauspiel. Nicht in die barbarische Volksbelustigung öffentlicher Hinrichtungen, obwohl auch darin etwas davon enthalten war, sondern in das große *memento mori* schlechthin. Angesichts des allgemeinmenschlichen Sterbenmüssens wird die Begründung des einmal gefällten Todesurteils rasch unwichtig. Wichtig ist nur mehr, daß man vor einem lebenden Menschen steht, dessen Todesstunde – zum Unterschied von seinen Mitmenschen – schon genau angegeben werden kann.

Unterhaltungsstücke beziehen ihre Spannung aus der Ungewißheit des Ausganges. Der Ausgang einer Schicksalstragödie aber steht von Anfang an fest, ihre Spannung ist die Spannung zwischen dem Ende und dem Leben, das sich folgerichtig und unabwendbar auf dieses Ende zubewegt. Jeder Verurteilte ist unser Sündenbock, jeder Verurteilte spielt uns das Sterbenmüssen vor. Das Gewähren des letzten Wunsches ist nur unser Eintrittsgeld, das wir überlebenden Zuschauer am Aufgang zur Tribüne bezahlen.

Eine Kontinuität des Lebens, die auch noch in den Stunden und Tagen zwischen Urteil und Vollzug stärker ist als der eigene, an den Fingern und Gitterstäben abzählbare Tod, ist fast unmenschlich. Fanatiker, die sich als Helden ihrer Sache fühlen, genießen zuweilen etwas wie Fühllosigkeit gegen das Sterbenmüssen. Aber nur deshalb, weil sie im Grunde auch kein eigenes Leben gefühlt haben. Ein Mensch, der sein eigenes Leben gelebt hat, wird in ganz anderer Stimmung zum Tode geführt. Jesus hatte sein Gethsemane, Verzagen und Stärkung (und trotz der Stärkung zuletzt sein *Eli, eli, lama asabthani*), aber nicht Gleichmut. Deshalb ist es ein sehr zweifelhafter Ruhm, wenn man dem Sokrates nachsagt, er sei auch noch mit dem Schierlingstrunk in der Hand nur ganz nebenbei – gewissermaßen unter vielen anderen Eigenschaften – ein zum Tode Verurteilter gewesen.

Und Helga? Sie hatte ein, zwei Jahre lang dem Unwesen in sich die Zügel schießen lassen, das die Lehren der Bewegung, der sie Gefolgschaft leistete, sonderbar entschlossen und fertig aus ihrem noch ungeformten Wesen heraufbeschworen hatten. Und nun war sie verbissen, in die Enge getrieben, verkrampft. Aber eine echte Fanatikerin war sie kaum. Das Unwesen war hoch aus ihr herausgeschlagen, in eine schon nicht mehr wirkliche Wirklichkeit, die sich an den Flammen der Götterdämmerung erleuchtet hatte und nun irgendwo im Vergangenen lag, *vor* dem Todesurteil. Mit dieser Wirklichkeit war es aufgeflackert und zu Asche und Schlacken verloht. Sie hatte ihren eigenen Scheiterhaufen überlebt, aber nicht für lange; der eigentümliche Zustand würde bald vorbei sein. Solange er aber dauerte, war sie um diese verloderten Jahre jünger und war leer und offen, ein geplündertes Haus, oder ein Haus mit zerschossenem Tor, das die Plünderung erwartete. Sie war auf ihre Art tapfer genug, furchtlos sogar, aber nicht frei von Angst. Es war aus mit ihr, und sie erwartete das Letzte.

Es gibt eine Redensart des Soldaten: ›Wo nichts mehr geschehen kann, dort kann alles geschehen.‹ Er hat das auch auf die Lage Helgas angewendet, und wirklich, es lag für sie unter den geschilderten Umständen nahe, mit ihrem Lebensrest zu experimentieren, blindlings Versuche anzustellen. Ihr letzter Wunsch hatte zunächst keine weitere Aufgabe gehabt, als ein solcher Versuch zu sein und zu beweisen, daß sie noch etwas wünschen könne. Zu beweisen, daß sie noch ganz und gar lebendig sei und es auch noch unter dem Galgen sein werde, daß sie ihren Tod erleben und nur ihm ihr Leben lassen wolle. Keiner sollte sie ungestraft schon einen Tag vor der Zeit für tot halten und über sie lachen dürfen wie über irgendeinen komischen Stein oder eine Kartoffel.

Daß sie das Lachen des Soldaten mißverstanden hatte, das wußte sie in jenem Augenblick noch nicht.

Ein Wunsch aber wie der Helgas widersprach allen Satzungen des Gefängnisses, stand weit außerhalb aller Gewohnheitsrechte wie Henkersmahlzeit und letzte Zigarette, und seine Erfüllung kam gar nicht in Frage.

Allerdings muß eine gewisse Widersprüchlichkeit schon hier erwähnt werden. Der Wunsch war zwar unerhört, aber auch auf schwer erklärbare Weise naheliegend. Man konnte sich über ihn nicht wundern. Nun, da er einmal ausgesprochen war, schien man etwas Derartiges längst erwartet zu haben. Der Soldat hat eine etwas herausfordernde Formulierung dafür gefunden: »Ihr Wunsch«, sagte er, »ist gewesen wie eine gute Stelle in einem Gedicht. Es kann etwas ganz Unmögliches dastehen. Aber man hat das Gefühl: ›Ja, das hat so gesagt werden müssen. So, und nicht anders!‹«

Der Soldat hatte an jenem Vormittag gar nicht die Absicht, Helgas Wunsch zu erfüllen. Alle sahen ihn an, er fühlte sich der Lage nicht gewachsen und verließ den Raum. Das war zwar ein Verstoß gegen die Vorschriften, aber kein arger, denn drinnen tat noch sein Kamerad Dienst. Er mußte den Korridor entlang und die Treppe hinabgegangen sein, denn er fand sich vor dem Gebäude im Freien.
Draußen im hellen Sonnenlicht blinzelte er, atmete hungrig die frische Winterluft ein – es war Adventszeit –, blickte zum blassen Himmel auf, dann wieder an seinen Beinen hinab, auf und ab. Auf und ab ging er, auf und ab.
Als nach einiger Zeit von den Quartieren her ein anderer Soldat auf ihn zukam, ihn schmunzelnd zu seiner Eroberung beglückwünschte und sich erkundigte, ob er es denn auch wirklich tun werde, war er so verwirrt, daß er zunächst deutsch antwortete. Deutsch war seine Muttersprache. Er besann sich aber, schluckte sein Deutsch hinunter und hieß den anderen im derbsten amerikanischen Armeeslang zum Teufel gehen. Damit war der erste Schritt getan, denn noch während er fluchte, fiel ihm ein, daß auch das Mädchen geflucht hatte, um Haltung zu bewahren. Eben dadurch hatte sie ihn ja zu seinem erschrockenen Lachen veranlaßt.
Zu jeder anderen Zeit hätte der Soldat sich gewundert, wie rasch sich eine Nachricht verbreitet, denn es war unerklärlich, wieso man drüben in den Quartieren schon Bescheid wußte. Viel später, als ihm die ganze Begebenheit wieder und wieder durch den Kopf ging »wie eine Spielzeugeisenbahn auf kreisrunder Strecke«, hat er sich das dann wirklich gefragt. Aber solche Beobachtungen sind nicht neu. Die meisten Zwangsgemeinschaften von Menschen unter Druck, ganz gleich, ob es Sträflinge oder Soldaten sind, haben ihr eigenes heimliches Nachrichtensystem.

Damals interessierte sich der Soldat für solche Überlegungen nicht. Irgendwie hatte ihn sein Fluchen gestärkt und ihm wieder Kraft zum Denken gegeben. Ihn beschäftigte nun nicht das Gerücht, sondern etwas ganz anderes. Etwas wie eine Einsicht, gegen die er sich nicht länger sträuben konnte.

Während des Gerichtsverfahrens hatte er sich immer wieder dabei ertappt, daß er Helga anstarrte. Was er dabei empfand, war so stark, daß er zuzeiten unter irgendeinem Vorwand den Gerichtssaal verlassen hatte und draußen hin und her gelaufen war. Er haßte dieses theatralische Benehmen, wie er es nannte, aber er konnte sich davon nicht freimachen. Um eine Erklärung für seine Gefühle war er bisher nicht verlegen gewesen. Es war Haß, wütender, gewaltiger Haß gegen dieses Mädchen und gegen alles, was sie verkörperte. Zu diesem Haß hatte er – deutscher Jude, heimatloser Emigrant und nun waffenklirrendes Gespenst in den Ruinen des eigenen Landes – wahrhaftig Grund genug. Helga war es, oder ihresgleichen, die seine Eltern zum Selbstmord getrieben hatte. Helga war es, deren Tun die alten Gesichter seiner Großmutter und vieler Onkel und Tanten, die in der Unbeholfenheit und Gebrechlichkeit ihrer vorgerückten Jahre Deutschland nicht mehr rechtzeitig verlassen konnten, in Staub verwandelt hatte; in Staub und Asche wie die Städte des Landes, in nasse Erde und trockene Todesnachrichten. Helga war es, und nicht jene erbärmlichen anderen Angeklagten, Dutzendkreaturen, die es nun nicht gewesen sein wollten und sich kleiner Unterlassungssünden in ihren Henkersdiensten entsannen, auf die sie sich jetzt wie auf große Heldentaten der Menschlichkeit beriefen. Nicht sie waren es, sondern dieses eine rotblonde Mädchen mit den viel zu guten Zähnen. Nur sie; eine Todesgöttin, eine Furie! Eine Medusa, deren helles Haar sich jeden Augenblick zu seiner wahren Schlangengestalt aufbäumen und ihn umstricken und des Atems berauben konnte.
Noch nie hatte er so gehaßt. Er hatte im Gymnasium einen Mitschüler gehaßt, und später noch diesen oder jenen, dann und wann, gar nicht oft – am meisten vielleicht einen glücklicheren Rivalen bei einem Mädchen. Und immer waren es Männer gewesen. Daß man auch eine Frau hassen

konnte, eine ganz junge Frau – nicht eine alte Hexe, sondern ein schönes Mädchen –, dieser Gedanke war ihm eigentlich nie gekommen. Nun wußte er es: man konnte eine Frau hassen, wilder, tiefer und ganz anders als je einen Mann. Alles, was in ihm war, warf sich in diesen Haß hinein wie in einen Feuerofen, in einen der wirklichen, aber durch ihre Grauenhaftigkeit unvorstellbaren und fast schon sagenhaften Feueröfen der Vernichtungslager, oder in den uralten Feuerofen der Bibel . . . dort flammte lodernder Haß, dort sang er, wie die Männer im Feuerofen gesungen hatten.

Nicht nur, daß seine Eltern und Verwandten umgekommen waren, sondern auch das Zunichtewerden seiner eigenen Lebenspläne, das Herausgerissensein, das elende Leben in einem fremden Land: das alles war die Schuld dieses Mädchens Helga. Daß er die eigene Heimat in einer fremden Uniform wiedersah, daß sie keine Heimat mehr war, daß das Eckhaus mit dem roten Firmenschild, in dem er als Kind gewohnt hatte, in Trümmern lag, auch das war die Schuld dieses Mädchens Helga. Und daß er unter seiner Uniform allein war, nackt und verloren und gar nicht wie nach einem siegreichen Krieg, auch das war ihre Schuld. Es tut gut zu hassen, dafür, daß man allein ist; es tut gut zu hassen, dafür, daß man verloren ist. Also hatte er sie gehaßt, getreulich, die ganze Verhandlung hindurch; es war ein naher Haß gewesen, denn sie hatte sich unter einem Dach mit ihm befunden, greifbar nahe.

Das war die eine Seite seiner Gefühle gewesen, grell beleuchtet vom Blitzlicht der Pressephotographen. Die andere Seite war ihm erst nach Ende des Prozesses aufgedämmert, und deutlich war sie erst jetzt geworden, seit dem letzten Wunsch des Mädchens: dieser Haß, der anders war als jeder andere Haß, dieser Haß auf den ersten Blick, der wie eine atemraubende Abenteuerfahrt in eine unbekannte Tropfsteinhöhle war, dieser nahe, innige Haß, der seine Augen brennen und seine Lippen vertrocknen ließ, war kein Haß. Und wenn er jetzt ungezählte Male ›Helgahelgahelgahelga!‹ sagte, so war es keine Beschwörung mehr und kein Fluch. Oder vielleicht doch eine Beschwörung, aber von anderer Art. Wenn er die Augen schloß, sah er ihr Gesicht, das Medusenhaupt. Er sah ihre Haare, die rötlich-gelben Schlangen. Von allen Seiten kamen die gelben Schlangen. Sie legten sich um seinen Hals, den morgen kein Henker zuschnüren würde. Nicht fest, nur ganz leise umschlangen sie ihn, aber der Hals schnürte sich von innen zu. Es hatte keinen Sinn, sich etwas vorzulügen. Er selbst war verurteilt, so oder so.

Wenn er ihren letzten Wunsch nicht erfüllte, konnte er nicht weiterleben. Wenn er Helgas Wunsch nicht erfüllte, verdiente er nicht weiterzuleben. Und wenn er ihn erfüllte?

Er blieb stehen und sah an seinen Beinen nieder. Er nahm eine Zigarette, zündete sie an und warf sie weg.

Auch das war noch Lüge, eine einzige große, hochtrabende Lüge. Gar nicht nur ihr Wunsch; noch ganz anderes wollte erfüllt sein: es war sein eigener Wunsch, sein Haß oder seine Liebe, die Sehnsucht oder die Zerstörung in ihm, es war das Faustrecht des siegreichen Soldaten, dem die Frauen des Feindes gehören; es war all das, und es war nichts von alledem, es war Helga und nichts als sie. Helgahelgahelgahel... Hel und Heliogabal, er verhaspelte sich... Helga, und sonst nichts mehr. Helga, sonst nichts. Helga... und nichts, das Nichts... und alles vergebens...

Langsam wurde er ruhig. Es war ein etwas schmerzhaftes Ruhegefühl, wie wenn einem der Fuß einschläft, nur daß es nicht der Fuß war, überhaupt nicht sein Körper. Auf seiner Armbanduhr war es zwölf Uhr. Noch eine Stunde Wachdienst. Dann essen. Das hatte ihm der Krieg beigebracht: immer essen; auch vor einem Angriff. Essen und Trinken hält Leib und Seele zusammen. Nachher würde keine Zeit zu verlieren sein.

Dabei sagte er sich immer wieder, er könne ja tun, was er wolle, denn es könne gar nichts geschehen; die Erfüllung des Wunsches sei völlig ausgeschlossen, ganz gleich, was er unternehmen werde. Dieser Gedanke beruhigte ihn. Etwa so, wie ein Mann mitten in einem Alptraum die Unwirklichkeit seiner Schreckbilder ahnen und eigentümliche, ohnmächtige Ruhe finden kann.

Hier habe ich die Niederschrift längere Zeit unterbrochen. Daß ich nun doch weiterschreibe, geschieht kaum, um einer menschlichen oder literarischen Pflicht zu genügen. Nein, der angefangene Bericht hat mir keine Ruhe gelassen. Das ist alles.

Was mir damals das Weiterschreiben verleidete, war die Entdeckung, wie sehr die Art des Soldaten zu erzählen, ja sogar der Stil seiner Manuskripte, meinen eigenen Bericht, mich selbst, beeinflußt hatte. Das war schwer zu ertragen, obwohl es natürlich seinen guten Grund hatte. Die Geschichte des Soldaten hat mich nämlich von Anfang an so sehr beschäftigt, ich möchte fast sagen, überrumpelt, daß ich heute oft kaum mehr zwischen ihm und mir selbst unterscheiden kann. Nur indem ich mich immer wieder auf die einfachen Tatsachen meines Stubenhockerdaseins in England besinne, das ich von meiner Ankunft als Emigrant im August 1938 bis zu meinem ersten Flug nach Berlin im Januar 1953 nicht ein einziges Mal verlassen habe, wird mir wieder klar, daß nicht ich selbst es gewesen sein kann, der Helga gekannt hat.

Weil ich mich aber in dieses fremde Schicksal nachträglich so tief verstrickt habe, daß mir die Wirklichkeit meines eigenen Daseins oft weniger Ich ist als das Ich des Soldaten, fällt es mir nur noch schwerer, diesen Bericht ohne Befangenheit zu Papier zu bringen. In meiner Gymnasialzeit konnte ich, trotz meiner angeblichen Frühreife, Entwicklungsromane, wo sie in die ersten großen Erfüllungen der körperlichen Liebe mündeten, nie ohne Herzklopfen lesen. Das legte sich später; Erwachsenwerden heißt oft weiter nichts als Abstumpfen. Aber jetzt, bei der Niederschrift dieser Geschichte, schnürt sich mir wieder der Hals zu, und die Lippen werden mir trocken wie dem Soldaten.

Der Dienst und ein hastiges, eigentümlicherweise mit großem Hunger hinuntergewürgtes Mittagsmahl waren vorbei. Ferner denn je waren dem Esser der tassenklirrende Kantinenlärm und das Plärren des ewigen Lautsprechers. Er sah und sah nicht die fetten amerikanischen Illustrierten, die braunen Coca-Cola-Flaschen in Reih und Glied und die langen hageren oder kurzen dicken Uniformleiber. Er hörte und hörte nicht das auftrumpfende oder heimwehkranke Wortgemisch, Deutsch mit amerikanischen Brocken, Amerikanisch mit deutschen Brocken. Er stand auf und streifte die Krumen ab. Er ging an die aussichtslose und gefährliche Aufgabe, sich den Weg zu Helga zu bahnen. Doch hat er dann später versichert, eigentlich sei das alles ganz unerwartet leicht gegangen.

Das ist vielleicht gar nicht so verwunderlich. Abgesehen davon, daß Menschen in der näheren Umgebung von Armensündern oft aus schlechtem Gewissen sehr nachgiebig werden, regten sich in den meisten Leuten, mit denen der Soldat an jenem Nachmittag zu tun hatte, deutlich Kuppelinstinkte. Auch das ist nicht selten, besonders in Zwangsgemeinschaften, außer wenn Neid oder ein noch wirklich gültiger Moralkodex im Wege stehen. Aber von den landläufigen Moralbegriffen war zu jener Zeit nur noch gerade genug übrig, um die Leute, die dem Soldaten halfen, zu einigen frivolen oder zynischen Bemerkungen zu veranlassen. So entschuldigten sie sich gewissermaßen vor sich selbst, aber der Sache, um die es ging, war das weiter nicht hinderlich.

Bei ein oder zwei Wärterinnen trat dieser Kuppelinstinkt sogar ganz urwüchsig und natürlich zutage. Sie wurden dadurch fast schön. Es gibt eine Ebene, auf der zwischen der weinenden Zofe einer Braut, der wohlwollenden Bordellmutter, der Hohenpriesterin Astartes und der Gefängniswärterin eines zum Tode verurteilten Mädchens kein Unterschied mehr besteht. Zwar hatte der Soldat die Wärterinnen bestochen, die eine mit Schokolade, die andere, jüngere, mit Nylonstrümpfen. Doch diese Geschenke waren lächerlich klein, standen in so gar keinem Verhältnis zum Wagnis der Wärterinnen, daß schon an ihrer Geringfügigkeit die sogenannte Bestechung als Formalität und bloße Spielregel erkennbar war; als Verneigung vor den Nebengottheiten, um sie freundlich zu stimmen; als heimlicher Ritus, den es zu erfüllen galt.

Die Kompaniekameraden, die im Gefängnis und in der Administration Dienst taten, leisteten dem Soldaten gleichfalls Vorschub und verbargen ihre Verlegenheit mit Summen törichter Schlager und mit Witzen, die unanständig sein sollten. Das alles verhallte hinter ihm, Polterabendgepolter, Satyrlieder der Kumpane des Bräutigams vor der Brautkammer. Übrigens scheint es, daß diese Männer alle froh waren, nicht in seiner Haut zu stecken.

Das Augenzudrücken gegenüber dem Vorhaben des Soldaten entsprach in mancher Hinsicht auch dem eigentlichen Grundcharakter einer Armee und vielleicht mehr noch dem Wesen des eben beendeten Krieges. Jede Armee ist im

Grunde eine Organisation mit negativen Zielen, eine Zusammenrottung von Menschen zur Abwehr oder Niederwerfung eines Gegners. Auch der eben beendete Krieg war eine *negative* Aktion gewesen wie jeder Krieg, trotz seiner traurigen Notwendigkeit, trotz aller *positiven* Kriegsziele, die ja zudem bei den einzelnen Verbündeten völlig verschieden waren. Er hatte der Niederwerfung eines gemeinsamen Todfeindes gegolten. Zwar war es eine verabscheuenswerte Theorie und schändliche Praxis gewesen, gegen die man zu Felde gezogen war, aber über den Sieg hinaus konnte eine Armee ihrem Wesen nach nicht Instrument zur Verwirklichung allgemeiner Menschheitshoffnungen sein. Orgien der Sieger und Plünderung der Besiegten, dies, und nicht Wiederaufbau und Umerziehung, entspricht dem wahren Wesen einer Armee. Ja, daß die Siegermächte es im allgemeinen vermochten, dieses alte Wesen oder Unwesen bis zu einem gewissen Grade zu unterdrücken, rief in vielen ihrer überlebenden Soldaten zuweilen ein dumpfes Gefühl wach, irgendwie um den Sieg betrogen zu sein. Nun, da der Feind seit einigen Monaten vernichtet war, machte sich in Redensarten und zahllosen Handlungen und Unterlassungen eine eigenartige Leere bemerkbar. Zunächst in der Seele des einzelnen Menschen, aber dabei blieb es nicht, und schon damals veränderte sich dadurch das Wesen der immer noch äußerst schlagkräftigen Heeresorganisation.

Und auch in diesem besonderen Fall, in diesem juristischen Nachspiel am äußersten Rande des Krieges, war mit der Urteilsverkündung der Kampf aus, und in das Vakuum stürzte sich ein Gewirr urtümlicher Instinkte und heimlicher Kräfte und Gegenkräfte, die da und dort wirksam wurden und unter anderem – fast nebenbei – die Disziplin der anwesenden Uniformträger lockerten.

Mit wirklicher Milde hatte das Verhalten derer, die dem Zusammenkommen Helgas und des Soldaten Vorschub leisteten, wahrscheinlich ebensowenig zu tun wie das Todesurteil mit Grausamkeit. Es handelte sich um etwas völlig anderes. Der Soldat selbst hat mehrmals gesagt, daß ihm dieselben Leute mit größter Selbstverständlichkeit unüberwindliche Schwierigkeiten in den Weg gelegt und vielleicht sogar kurzen Prozeß mit ihm gemacht hätten, wenn er versucht hätte, Helga zu befreien, zu retten, statt nur ihre letzte Nacht mit ihr zu verbringen.

Wieso ihm an jenem Nachmittag noch überhaupt nicht der Gedanke kam, Helga zu befreien, das hat er sich später oft gefragt, aber ohne klares Ergebnis. Der Erzähler hat es vermieden, darüber allzuviel mit ihm zu sprechen, aber er glaubt, einer der Gründe kann die Liebe des Soldaten gewesen sein.

Der Soldat hat erklärt, er habe nicht nur nie in seinem Leben einen Menschen so sehr geliebt, sondern auch nie zuvor ein so tiefes Liebesgefühl für möglich gehalten. Man kann vielleicht annehmen, daß eben diese übermächtige und völlig unerwartete Liebe den Gedanken an Rettung gar nicht aufkommen ließ. Liebe und Leben sind selten gleichgerichtet, und nur eine beherrschte, gemäßigte und gewissermaßen schon in den Alltag eingebettete Liebe hofft und plant sich selbst über ihre erste Erfüllung hinaus. Hier aber hätten schon dieser ersten Erfüllung unüberwindliche Hindernisse und Gefahren gedroht, wenn der Soldat gleichzeitig Rettungspläne ins Werk gesetzt hätte.

Auch war diese Liebe in dem Soldaten unter den nun einmal gegebenen Umständen groß geworden. Die Mächte der Vernunft, der Vorschrift und Disziplin, die ihm im Wege standen, hatte er ja keineswegs geschlagen, er hatte sie nicht einmal von sich abgeschüttelt, sondern er war ihrem Griff nur entglitten, auf eine ihm selbst rätselhafte Art, wie ein Kind zuweilen entschlüpfen kann, weil es leicht übersehen wird, oder mit seinen eigenen Worten: »Wie ich mir als Kind gedacht hab', wenn ich nur klein und schnell genug wär', könnt' ich trocken zwischen den Regentropfen durchlaufen.« Und nun sank er in seine Liebe ein, tiefer und tiefer. Es war keine wohlbegründete Liebe, sondern eine abgründige, keine Liebe auf den ersten Blick, sondern eine Liebe auf den letzten Blick; verirrt, verloren, bereit zum Aufbruch ins Grundlose. Solche Gefühle reifen nicht, brechen nicht aus Blattwerk und Knospe hervor, sondern sind einfach da, wie die Herbstzeitlosen, ähnlich vielleicht der plötzlichen Leidenschaft, die ein Mann für eine Dirne empfinden kann, wobei die äußere Unverbindlichkeit der Begegnung über die Tiefe der in ihr gebundenen und losgebundenen Mächte leicht täuschen kann. Vielleicht war auch die kurzlebige Liebe des haltlos und

dadurch grausam gewordenen Fürsten aus ›*Tausendundeiner
Nacht*‹ von dieser Art, jene feindselige Liebe, die jeden Tag
von des Mannes Wissen genährt und genarrt wurde, daß die
Geliebte seiner Nacht am nächsten Morgen sterben müsse
und ihm deshalb nicht den geringsten Schmerz mehr bereiten
könne, außer dem einen, größten, von ihm selbst verhängten,
eben daß sie starb. Allerdings unterschied sich der Soldat von
dem Märchenfürsten dadurch, daß er das Todesurteil nicht
aufheben konnte.

Der kurze Winternachmittag verging, ohne daß der Soldat zu
klarer Besinnung gekommen wäre. Er konnte sich später
nicht erinnern, in diesen Stunden, in denen er intensive
Betriebsamkeit entfaltete, irgend etwas empfunden zu haben;
nicht Glück, nicht Erwartung, nicht Trauer, nicht Angst,
auch nicht Grauen. Es sei immer noch wie die massive
Dumpfheit eines eingeschlafenen Fußes gewesen, erklärte er.
Nur atmen konnte er nicht ganz ohne Schwierigkeiten und
machte sich deshalb Sorgen um seine männliche Leistungs-
fähigkeit, was ihm – als er sich bei dem Gedanken ertappte –
widerlich und vor allem unsagbar lächerlich erschien.
Ohne daß er selbst wußte wie, hatte er sich nach einigen
Stunden alle Wege geebnet, hatte alle Hindernisse beseitigt.
Unmöglich würde es also nicht sein. Wie ein Schlafwandler
kam er aus den weitläufigen Gefängnisgebäuden wieder ins
Freie.
Der Rest des Nachmittags verging damit, daß er ein Armee-
fahrzeug anhielt und sich in sein Quartier mitnehmen ließ,
wo er ein Bad nahm und sich rasierte. Beim Ankleiden fand
er in seiner Tasche eine Packung Schutzmittel, wie sie in den
meisten modernen Armeen verteilt werden. Er trug sie gleich
seinen Kameraden gewöhnlich bei sich, für alle Fälle. Nun
sah er die bedruckte Packung mit der sachlichen Gebrauchs-
anweisung nachdenklich an, dann schüttelte er sich und warf
das Ganze in den Abort. Das war das einzige Mal an jenem
Nachmittag, daß die Starre ihn losließ. Er begann zu weinen,
und die Tränen brannten auf seinen frischrasierten Wangen.
Wie Gesichtsspiritus, dachte er. Dann hörte er wieder zu
weinen auf.
Als er sich fertiggemacht hatte, ging er zu Fuß durch den

sinkenden Abend ins Gefängnis zurück. Er ging einfach hin. Schokolade hatte er nicht mitgenommen, nicht einmal Zigaretten trug er bei sich. Die letzte hatte er mittags weggeworfen. Er brachte keine Geschenke. Das alles fiel ihm erst viel später ein.

Er machte sich auch keine Gedanken, was Helga sagen werde, und ob sie es wirklich gemeint habe. So wie man beim Gehen seine Füße gebraucht, ohne zu wissen, was man mit ihren Nerven und Sehnen tut, ging er zu Helga. Nur dieses Fehlen aller Überlegung von Mittel und Zweck, Ursache und Sinn gab ihm Sicherheit. Es ist dies im Grund die einzige Art, beim Gehen vorwärtszukommen. Wenn unsere Gliedmaßen denken könnten, wären wir gelähmt.

Die wachhabende Wärterin hatte sich zurückgezogen, eine zweite Wärterin rasselte mit Schlüsseln. Der eine der beiden rauchenden Soldaten vor der Zellentür schlug ihm ermunternd auf die Schulter. Dann ging die Tür vor ihm auf und fiel hinter ihm zu. Der Schlüssel im gut geölten Schloß kritzte nur ganz leise.

Helga sprang von ihrem Bett auf und wich gegen die Wand zurück. Dann kam sie auf ihn zu und schlang ihre Arme um ihn, so fest, daß es ihm in den Ohren zu sausen begann. Ihr nahes Gesicht sah er nur undeutlich, denn sie küßten sich.

Hier muß die sonderbare und sentimentale Episode von den Strümpfen erzählt werden. Ich habe schon zuvor erwähnt, daß der Soldat die jüngere Wärterin mit Nylonstrümpfen bestochen hatte. Daß es sich dabei wirklich um Bestechung gehandelt habe, schien mir von Anfang an zweifelhaft. An einem der letzten Tage vor seiner Abreise nach Amerika hat er mir dann noch die folgende Episode berichtet, die sich seither als Notiz auf einem Zettel in meinen Manuskripten herumgetrieben hat. Es ist ganz einfach: als der Entschluß der Wärterin erst einmal feststand, die beiden zueinanderkommen zu lassen, hatte sie die Nylonstrümpfe in die Zelle gebracht und sie Helga aufgedrängt. Helga hatte – wie nicht anders zu erwarten war – noch nie in ihrem Leben Nylonstrümpfe gesehen. Dieser Umstand sowie das Staunen über das plötzliche Geschenk der Wärterin und vielleicht auch die Mitteilung, daß es der Soldat war, der die Strümpfe gebracht hatte – das alles bewirkte schließlich, daß Helga an diesem letzten Abend zum ersten Mal in ihrem Leben jenen damals auf allen Schwarzmärkten Europas begehrten Artikel trug: Nylonstrümpfe.

Es gibt Geschenke, die ihren wahren Wert ihrer Sinnlosigkeit verdanken. Aber dieser erste und einzige Ansatz zu weiblichem Geschmücktseinwollen war vielleicht gar nicht so sinnlos: die geschlagene Bewegung, die für Helga zuerst das Leben bedeutet hatte und nun den Tod bedeutete, war eigentlich eine Besessenheit der Männer gewesen: zwar verkommen, verirrt oder schamlos verfälscht, aber immer noch unverkennbar letzter Ausläufer uralter Männerriten, die in tausendjähriger Vergessenheit heruntergekommen und böse geworden waren, ähnlich wie die alten Religionen in späterer Zeit zu Hexenkulten und heimlichen Mordbünden entarteten. Zwar waren Frauen scharenweise ergriffen und mitgerissen worden, hatten den Führern der Bewegung zugejubelt und waren hörig gewesen wie die Hexen ihren Hexenmeistern. Aber im Kern war das Wesen der Bewegung ein männliches. Die Frauen waren bestenfalls Ergänzung, als chthonische Mütter oder als eugenisch einsetzbare Instrumente zu planmäßiger Schaffung und Aufzucht neuer Mannen. Wo aber Frauen in die uniformierte Elite mit hineingezogen wurden, dort waren sie nicht Frauen, sondern Männinnen gewesen, ohne Puder und Lippenstift, ohne Seidenwäsche und Schuhe mit hohen Absätzen. Und es ging dabei nicht um Wert oder Unwert der Frauenmoden des Jahrzehnts, sondern um die Verleugnung des Weiblichen.

Die Nylonstrümpfe aber bedeuteten, daß Jeanne d'Arc ihre Männerkleidung abgelegt hatte. Dieser vermessen klingende Vergleich stammt vom Soldaten, nicht von mir. Aber ich stimme ihm da zu. Streiterin Christi oder des Antichrist, Bewegung oder Widerstandsbewegung – das Wort gilt, gleichviel ob als Parallele oder als Spiegelbild. Und wenn es wirklich eine Gnade gibt, die nicht von dieser Welt ist und die bis in die Todeszellen reicht, welcher Mensch dürfte dann behaupten, daß diese Gnade eine Geschlagene aus der Heerschar der anderen Seite nicht zu erreichen vermag?

Das Spiegelbild Helga-Jeanne d'Arc erklärt auch etwas anderes; etwas, was der Soldat nach einigem Nachdenken Helgas Jungfräulichkeit genannt hat. Es handelt sich hier nicht darum, ob in den Tagen des geschlagenen Regimes der eine oder andere Mann ihr Bett geteilt hatte. Denn in ihrer Laufbahn als Männin, in jener Bewegung, die mit dem Weiblichen im Grunde unvereinbar blieb, war Helga einer Larve gleich gewesen. Und Larven, auch wenn sie einander bekriechen, sind nicht paarig. Dann war die Haft gekommen, der Prozeß, das Urteil; und nun erst, an diesem Nachmittag, an diesem einen Abend, hatte sie sich als Frau entpuppt. Dieser ihrer letzten gültigen Form konnte der nahende Tod so wenig Abbruch tun, wie er die Eintagsfliege beirren kann, für die Anfang und Ende der Vollkommenheit ineinander- klingen. Und in dieser letzten Gestalt Helgas war der Soldat ihre erste und einzige Begegnung, das Abstreifen der Nym- phenhaut und der Hochzeitsflug über den Wassern der Geburt und des Todes.

Deshalb konnte sie ihm mit jener Weisheit begegnen, wie man sie bei ganz unerfahrenen Mädchen findet, die sich immer nur aus der eigenen Tiefe Rat holen müssen und nicht für alles und jedes zwei, drei kleinliche, seichte Erfahrungen bei der Hand haben. Erst eine alte Frau, die schon zu vergessen begonnen hat, erinnert sich wieder dieser Tiefe. Unter dem Gewicht des kommenden Tages hatte in Helga vielleicht auch dieses Vergessen des Oberflächlichen schon begonnen. Auch ist im eigenen Tod keiner erfahren, und diese Unerfahrenheit macht den Menschen in seinen letzten Stunden unschuldiger, unbedingter und trotz aller Abwehr erwartungsvoll. So stand es um Helga, als der Soldat zu ihr in die Zelle trat.

Hier habe ich einige Erklärungen nachzuholen, die das Tun und Denken der Hauptpersonen dieser Geschichte be- treffen.

Das Verhalten des Soldaten ist leicht verständlich, so leicht sogar, daß es für eine landläufige Erzählung zu wenig ungewöhnlich wäre. Man weiß vom ersten Augenblick an, was er tun wird.

Sein anfängliches Grauen vor dem Mädchen war zwar im Umschlagen seiner Gefühle keineswegs völlig verschwun- den; aber gerade dieses Grauen konnte einen Menschen, der in einer Welt, in der das Grauen eine wesentliche Rolle spielt, schon längst seinen Weg verloren hatte, auch anziehen und im eigentlichen Sinn des Wortes bannen. Es muß nebenbei erwähnt werden, daß der Soldat sich bei der Beschreibung jenes Nachmittags mehrmals widersprochen hat. Es scheint, daß er trotz aller Benommenheit und trotz der Starre, die ihn hinderte, tief zu atmen, doch ununterbrochen von einem Strom heftiger Gefühle und phantastischer Gedanken heimgesucht wurde. Er empfand, daß er, indem er zu Helga ging, den gleichen Weg nahm, den seine zugrunde gegangenen Verwandten und Freunde genommen hatten. So war seine Haltung zum Teil auch passiv und fast schmerzselig, und er suchte mehr als bloß das Zusammensein mit Helga. Vielleicht war das Mythische stärker als das Sinnliche. Aber unter den bestehenden Umständen mußte jede Erfüllung die Schmerzseligkeit in sich schließen, um überhaupt Erfüllung zu werden. Darum war seine Haltung bei weitem nicht so abwegig, wie sie ohne Berücksichtigung dieser ungewöhnlichen Umstände erscheinen müßte. Außerdem beschwerte ihn das Gefühl, selbst ein Teil der Macht zu sein, die sich anschickte, am nächsten Tag an dem Mädchen das Urteil zu vollstrecken. Daß er seinen Weg in ihre Zelle zugleich auch als Teil dieses Strafvollzuges empfunden haben dürfte, widerspricht dem nicht wirklich. Er war Henker und Opfer einer todgeweihten Todesgöttin, Sühner und Büßer eines Bluturteils, das er selbst vollstrecken half, marodierender Soldat, römischer Legionär, der in den Kellerlöchern des Kolosseums in der Nacht vor den öffentlichen Menschenzerfleischungen der Arena das heimliche *jus ultimae noctis* ausübte. Zwei, drei Stunden später waren ihm alle diese Grübeleien und Theorien unwichtig geworden, gegenstandsloser Unsinn, der einen wirklichen Menschen, der noch lebte, nie ergründen konnte. Aber in den ersten Nachmittagsstunden hatte er – außer seiner Angst und Sehnsucht – noch nicht viel anderes als Theorien. Dennoch, ja vor allem, und quer durch all das hindurch, war er aber auch schon an jenem Nachmittag ein bis zur Verzweiflung *Liebender*.

Daß die Theorien überhaupt so in ihm wuchern konnten wie sonst höchstens in sehr unreifen, unerfahrenen Menschen, hatte seinen Grund zum Teil im Furchtbaren der Lage, zum Teil aber auch einfach darin, daß der Soldat etwas, was wir im gewöhnlichen Leben eine persönliche Beziehung nennen würden, zu Helga noch nicht hatte, ja noch nicht haben konnte. Er kannte sie noch gar nicht. Ehe er in der Zelle stand, hatte er nie ein Wort mit ihr gesprochen. Es war eine Begegnung, wie sie sich nur in einer ziemlich aus den Fugen gegangenen Welt ereignen konnte. Wie weit auch er selbst mit seiner Welt schon zerfallen war, das wußte der Soldat an jenem Tag noch nicht. Es war der letzte Tag, an dem er es noch nicht wußte.

Hier wollte ich ursprünglich einige längere Manuskripte des Soldaten einschalten, die über seinen Seelenzustand und seine Zerfallenheit mit Zeit und Umwelt besser Auskunft geben könnten als alles, was ich darüber sagen kann. Einige dieser Manuskripte sind noch vor seiner Begegnung mit Helga entstanden, andere später, zum größeren Teil in einem amerikanischen Armeehospital. Sie sind aber zu umfangreich, um hier eingefügt zu werden, und er selbst hat schließlich eine Stelle gegen Ende dieses Berichtes ausgesucht, wo seine Manuskripte eingefügt und auch ihre Zusammenhänge untereinander und mit den hier festgehaltenen Ereignissen kurz erklärt werden können. Literarisch sind seine Arbeiten natürlich nicht alle gleichwertig, aber seine Prosa ist im allgemeinen besser als seine Gedichte, und außerdem sind sogar weniger geglückte Versuche oft interessant und von unerwarteten Seiten her aufschlußreich. Aber zunächst kann man auch ohne diese Manuskripte dem Gang der Ereignisse folgen.

Was den Seelenzustand des Soldaten betrifft, so haben wir, wie schon erwähnt, sein Wort dafür, daß ihm an jenem Nachmittag, als er sich auf den Weg zu Helga machte, noch nicht ganz bewußt wurde, wie sehr er mit seiner Welt schon zerfallen war. Als er davon sprach, erwähnte er abermals den Toten Winkel, jenen Raum im Schatten einer Batterie, den ihre Geschütze nicht bestreichen können. »Ich war zu nah dran, ich hab' gar nichts gespürt und gedacht. Erst nachher hat's mich erwischt«, sagte er, »dafür aber desto gründlicher.«

Helga hingegen wußte sehr wohl, wie sehr sie mit ihrer Umwelt zerfallen war. Erstens geht eine Welt durch ihre Niederlage viel deutlicher, unverkennbarer zugrunde als durch ihren Sieg. Und zweitens gab es für Helga keinen nächsten Tag mehr: unverkennbar war auch ihr eigener Untergang. Es gibt aber ein Wissen, das unter allen Umständen gewußt werden will, und da ihr zum Wissen nicht mehr viel Zeit blieb, wußte sie es eben. Ähnlich wie das Kind im Mutterleib die ganze Entwicklung der Lebewesen in einer den Weltzeiten gegenüber unendlich verkürzten Zeitspanne wiederholt, nimmt ein Sterbender nicht nur die Entwicklung seines eigenen Lebens dem Schicksal vorweg – so daß vielleicht kein Säugling stirbt, ohne im letzten Flimmern einer Todessekunde uralt geworden zu sein –, sondern das vergehende Einzelleben greift auch in die Biegung der künftigen Jahrhunderttausende und zuckt voraus bis ans Ende der Menschheit. Auch dieser Vorgang, der das Opfer dem Opfernden entrückt und zuletzt die verbundenen Augen sehend macht, durchdrang und verwandelte die letzte Nacht von Helgas Leben und hatte nun, am Abend, schon begonnen. Doch davon läßt sich nichts Erklärbares wissen oder aussagen, und das ist vielleicht gut so.

Eines hat Helga offenbar selbst gesagt, daß sie den Soldaten weder liebte noch anziehend fand, als sie ihren letzten Wunsch aussprach. An die Erfüllbarkeit dieses Wunsches hatte sie ebensowenig geglaubt wie die Umstehenden; er war nicht viel mehr als Trotz und Angst vor dem Nichts gewesen. Dem Nichts sucht man ja oft ins Geschlecht zu entfliehen. Die Wahl der Person des Soldaten aber war – wenigstens an der Oberfläche – dem Zorn Helgas über sein Auflachen zuzuschreiben, das sie, wie schon erwähnt, mißverstanden hatte.

Aber am Abend des gleichen Tages, als der Soldat in der Tür ihrer Zelle stand, hegte Helga anscheinend schon ganz andere Empfindungen für ihn. Dies ist bei weitem nicht so einleuchtend wie das – wenn man von moralischen Vorurteilen absieht – fast selbstverständliche Gefühlsschicksal des Mannes. Aber offenbar hatte Helga zunächst mit dem Aussprechen ihres Wunsches etwas zwischen sich und das Sterben gesetzt. Nun bietet aber das Sterben selbst, die endgültige Einholung des Nichts durch das Sein, trotz seiner gefühlsüberwucherten Nebenumstände dem Gefühl keinen Halt mehr. Somit war dieser Mann mit einem Mal das letzte, was es für Helga gab, der letzte Turm des Diesseits, der letzte Brennpunkt aller irdischen Gefühle.

Er war das alles zunächst nur als Gedankenspiel, wie ein Tagtraum, ein Wunsch aus einem Märchenbuch der Kindheit oder eine Phantasie der Pubertät. Dann aber, als Helga von der Wärterin gefragt wurde, ob sie das zu dem Soldaten im Ernst gesagt habe, und wieder einige Stunden später, als sie von seinen Bemühungen erfuhr, gegen alle Vorschriften zu ihr durchzudringen, wurde ihr dieser Mann bitter-notwendige *Unterbrechung* der Stunden zum Tode; wurde Sehnsucht, Hoffnung, immer deutlichere Verkörperung des Lebens im sinkenden Dunkel der vorabendlichen Zelle; wurde geflüsterte Bestätigung, Schritt draußen auf dem Gang und Bewegung der Türe. Noch ein Zusammenzucken, Zurückweichen und Entgegenfallen, und dann nichts mehr von den einzelnen Zügen seiner kaum erinnerten Gestalt. Auch nichts mehr von den wechselnden Zügen ihrer eigenen Gefühle, sondern alles zugleich, in vollen Zügen; alles, was es gab, was gegeben werden konnte und was es je geben würde. Hergegeben und hingegeben in einem Zug. Alles.

Daß Helga auch gehört hatte, er sei Jude und deutscher Emigrant, hatte in ihr Gefühl noch etwas anderes gebracht, eine im Grunde unpersönliche Bestärkung und Bestätigung dieses Gefühls aus einer Sphäre weit außerhalb der Todeszelle; aus einer Sphäre, die das Besondere mit einem Mal wieder ins Allgemeine verwurzelte, von dem es schon tödlich losgerissen schien. Ich meine Helgas Weltanschauung oder doch den ersten und letzten Ansatz Helgas zu einer eigenen Weltanschauung.

Nach dem Anhören der langen Berichte des Soldaten bin ich überzeugt, daß Helga ihre frühere Gesinnung aufgegeben hatte, obwohl sie ihr noch während des Prozesses scheinbar so hartnäckig treu geblieben war. Diese vielleicht lächerlich klingende Erklärung wäre nicht notwendig, um des Soldaten Liebe oder auch nur meine eigene Einstellung zu rechtfertigen, denn Liebe bedarf keiner Rechtfertigung. Aber den Berichten des Soldaten war zu entnehmen, daß diese zwei Faktoren, Helgas Liebe und die unerbittliche Klärung ihrer Gedanken durch das Nahen des Todes, sprungartig eine Entwicklung in ihr vollendeten, die mit dem Zerfall des vernichteten Regimes begonnen hatte.

Ich lege Wert darauf, die Heldin der Geschichte des Soldaten – und mithin auch meine Heldin – eindeutig darzustellen, weil sie sich gegen Anschuldigungen nicht mehr verteidigen kann. Nicht, daß Helga sich nach dem Wind gerichtet hätte, der zu ihrer Hinrichtung wehte; das hat ein zum Tode Verurteilter nicht mehr nötig. Aber die Zerschmetterung und völlige Ohnmacht einer Welt, die ihre Rechtfertigung und alle ihre ungeheuerlichen Ansprüche im Grunde einzig und allein aus ihrer eigenen Machtfülle und Herrlichkeit abgeleitet hatte, war gerade in den Augen der von ihr einst wirklich Überzeugten das, was die Niederlage einer humanen und irgendwie wohlwollenden Bewegung oder politischen Partei nie ganz sein kann: ihre endgültige und überzeugende Widerlegung.

Das Gerichtsverfahren hatte diese Entwicklung nahezu vollendet. Es war für Helga nicht Recht und Gerechtigkeit, sondern ein todernstes Spiel mit vertauschten Rollen, in dem sie sich an der Stelle jener fand, über die sie im Lager Herrin gewesen war. Das einzige Gegengewicht, die einzige beruhigende Bestätigung ihrer bisherigen Grundsätze fand sie in dem fast von Anfang an über ihr hängenden Todesurteil. Dieses letzte Auskunftsmittel, das die Reue untätig und unwichtig macht, schien ihr wenigstens in dieser einen Hinsicht die größere Ehrlichkeit der gestürzten Barbarei zu beweisen. So kam es, daß sie während der Verhandlung nichts von dem zugab, was sie schon an Zweifeln oder Reue empfand. Wer zuletzt die gleichen Mittel gebrauchte, die sie im Lager gelernt hatte, dem konnte man auch nach den Grundsätzen begegnen, die dort gegolten hatten. Und schon im Lager war sie besonders verbissen und wild dann gewesen, wenn sie gespürt hatte, wie ihre eigenen Zweifel, ihr eigenes Entsetzen in ihr wuchsen. Dann mußte sie ihre Eltern niederschreien, sie durfte ihnen nicht die Freude des Rechtbehaltens machen: nicht ihnen und nicht den andern!

All dies und noch viel mehr hat der Soldat mir erzählt, an drei oder vier langen Abenden, bruchstückweise und mit endlosen Wiederholungen. Es ist verwunderlich, daß jene zwei Menschen in ihrer einen Nacht Zeit fanden, auch von diesen

Dingen zu sprechen, und es war Helga, die darauf bestand, es zu sagen. Es scheint, daß für sie der Soldat – gerade weil er der ›anderen Seite‹ angehörte, und weil er Jude war – in ihrer sich neu bildenden, gedrängten und letzten Welt die Stelle verkörperte, an der Abbitte geleistet und etwas gutgemacht werden mußte; und Helga konnte jetzt zum ersten Mal Reue zeigen, weil keine Reue mehr von ihr verlangt wurde. Aber sooft sich der Soldat seit seiner Rückkehr nach Deutschland, die keine Heimkehr war, als Geschädigter und Beleidigter gefühlt hatte, dem Abbitte gebührt – ein Gefühl, dessen er sich fast bewußt bedient hatte, um das volle Gewicht der Trauer über die Zerstörung seiner alten Heimat von sich abzuhalten –, gerade jetzt konnte er sich in diese Rolle nicht mehr finden, denn er war es ja, der Helga über ihren Tod trösten und diesen Tod im voraus sühnen wollte. So waren Helga und der Soldat in einem tiefen Gegensatz vereint, und sie hätten sich vielleicht noch zuletzt im Wettstreit ihrer Schuldgefühle in ein groteskes, tragikomisch ausweglloses Mißverständnis verstrickt, wenn ihre Worte und Erklärungen mehr gewesen wären als ein winziger knisternder Funke in jener Nacht.

Der Bericht über diese Nacht findet sich in den Manuskripten des Soldaten unter der Überschrift *Die Nacht*. Er ist eine von zwei mit Bleistift geschriebenen Arbeiten, die beide während seines Zusammenbruchs entstanden sind. Die andere Arbeit, die keine Überschrift trägt, schildert ein Gewirr von Ereignissen und Eindrücken oder Phantasien des darauffolgenden Morgens. In beiden Arbeiten schreibt der Soldat von sich selbst in der dritten Person, als wolle er immer noch Abstand halten. In beiden Arbeiten bedient er sich auch – vielleicht zum Teil aus dem gleichen Grund – seines eigenartigsten Kunstmittels, des ›ernsthaften Wortspiels‹, wie er es nennt. Er hat das anscheinend aus der neueren Literatur seiner zweiten Heimat übernommen, aber bis an die Grenzen des Möglichen weitergeführt. »Ich glaube, diese sogenannte Wortspielerei verschafft einem eine Art Gegengewicht, wenn alles rund um einen her einstürzt«, sagte er einmal darüber. Ich mußte mich zunächst an diese Form gewöhnen. Nun aber ertappe ich mich oft dabei, daß ich sie, ebenso wie manche andere seiner stilistischen Eigenheiten, nachahme. Aber das ist unwichtig, und das Manuskript, das hier folgt, bedarf keiner weiteren Einleitung.

Nacht ist Nacht, Liebe ist Liebe. Man weiß, wieviel Beine zwei Menschen haben, wieviel Brüste, wieviel Finger und Lippen und Zähne. Man weiß, wie das Geschlecht beschaffen ist und daß man nackt sein kann. Man weiß alles, und man hat es schon immer gewußt.

Aber das stimmt nicht. Nacht ist nicht Nacht, Liebe ist nicht Liebe. Man weiß nicht, wieviel Hände und Lippen es sind; man weiß nicht, wie das Geschlecht beschaffen ist; und man hat es nie gewußt, und man wird es nie wissen. Und ob nicht die Toten oder die, die nicht mehr geboren werden, ihr ganzes Leben und ihre ganze Sehnsucht in die Liebenden bohren und ihnen alles mitgeben, oder ob sie ihnen alles nehmen und alles mitnehmen.

Denn wer erzählt, was noch zählt? – an diesem einen Ziel in der Nacht vor dem Zahltag, wenn schon alles zur Reise gerichtet ist, ohne Hin und Her, ohne Richtung und ohne Richter. Denn ist auch schon alles zur Hinrichtung hergerichtet, so ist es doch noch weit; vielleicht in einem anderen Land; dort und nicht hier. Und das Heer aus dem anderen Land, die Flut der Sieger, schmilzt hin und versiegt; denn das Meer wird zur Ebbezeit weniger, und es kommt die Zeit, die verzeiht. Dann vergeht und verschwindet jeder Krieg und jeder Tod, und das Heer ist nur noch der letzte Soldat, der in der innersten Zelle der innersten Zelle steht, dort, wo das Gefangene ihn gefangennimmt und umfängt.

Nagt denn die Sorge noch an denen, die nackt sind? Und was morgen würgt, wirkt es schon in dieser Nacht; schont es sie nicht? Ist nicht die Todeszelle die letzte Zelle des Lebens, eine Stelle der Stille im Wirbelwind des Verwehens, an der sich das Entzweite wieder vereint und das Verwaiste und das Verrohte weiß und rot wird?

Alles ist offen, nicht nur die Zelle. Und alles ist zugefallen und geschlossen, nicht nur die Zellentür hinter dem Soldaten. Sie selbst sind einander zugefallen und offen, der offene Zufall; und sie halten einander umschlossen.

Ein Soldat ist kein Soldat mehr ohne Uniform. Vielleicht ist er nie ein Soldat gewesen. Wie leicht ist er nie ein Soldat gewesen! Und auch Helga ist nicht mehr, was sie gewesen ist, und ist noch nicht, was sie werden wird.

In dieser Nacht bewährt sich alles, als sollte es ewig währen als ewige Wahrheit. Und Helga ist er, und er ist sie; und er ehrt sie, und er ißt sie. Und sie sieht ihn, und die Nacht ist nackt.

Weiter und weiter, näher und näher, aneinander genährt und einander geweiht: das weite Sichauftun vor dem Abgetanwerden, das Erleben vor dem Ersterben. Sie eröffneten sich und erschlossen sich, eines dem andern, sie suchten einander und fanden einander, sie versuchten einander und empfanden einander. Sie waren einander Fülle und Leere, eines fühlte das andere und lehrte das andere. Sie füllten einander und leerten einander, und die Fülle der Nacht vernichtete jede falsche Lehre.

Mann und Frau, erhaben und vertieft, einander Erhebung und Vertiefung, taufen ihre Höhen und ihre Tiefen mit dem Wasser aus dem Staub, denn sie sind der Sterblichen lebende Brunst und die Brunnen, die brennen.

Dann sind sie nichts. Sie sind nichts mehr und sind doch mehr als das Nichts: sie sind Meer. Das Stille Meer und das Tote Meer, das Schwarze Meer und das Rote Meer; das weiße Eismeer und das rote Feuermeer. Ein Weißes und ein Rotes, ein Lebendes und ein Totes, ein Schwarzes und ein Weißes, und wenn das Kind nicht schlafen will, dann kommt das Schwarze und beißt es.

Sie sind die Küste, und sie sind die Küsse. Sie sind der Sand an der Küste, und sie sind der Sund, und sie sind die Sünde, und sie sind die Sinne, und sie sind die Sonne und der Mond und der Mund, und sie sind die Sterne, und sie sind Stirne an Stirne. Sie waren, und sie werden sein, und sie sind; sie sind der Sinn.

Und sie sind verfitztes Tanggrashaar über den Tiefen und Untiefen des Meeres, und sein Busen und Schoß und reitender Schaum und verschwendeter Gischt, und sie sind die offene See und die Brandung. Und ob es die älteste Nacht ist, und ob es der Jüngste Tag ist, die Zeit, die verzeiht, die Zeit zum vorletzten Schlaf, denn auch was nackt ist, nickt ein – das alles wissen sie nicht. Und was heißt Schlaf, und was heißt schlaff? Und was heißt Wachen, und was heißt Wachsen, heiß wachsen? Das fragen sie nicht, denn sie sind die brennenden Brunnen, sie sind die verheißene Flut. Sie überfluten und überschwemmen einander, sie tragen einander, sie ziehen einander hinab und stemmen einander hoch. Sie tränken einander und trinken einander und ertrinken ineinander.

Aber die Sintflut flaut ab und verebbt, und die nassen Berge heben sich dampfend ins Himmelblau. Wieder teilt sich ihnen ihr Wasser und Land, und unter ihren Lenden sind Länder und Küsten. Und sie kosten das bittere Salz, und ihre kostbaren Tränen trennen das Blau des Auges vom Blau des Himmels.

Dies ist der neue Bund, sie sind verbunden und verbündet. Beide sind gebogen von dieser Erregung und sind der doppelte Regenbogen. Sie sind das Tor des Himmels, und sie sind die Zeugen. Sie sind es, die zeugen. Und sie haben einander noch viele Länder zu zeigen, die Reiche der Welt und ihre Herrlichkeiten, die Arme der Welt und ihre Fraulichkeiten. Und in der Mitte den Baum des Lebens.

Im Baum des Lebens erlaubt das redende Laub, was der Baum der Erkenntnis ihnen verboten hat. Ihr Botenstab war nur ein letztes dürres, entwurzeltes Reis, ein Stab aus Staub, aber hier pflanzen sie ihn auf. In diesem Grund wird ein Wanderstab zum Wunderstab und bohrt gegen alle Gebote das entbehrte Wasser aus Stein und Staub und macht das ärmste Stück Erde zum Erdreich. Der Stab reicht zum Baum des Lebens hinauf wie die Stäbe der Jungen, die Kastanien von den Zweigen schlagen. Aber hier wird nichts abgeschlagen, sondern der Stab trägt Blüte und Frucht; sein Abfall ist ein Apfel.

Die Äpfel von Odin und Idun und Eden rollen am Grund. Der fruchtbringende Stab ist als Zeltstange aufgepflanzt, damit das Sehende bei dem Seienden wohnen kann; ein Zelt für das Blinde und für das Blonde, für die Braut und den Freier, der kein Befreier mehr ist; für die Feier und für das Feuer.

Denn sie selbst sind Flammenzungen, die am Baum des Lebens lecken; die lockenden Zungen, die ihr eigenes Feuer lockern und schüren, die gelbroten Locken, die als Schlangen den Hals umschnüren. Ihre Arme und Beine sind Zangen und Scheren, die rechten und linken richten und lenken, und sie bäumen sich am Fuß des Baumes auf und stammeln ohnmächtig am mächtigen Stamm, an dessen Wurzeln schon die Axt gelegt ist. An ihrem Fürchten sollen sie sich erkennen!

Und sie erkannten sich. Und sie erkannten, daß sie nackt waren. Und sie erkannten, daß es Nacht war.

Die Nacht aber ist die Nacht, die eingezeichnet ist in alle anderen Nächte und ausgezeichnet ist vor allen anderen Nächten; der Übergang von der einen Seite auf die andere, der Untergang aller Verfolger und die Empörung; das endlose Irren in der Wüste und das Opfer und das Blut und der Sündenbock und die Eherne Schlange; und der Tod aller, die in das Abenteuer ihrer Befreiung ausgezogen sind, auch wenn das Rote Meer nicht über ihnen zusammenschlägt. Denn eine Generation muß erst sterben.

Ich wußte nicht recht, was ich mit dem Soldaten anfangen sollte, als ich diese Blätter gelesen hatte. Er saß da und war kein Soldat mehr. Zur Zeit, als das alles geschehen war, mußte er noch etwas anders ausgesehen haben; besser trainiert und gedeckt von seiner Uniform. Eine Uniform ist etwas unpersönlich Gültiges und zugleich etwas Nacktes. Diese Nacktheit der Uniform hatte er nun verloren. Ich sehe ihn noch auf dem Sesselrand hocken, in seinem grauen Zivilanzug aus amerikanischem Gabardine, und einen Zigarettenstummel töten oder an seiner schwarzen Armbinde zupfen – ein gutmütiger, zur Traurigkeit neigender jüdischer Intellektueller. Etwas zu dick, doch das ist, wie gesagt, oft nur eine Art Panzer gegen die eigenen Nerven, die man in Fett einbettet; ein Bollwerk gegen die Verzweiflung. Er selbst hatte das einmal gesagt: »Eine Weltanschauung kann wie ein Korsett sein, das hält einen zusammen. Aber wenn sie kaputt ist, dann geht man aus dem Leim.«

Ja, dachte ich, er ist ein wenig aus dem Leim gegangen. Und er spricht zuviel. Klug, aber zuviel. Von dem, was gilt, hat er schon gestern genug gesagt. Mehr als genug; jetzt bettet er es nur noch in Fett ein. Ich weiß das alles schon, ich erinnere mich aller seiner Erinnerungen. Ich weiß auch, daß es Augenblicke gibt, in denen ich ihn hasse, aufgestachelt von einer unsinnigen Eifersucht, gegen den Strom der fließenden und schon verflossenen Zeit. Ich weiß, daß mir der Gedanke gekommen ist, man könnte diesen Mann vielleicht zum Selbstmord treiben, weil er Helga nicht gerettet hat.

Aber das ist Unsinn. Er hat getan, was er konnte, und man muß Mitleid mit ihm haben. Man muß! Und wenn er wirklich Selbstmord beging, so wäre es auch nicht leichter zu ertragen; oder doch nicht viel leichter. Ich tue ihm Unrecht.

In den verlassenen und unwohnlich gewordenen Gängen und Räumen sonderbarer alter Rechte und Gerechtigkeit klingt noch da und dort ein Echo auf.

Ein wilder Stamm – ich glaube, es waren Indianer im

Amazonasbecken – bindet zum Tod verurteilte Frauen in der Nacht vor der Hinrichtung an den Pfahl auf dem Dorfplatz. Dort darf sie genießen, wer will; doch es heißt, daß von diesem Recht seit langer Zeit kaum noch Gebrauch gemacht wird. In dieser Sumpfgegend hat jetzt der frühere Faschist aus der Londoner Glasfabrik sein Lager aufgeschlagen. Sein Gesicht leuchtet im Widerschein der Glasbrennerlampen von Mayfair feist und schweißnaß, ein zweiter Mond aus weißlichem Schlamm. Er wartet der Opfer, die da kommen sollen. Einmal hat er etwas zu sehen geglaubt, aber das war nur ein Mann, noch dazu in amerikanischer Uniform und jüdisch aussehend. Allenfalls hat er ihn angerufen, denn am Amazonas gibt's nicht viel Gesellschaft, und in der Not frißt der Teufel Fliegen. Aber der Jud in Uniform hat ihn gar nicht gehört und ist vorbeigetorkelt und hat sein Lager verfehlt. Vielleicht ist er überhaupt nur ein Geist gewesen. Also wartet er weiter. Er wartet, daß eine Frau festgebunden wird. Ihm ist jede recht.

Das andere Recht ist altes deutsches Recht, Stadtrecht, Landrecht, Stammesrecht. Ein Verurteilter kann vom Tod gelöst werden, wenn sich ein ehrbarer unbescholtener Christenmensch findet, der ihn zur Ehe begehrt. Solche Ehe löst von Rad und Galgen, doch der Losgegebene ist seinem Ehegemahl für den Rest seiner Tage leibeigen.

Dieses Recht ist uralt und ist mit den Jahrhunderten zerbröckelt und verwittert, so daß schon in längstvergangenen Zeiten in jener Stadt nur ein Weib einen Mann lösen konnte, im benachbarten Herzogtum nur ein Mann ein Weib. Aber hier soll festgehalten sein, daß irgendwann und irgendwo gegen den Todesspruch dieser Raum des Lebens gezimmert war. Er steht leer, denn Helga und der Soldat haben keinen Schlüssel. In den Staub des erblindeten Fensters hat ein Kind mit dem Finger einen Galgen gezeichnet, mit einem Gehenkten und mit Raben, die wie der Buchstabe V aussehen, oder wie ein aufgeschlagenes Buch.

Wie der Sodat nach jener Nacht Helgas Zelle verlassen hat, darüber war von ihm keine zusammenhängende Auskunft zu erhalten und vielleicht auch nicht zu erwarten. Er sprach vom Frost und von einem langsamen Morgen, der die Unendlichkeit der vergangenen Nacht Lügen strafen wollte, dabei aber nur doppelt erbärmlich wurde und die hallenden Gefängniskorridore, die hüstelnden Beamten und gepflegten Offiziere anfraß und hohl und grau machte.

»Eine Wärterin hat einen Schlüssel umgedreht, und zwei wachhabende Soldaten waren unrasiert.« – »Nachher im Wartezimmer war es kalt. Ich hab' meinen Hauch gesehen. Ich hab' die Fensterscheibe angehaucht, und da hatten wir die Bescherung! Irgendwer muß es hingeschmiert haben, aber sehn hat man's erst können, wie ich das Glas angehaucht hab'. Ein Galgen mit einer Frau dran. Da hab' ich die Scheibe eingehaut.«

Es scheint, daß er nach dem Einschlagen der Fensterscheibe im Administrationsgebäude in aller Eile dem kommandierenden Offizier vorgeführt wurde. Auch der Arzt kümmerte sich um ihn, denn er hatte sich die Hand ziemlich übel zugerichtet.

Auf alle weiteren Fragen des Erzählers hin sprach der Soldat aber nur immer wieder vom Toten Winkel. Nach Art ratloser Menschen, die endlich für etwas eine Erklärung gefunden haben und nun alle Fragen der Welt damit lösen wollen, versuchte er unter diesem Begriff auch vieles zu verstehen, was mit dem militärischen Fachausdruck nichts zu tun hat.

Toten Winkel nennt man den Winkel, innerhalb dessen ein Geschütz oder Gewehr nicht in Aktion treten kann, weil sein Standort oder die Grenze seiner Richtbarkeit das nicht gestatten. Es handelt sich dabei meist um Gelände in unmittelbarer Nähe einer Feuereinheit, mag diese nun ein Befestigungswerk oder ein Panzer sein.

Der Soldat wiederholte auf die verschiedensten Fragen, die Zelle, in der er mit Helga die Nacht verbrachte, sei im Toten Winkel des Todesurteils gelegen: »Tod kürzt sich gegen Tod, so ist uns ein freier Raum geblieben bis zum Morgen.« Am Morgen, erklärte er, sei er aus dem Toten Winkel hervorgetreten.

Es steht fest, daß der Soldat an jenem Morgen auf seine Umgebung einen verstörten Eindruck machte. Er gab sich Mühe, die gleiche Betriebsamkeit zu entfalten, die ihm am vergangenen Nachmittag den Weg zu Helga gebahnt hatte. Diesmal ging es ihm darum, die Vollstreckung des Urteils zu verhindern. Aber er scheint ziemlich unbeholfen zu Werke gegangen zu sein, ganz abgesehen von der Aussichtslosigkeit eines solchen Vorhabens. Tags zuvor hatte er sich ruhig gefühlt, gewissermaßen erstorben, als sei ihm der Fuß eingeschlafen; nur atmen habe er nicht gut können. Nun aber war der eingeschlafene Fuß wieder aufgewacht und brannte unerträglich. Und er atmete zu tief. Er weinte sogar.

Die ihm vor wenigen Stunden geholfen hatten, waren über Nacht nicht Unmenschen geworden. Nur einer meinte, seinen Spaß habe er gehabt, und nun solle er keine Geschichten machen. Die anderen versicherten ihn ihres Mitgefühls, aber sie hatten Angst, sich Unannehmlichkeiten zuzuziehen. Er nickte nur. Tröstungen wie ›Sterben müssen wir schließlich alle!‹ waren unanfechtbar, wurden aber in diesem Augenblick in seinen Ohren aus axiomatischen Wahrheiten zu scheinheiligen Lügen. Immerhin, und obwohl man ihn warnte, das werde noch seine schimpfliche Entlassung zur Folge haben, erwirkte man ihm eine Vorsprache beim Kommandanten.

Im Wartezimmer schlug er dann die Fensterscheibe ein, und so kam es, daß der Kommandant schon ungefähr wußte, in welcher Verfassung er den Mann finden werde, als er ihn rufen ließ. Der Arzt war schon zuvor beim Kommandanten gewesen, und das war kein Zufall. Als im Vorraum das Glas zerklirrte, nahm der Arzt gerade seine Instruktionen entgegen; er hatte die Aufgabe, den Hinrichtungen als Beobachter beizuwohnen. Soweit sich das heute noch feststellen läßt, graute ihm vor dieser Pflicht, und er scheint das Verbinden der zerschnittenen Hand des Soldaten im Vorzimmer und dann die Überwachung des offenbar verstörten Mannes im Büro des Kommandanten als Ablenkung und Erleichterung empfunden zu haben.

Der Soldat (soweit er über das Gespräch mit seinem Kommandanten überhaupt Auskunft geben kann) begann mit einigen nicht sehr verständlichen Sätzen von dem Galgen an der Fensterscheibe. Aber der Kommandant winkte ab und fragte, was er zum Fall Helga vorzubringen habe. Daraufhin erklärte der Soldat, daß er Helga liebe, daß auch sie ihn liebe und daß sie nicht mehr schuldig sei. Nein, nicht unschuldig, aber *jetzt nicht mehr schuldig*, das sei doch ganz einfach, weil ein Mensch nicht derselbe bleibe. Und außerdem erwarte sie wahrscheinlich ein Kind von ihm; da könne man sie doch nicht hinrichten, erklärte er mit erhobenen Händen. Auf die

Frage, wie weit die Schwangerschaft der Verurteilten fortge-
schritten sei und wann er zum ersten Mal Umgang mit ihr
gehabt habe, erwiderte er wahrheitsgemäß, es sei in der
vergangenen Nacht gewesen.

Die Sekretärin des Kommandanten, die wartend hinter ihrer
Schreibmaschine gesessen hatte, brach bei diesen Worten in
ein kurzes, abgebissenes Lachen aus. Der Soldat ließ die
Hände sinken, stampfte mit dem Fuß auf, schlug mit der
verletzten Hand auf die Schreibmaschine los und schrie.
Mitten im Satz verschlug es ihm die Rede, und er begann zu
weinen.

Der Arzt flüsterte dem Kommandanten etwas zu, dieser
sagte mit ruhiger Stimme zum Soldaten, er werde sehen, was
er tun könne. Er hieß ihn einige Minuten draußen warten;
einer seiner Kameraden werde ihm Gesellschaft leisten.
Draußen strömte durch die zerbrochene Scheibe kalte, frische Winterluft ins Zimmer.

Auch der Kommandant war kein Unmensch. Er war froh,
daß ihm der Zustand des Soldaten die Möglichkeit gab, den
Mann ohne Disziplinarverfahren durchrutschen zu lassen.
Aber das war auch alles, was er für ihn tun konnte. Eine
Armee ist – um mich einer Definition des Soldaten zu
bedienen – eine Organisation, die den einzigen Winkel, in
dem ihre Geschütze nicht Tod streuen können, den Toten
Winkel nennt. Eine solche Organisation kann zum Tode
Verurteilten nicht das Leben retten, auch beim besten Willen
nicht, falls sie eines solchen fähig wäre; es ist nicht ihres
Amtes.

Der Arzt kam ins Vorzimmer zurück. Er sah sich den
Soldaten an, fühlte seinen Puls und prüfte flüchtig Kniescheib-
ben- und Pupillenreflexe und die Zittrigkeit beider Hände.
Dann sagte er – nach der Schilderung des Soldaten –, er könne
ihn in seinem Dienstwagen zu Helga mitnehmen, zur Ruine
des alten Kreisgefängnisses hinüber ... auf den Richtplatz,
setzte er nach einem Augenblick hinzu. Er könne sie noch-
mals sehen, und vielleicht, meinte er mit einer unbestimmt
tröstlichen Handbewegung, vielleicht könne man im letzten
Augenblick doch noch ... man wisse ja nie ...

Der Soldat nickte mechanisch. Die Tränen liefen ihm über
die Wangen, auch mechanisch, als weine er, ohne zu weinen.
Der Arzt sprach weiter.

In diesem Zustand – erklärte er dem Soldaten – könne er aber nicht gehen. Er müsse sich eine Spritze geben lassen, zur Beruhigung. Dann dürfe er mitkommen.

Der Soldat nickte Zustimmung, und der Arzt brach zwei Ampullen den Hals; doppelte Dosis.

Was weiter geschah, ist nicht feststellbar. Der Arzt gab dem Soldaten die Spritze und nahm ihn in seinen Dienstwagen. Das Mittel muß fast sofort zu wirken begonnen haben. Ob der Arzt den Soldaten wirklich auf den Richtplatz mitgenommen hat – es soll der große Hof des abseits gelegenen, ausgebrannten alten Kreisgefängnisses gewesen sein – oder ob er in seinem Dienstwagen einen Umweg gemacht hat, um ihn unterwegs ins Armeehospital einzuliefern, das läßt sich heute nicht mehr klarstellen. Ausgeschlossen ist es nicht, daß der Soldat wirklich noch im Auto saß oder lag, als es vor dem Kreisgefängnis hielt, denn der Arzt war schon durch den Zwischenfall mit der Fensterscheibe aufgehalten worden, und die Zeit drängte. Unter gewissen Umständen darf man Menschen nicht warten lassen. Wenn der Soldat tatsächlich erst nachher ins Hospital eingeliefert wurde, so muß er jedenfalls schon im Auto bewußtlos gewesen sein. Dafür hatte die ›doppelte Spritze‹ gesorgt.

Bleibt nur die Frage, was Bewußtlosigkeit ist und wo im Augenblick verzweifelten Aneinanderdenkens die Telepathie aufhört und die Halluzination beginnt. Der Soldat behauptet, Helga auf dem Richtplatz gesehen zu haben. Ich rücke hier das zweite seiner beiden Bleistiftmanuskripte ein, weil auch er an dieser Stelle seine Schilderungen unterbrach und es mir zeigte. Diese Aufzeichnungen haben keinen Titel. Der Soldat geht in der für ihn charakteristischen Form von Lautverbindungen zu Gedankenverbindungen über, und seine Beschreibung hat eigentlich weder Anfang noch Ende.

Als wäre einem der Fuß wieder eingeschlafen; nur betrifft es diesmal den Körper, nicht wie gestern... Und sie selbst ist frei, denn man sieht sie deutlich im Freien. Helga im Freien, auf dem großen Gefängnishof, aber auch wieder gar nicht so deutlich; nein, schon in einem leichten Nebel aus Gesichtern, Zurüstungen, Vorrichtungen. Der Gefängnishof hält sie fest und sie hält den Gefängnishof fest, sie hält Hof: ein Hoffest hält sie. Man muß zu ihr hin, aber man vergißt seine eingeschlafenen Füße zu wecken, so wird fast ein Fußfall draus. Man neigt sich weit vor, und der Arzt hält einen und zieht einen weit zurück, aber jetzt führt im Nebel schon jede Bewegung zu weit und man verliert die Richtung; das alles hat schon zu weit geführt und man kann sich nicht mehr orientieren. Also kommt man nicht zu stehen, wenn einen der Arzt faßt, sondern man schwankt und pendelt, vor und zurück. Ein Fußfall vor Helga hätte den Vorzug vor diesem Rückzug verdient; man muß den Kopf schütteln, ununterbrochen; aber nicht schnell wie ein Zittern, sondern langsam und gleichmäßig. Sehr beruhigend, ein richtiges Pendel.
Das Pendel ist das Pendel einer Uhr, und die Uhr ist schon fast abgelaufen. Nur geht sie falsch: statt stehenzubleiben, geht sie vor und zurück, vor und zurück. Aber sie geht noch und steht nicht still.
Der Nebel auf dem Hof schließt Helga von Pendelschlag zu Pendelschlag fester ein. Sie nähert sich dem Gerüst, aber man kann nur ihren Kopf sehen, von dem die rötlichgelben Schlangen schläfrig niederbaumeln, vor und zurück; zu müde, um einem noch einmal den Hals zu liebkosen. Das Medusenhaupt! Hätte man nicht die Spritze bekommen, so wäre man jetzt zu Stein erstarrt... Wallender Nebel und harter Stein... Wallen und Stein werden... So aber gedenkt man nur einen langen Schlaf zu tun... Die Haare schillern und wiegen sich und wiegen einen mit: von den Haaren in Schlaf gewiegt, denn wir alle sind Pendel, haargenau gleich lang, damit wir in unserer Zeit bleiben. Und jedes Haar ist gezählt und zählt einen, und man ist von den Haaren gezählt, gewogen und zu leicht befunden...
Weil man aber so leicht ist und weil das Pendel so stark

schwingt, gibt man nach und schwingt mit und wartet auf den Schlag: auch die eigene Zeit ist bemessen, und auch das eigene Stündlein schlägt. Man ist von den gelben Schlangen umschlungen und eng in der Schlinge, und man hängt an den Haaren, an denen man hängt, mit Haut und Haaren, verstrickt in sein Herz. Die Füße finden keinen Grund mehr, und im nächsten Augenblick muß man ins Bodenlose fallen. Es ist alles eine riesige uralte Uhr, die große Uruhr, die Urgroßmutter aller schweren Stunden und Schicksalsschläge. Die Gewichte baumeln.

Diese Uhr hat viele scharfe Zähne und Anker mit Widerhaken, und selbst ist man nur ein unruhiger, kleiner, in Unordnung geratener Uhrteil. Ist man das aber, so muß – wenn einem der Nebel, der alles umstrickt, noch ein Urteil gestattet – so muß eigentlich dieser eine Uhrteil im Schlagwerk das ganze Getriebe anhalten können, wenn er aus seiner Lage springt. Denn ohne den kleinsten Teil kann die Uhr nicht gehen. Ihr Schlag wird nicht geschlagen, ihr Urteil gilt nicht: die Zeit ist nicht mehr genau bemessen.

Also springt man mit einem lauten Ruf »Helga« mitten ins Werk, das eben zu seinem letzten Schlag ausholt. Auf das Gerüst zu, das sich aus der Nabe des Urnebels erhebt: »Helga!«

Da stürzen einem der Richter und der Arzt zu Füßen, und der Henker läßt den Kopf hängen und weint, und man legt ihm eine gelbe Schlange um den Hals, die ringelt sich und beißt sich in den Schwanz, zum Zeichen, daß alles in sich selbst beruht und nie vorbei ist. Der Arzt sticht seine Spritze in den Galgen, da läßt der Galgen locker, und die Schlinge, die sich schon zusammengezogen hat, muß gähnen und dehnt sich und öffnet sich wieder. Die Schlinge wird schlank, der Strick streckt sich und wird dünner und dünner. Er ist nur noch eine Schnur, die leise schnurrt und einschläft wie eine müde Katze; ein dünner Faden, an dem alles hängt.

Helga aber kommt auf einen zu und wird größer und kleiner, größer und kleiner; immer größer und immer kleiner, ein schwingendes Pendel. Und auch das Kind ist schon da, kleiner noch als Helga, wenn sie klein ist, und größer als man selbst in Uniform; und größer als Helga, wenn sie groß ist. Und alle drei, Arzt und Richter und Henker, beten das Kind an, denn das Kind ist ein Kind. Und auch sie selbst sind drei, das Kind und Helga und ihr Soldat, denn der ist man selbst, denn selbst ist der Mann! Vater, Mutter, Kind ist man, groß und klein: und klein und groß weinen vor Freude. Klein und groß, wie in Mutters Schoß, kleiner und größer, und kleiner und größer und kleiner. Und man schwankt zwischen nächster Nähe und fernster Ferne und hält einen Feldstecher an die Augen, einmal mit dem richtigen Ende, aber einmal mit dem verkehrten; nämlich, um das Ende, das einem zu groß ist, zu verkleinern, um das Gericht zu verkehren und das Verkehrte zu richten, und vielleicht, um das Bild zu beurteilen und sich ein Urteil zu bilden.

Und vielleicht ist das alles darauf zurückzuführen, daß man alles zurückführen will, vom Tod zum Leben, vom Beschluß zum Beginn.

Der Weg aber führt durch das neblige Feld und durch zwei stechende, schwarze, glotzende Mündungen aus dem Ende herein und zum Anfang hinaus. Also sinkt man hinüber ins Auto des Arztes, und das Auto fährt rückwärts, und der Arzt zieht einem die Nadel der Spritze aus dem Arm und füllt zwei Ampullen, deren Glashälse wieder heil werden, ehe sich ihre Schachtel schließt. Und der Schmerz in der Hand, von der sich der Verband löst, hört erst auf, als die heile Fensterscheibe wieder den Galgen trägt, und der Wutkrampf weicht dem ersten beklommenen Gefühl, denn man atmet seinen dampfenden Hauch wieder ein, und also sieht man noch nicht den Galgen an der kalten Scheibe.

Und weiter und weiter geht es, und näher und näher, rückwärts taumelnd durch Korridore, deren hallendes Echo sich unter die Fußtritte verkriecht und schweigt. Und irgendwo im Osten sinkt die Wintersonne aus dem begonnenen Vormittag in Morgengrau und Nachtdunkel zurück, ein Kind, das zu früh aus langem Schlaf aufgeschreckt ist, ein Licht, das sich vor der Zeit gegen die Finsternis erhoben hat.

Und irgendwo im Kommenden läßt man gepflegte Offiziere gähnen und Beamte hüsteln und zwei unrasierte Soldaten Wache stehen, Nachtwache, hohl und grau, eine beklemmende Vorahnung. Und man läßt eine Wärterin einen Schlüssel drehen, aber nach der anderen Seite als später, vor einigen Stunden.

Und um einen selbst ist Helga und Dunkelheit und Dunkelheit und Helga, und Helga ist selbst die Dunkelheit, und die Dunkelheit selbst ist Helga; hin und her, hin und her, ein Kahn, der hin und her fährt auf einem rückgestauten Fluß, und der Übergang von der einen Seite zur anderen, und der Untergang von der anderen Seite zur einen, und das Rote Meer, das über allen zusammenschlagen will, die zur Befreiung ihres Abenteuers einziehen; und die Nacht, die vorgezeichnet ist vor allen anderen Nächten und Antwort gibt auf alle vier Fragen. Und es beginnt Nacht zu sein, und es hört auf Nacht zu sein, und es hört auf zu sein, und es hört auf, und es hört auf zu hören, und es hört auf aufzuhören, und es ist Nacht, und es ist Nacht und Nacht und Nacht. Und man will nicht erschlaffen und will nicht schlafen, und das Schwarze ist gekommen und hat gebissen, aber wer nicht hören will, der muß nicht fühlen und nicht ins Schwarze beißen, denn er weiß nicht, was schwarz ist, und läßt sich nichts weismachen und läßt sich nichts anschwärzen. Und doch wird er alles schwarz auf weiß haben, und er weiß: er wird alles schwarz haben. Und schwarz ist schwarz, und weiß ist weiß, und in Schweiß gebadet und in Schwarz gebettet, und Nacht ist Nacht und Nacht und Nacht und Nacht.

Dies· ist das Manuskript des Soldaten von der Hinrichtung, ein Dokument für das, was er selbst gefühlt und gedacht hat. Eine Beschreibung der tatsächlichen Vorgänge kann es seiner Entstehungsgeschichte nach kaum sein. Außerdem habe ich später gehört, daß die Hinrichtungen nicht unter freiem Himmel auf dem Gefängnishof stattfanden, sondern im Inneren des alten Gebäudes, beziehungsweise des einen Flügels, der noch stand. Es sollen auch keine Galgen gebaut, sondern nur Falltüren im Fußboden gezimmert worden sein, die sich unter den Delinquenten öffneten und sie ins Leere stürzen ließen, wobei der Strick ihnen den Hals zuschnürte oder das Genick brach.

Demnach scheint es, daß dem Soldaten Wirklichkeit und Vision ineinander verschwommen sind, mindestens von dem Augenblick an, in dem er die Fensterscheibe eingeschlagen hatte. Aber ich glaube nicht, daß das Hinrichtungsmanuskript dadurch unwesentlich wird. Ob Galgen oder Falltüre, es blieb derselbe Strick, derselbe Tod durch den Strang. Und was den Soldaten verstört hatte, das war das Geschehen selbst. Deshalb kann seine Verstörtheit unsere Anteilnahme nicht verringern. Feststeht, daß Helga gehängt worden ist. Feststeht auch, daß der Soldat nichts dagegen tun konnte und in der Verzweiflung seiner Machtlosigkeit zusammenbrach.

Dieser Zusammenbruch und die Einlieferung ins amerikanische Armeehospital sind eigentlich das Ende des Berichtes über die Begegnung des Soldaten mit dem Mädchen. Aber gerade deshalb ist es möglich, hier die innere Geschichte und Vorgeschichte dieser Begegnung nachzutragen. Denn im Grunde sind alle Manuskripte, die der Soldat nach seiner Begegnung mit Helga geschrieben hat, ja sogar einige schon früher entstandene Arbeiten, Beiträge zum Verständnis dieser Geschichte.

Ich wollte diese Manuskripte ursprünglich an einer anderen Stelle des Berichtes, kurz vor der Schilderung der Nacht, in den Text einfügen. Aber die endgültige Entscheidung blieb dem ehemaligen Soldaten selbst vorbehalten, und er hat entschieden, sie erst hier einzurücken, nach seinen Aufzeichnungen über die Hinrichtung. »Hier bist du schon sehr weit mit der Erzählung«, schrieb er mir. »Alles, was geschehen konnte, ist eigentlich schon geschehen. Auf eine kleine Unterbrechung von einigen hundert Seiten kommt es da nicht mehr an.«

Hier beginnen also die Schriften des Soldaten. An den Manuskripten habe ich nichts geändert, nur auf seinen Wunsch einige Einleitungsworte und erklärende Zwischentexte geschrieben und ein sehr zweischneidiges Ibsen-Zitat, das er zu diesem Zweck bestimmt hat, als Motto vornean gesetzt.

ZWEITER TEIL

SCHRIFTEN DES SOLDATEN

PASSAGEREN:
For den sags skyld vær uforsagt; –
man dør ej midt i femte akt.

DER PASSAGIER:
Was das betrifft, nur unverzagt; –
Man stirbt nicht mitten im fünften Akt.
[Ibsen, Peer Gynt, 5. Aufzug]

Die Wahl des Zitates finde ich bezeichnend für den Soldaten. Ich muß ihn weiterhin so nennen, so lächerlich es klingt, denn er weigert sich, seinen Namen bekanntzugeben, was in Anbetracht der Umstände begreiflich ist. Er hat auch darauf bestanden, Ibsen nicht nur in der Übersetzung, sondern auch in der Ursprache zu zitieren, denn er behauptet, keine der deutschen Übersetzungen reiche an *Peer Gynt* heran.

Ansonsten hat er mir zwar nicht viele, aber doch einige Anhaltspunkte für die Zusammenstellung seiner Schriften gegeben. Hier eine darauf bezügliche Stelle aus einem seiner Briefe:

›Du hast ganz freie Hand, aber ein paar Worte zu den einzelnen Geschichten wirst Du schon schreiben müssen. Besprochen haben wir sie ja oft genug und sogar einen ganzen Stoß Papier verkorrespondiert. Wenn man sie nämlich nur einfach druckt, ohne ein Wort dazu zu sagen, merkt beim Lesen vielleicht nur jeder Zehnte etwas von den Zusammenhängen. Wenn Du aber darauf aufmerksam machst, merkt's vielleicht doch jeder Dritte, und dieser Unterschied ist schon der Mühe wert.‹

Meinen Einwand, durch erklärende Zwischentexte werde den Arbeiten etwas von ihrem Eigenleben geraubt, ließ er nicht gelten:

›Erstens kannst Du Deine Erklärungen immer hinten anfügen. Dann ist die Geschichte entweder schon verdaut oder unverdaut, aber jedenfalls gelesen, und Du kannst keinem mehr den Geschmack daran verderben, höchstens den Nachgeschmack; und dafür werden sie Dir wahrscheinlich dankbar sein!

Zweitens aber, mein Lieber, sogar die dicksten Wälzer zur Erläuterung von Werken der Kunst und Literatur versagen mit nachtwandlerischer Sicherheit an allen wirklich wichtigen oder schwierigen Stellen. Also werden diese Stellen auch Deine Kommentare überleben, denn Du willst Dich doch ohnedies nur auf ein paar Eselsbrücken beschränken. Diese aber sind nötig, denn weil hier ganz richtig gestorben wird, und zum Unterschied von *Peer Gynt* nicht erst im fünften, sondern sogar schon mitten im ersten Akt, muß man dem Leser doch die Chance geben zu sehen, daß darüber hinaus noch etwas los ist, wenn auch von einer Handlung oder gar vom Schürzen und Lösen des Knotens, wie wir das in der Schule gelernt haben, keine Rede sein kann.

Aber um die Handlung laß Dir nur gar keine grauen Haare wachsen. Du weißt doch noch, was wir damals, als wir über Todesstrafe sprachen, von den alten Griechen gesagt haben.‹

Soweit ich mich entsinnen kann, hatten wir nichts besonders

Originelles gesagt. Wir waren uns einig gewesen, daß in der antiken Schicksalstragödie nicht nur der Ablauf der Handlung im wesentlichen feststand, sondern daß die meisten Zuschauer die Sagen, die dargestellt wurden, genau kannten und nicht überrascht, sondern mitgenommen werden wollten. Nicht einmal mit*gerissen*, sondern mit*geführt*. Entscheidend war nicht die Spannung, *was* geschieht, sondern die Einsicht, *wie* es geschieht. Wir waren bei der Erklärung des Verhaltens von Menschen in der Umgebung eines zum Tode Verurteilten darauf zu sprechen gekommen. Er hatte diese Menschen teils mit dem Chor, teils mit den Zuschauern der griechischen Tragödie verglichen. Auch beim Verurteilten in der Todeszelle steht der Ausgang fest, es kommt nicht aufs Ziel an, sondern auf das letzte Stück Weg zu diesem Ziel. Der vorausberechnete Tod, die festgesetzte Todesart, das Wissen des Todeskandidaten um alle diese Einzelheiten verwandeln das Spiel des Zufalls in ein gesetzmäßiges Zusammenspiel und Gegenspiel von Menschen, in einen rituellen Tanz, in eine Schicksalstragödie. Zum Helden einer solchen Tragödie wäre auch noch der letzte Schurke gut genug, denn die allgemeine, gleiche, geheime und direkte Eigenschaft aller Menschen, daß jeder einer Mutter Kind ist, kann man auch ihm schlechterdings nicht absprechen.

Nun, die Schriften des Soldaten, die hier folgen, werden keine Einzelheiten aus Helgas letzten Tagen enthüllen, weder wie der Soldat sie zuerst oder zuletzt gesehen hat, noch was er gesagt, getan oder zu tun oder zu verhindern versucht hat. Aber gerade weil das Spiel aus ist, weil die Handlung dieses Buches längst abgeschlossen ist und eigentlich schon im Anfang ihr Ende erreicht hatte, können die Schriften des Soldaten einen anderen Weg zeigen. Keinen Ausweg. Den gibt es nicht. Auch keinen Weg *durch* das Geschehene *hindurch*, sondern *in es hinein*. Und, wenn man so sagen darf, nicht von außen hinein, sondern von innen tiefer hinein. Je mehr geschieht, desto schwerer wird es uns, das *Was* und das *Wie* des Geschehens zugleich zu erleben. Aber erst dieses Wie macht das Geschehen zu dem, was *uns* geschieht; macht, was *an* uns geschieht, zu dem, was *in* uns geschieht. Ein Bericht steht außen und kann Einblicke gewähren. Ein Ausblick aber ist nur von innen her möglich.

I. Fünf Umschreibungen einer Begegnung

DIE STÄRKEREN

Stärker als das Leben ist die Hoffnung
Stärker als die Hoffnung ist das Unrecht
Stärker als das Unrecht ist die Schuld
Stärker als die Schuld ist die Liebe
Stärker als die Liebe ist die Verzweiflung
Stärker als die Verzweiflung ist der Tod
[aus den Gedichten des Soldaten]

Als erste Gruppe seiner Schriften hat der Soldat fünf seiner Arbeiten ausgewählt, die ihm am deutlichsten an die Begegnung mit Helga anzuknüpfen scheinen, obwohl er auch in ihnen, wie er sagt, nicht schildern, nicht erzählen, sondern nur ›umschreiben‹ konnte.

Sein wirkliches Herz lief voraus, ein kleiner roter Hund, aufgeregt, sich zuweilen fast überschlagend, vielmals den selben Weg, hin und her, ein Pendel oder nur eines kleinen Hündchens eifrig geschwenkter Schwanz. Manchmal ein scharfer Pfiff, und es blieb einen Augenblick stehen. Manchmal lief es seiner Nase nach, sprang erleichtert an einem rotblonden Mädchen hoch, wurde von ihren Begleitern verscheucht, nahm abermals die Verfolgung auf und erhaschte im Laufen da und dort wertlosen Abfall und dann und wann einen Bissen, der es bei Kräften erhielt.

Immer kehrte sein Herz zu ihm zurück und vergewisserte sich, daß er noch da sei. Dann lief es wieder voraus, zu dem Mädchen, oder es blieb hinter ihm auf dem schon zurückgelegten Weg, stöberte in einem nur ihm bekannten Winkel Weggeworfenes oder Verlorenes auf und schleppte es herbei. Aber lange blieb es nie weg. Es sah komisch aus, wenn das Herz auf ihn losstürzte, heiß und rot vom Laufen. Die Leute blieben jedes Mal in einigem Abstand stehen und lächelten ein wenig, wie man lächelt, wenn ein übereifriger Hund mit pochenden Flanken zitternd vor seinem Herrn steht oder unbedacht an ihm hochspringt und ihm die Spuren seiner Pfoten auf dem Mantel hinterläßt.

Das ging einige Zeit so weiter, aber eines Morgens war er nicht mehr da. Das Herz lief hin und her, hin und her, vor und zurück auf dem Weg – nichts! Es drehte sich wie ein wahnsinnig gewordener Kreisel um die eigene Achse, sprang – ein von unsichtbaren Händen geschlagener Ball – zwischen den Menschen durch, die schon nach ihm zu treten begannen, lief dem einen oder anderen zu, wich aber enttäuscht zurück, sooft es seinen Irrtum erkannte, und suchte die Straße und alle ihre Biegungen ab, jede Sackgasse und jeden versteckten Torweg, bis es völlig erschöpft war.

Vorübergehende erbarmten sich, versuchten es mit Leckerbissen zu locken und riefen es mit vielen Namen, in der Hoffnung, einer werde der rechte sein. Aber mit dem Herzen war nichts mehr anzufangen. Von Schlag zu Schlag wurde es schwächer, und nach einigen Tagen war alles aus.

Als er viel später vorbeikam, erfuhr er nur noch von Kindern und Eckenstehern, wie sein Herz ihn nicht mehr gefunden hatte und zugrunde gegangen war. Er zuckte die Achseln und hatte ein leichtes, leeres Gefühl in der Brust.

Sein wirkliches Herz enthält Reminiszenzen an das amerikanische Armeehospital. Das ›leichte, leere Gefühl in der Brust‹, und nicht nur in der Brust, sondern auch im Kopf und manchmal in allen Gliedern, hatte er damals wirklich. Er hat oft davon erzählt. Er hielt es für eine Folge der Behandlung (Elektroschock). Er habe damals ein schlechtes Gewissen gehabt; er habe die Vorstellung nicht loswerden können, Helga sei erst dadurch ganz und gar getötet worden, daß er sie sich ›wegschocken‹ ließ.

Er sagte auch, zwischen elektrischer Schockbehandlung und Hinrichtung bestehe für ihn immer eine merkwürdige Gedankenverbindung. Der Erfinder des Elektrischen Stuhls in den Vereinigten Staaten habe seinen Apparat ursprünglich – für wesentlich schwächeren Strom – zu Heilzwecken gebaut. Erst nach einigen tödlichen Unfällen, als die Zeitungen schrieben, niemand werde sich dieser Hinrichtungsmaschine anvertrauen wollen, habe der geschäftstüchtige Mann den Apparat entsprechend umgebaut.

Sonst ist höchstens noch zu erwähnen, daß der Soldat mir sagte, beim Korrigieren dieser Geschichte habe ihn das Hin und Her des zunächst übermütigen, dann verzweifelten Herzens an die Hin-und Herbewegung in seiner Beschreibung oder Vision der Hinrichtungsszene erinnert.

Diese Arbeit ist zwei Monate nach Helgas Tod entstanden.

Einer hatte von Kindheit an einen starken Willen und einen harten Kopf. Er gehörte zu den wenigen, die sich nicht fürchteten, wenn es dunkel wurde, denn er wußte, daß Gespenster nur als Hirngespinste durch die Träume furchtsamer Kinder geistern.

Als Junge ging er dreimal um Mitternacht allein über den Kirchhof; er sagte dann, nicht ein einziges Mal sei ein Toter gegen ihn aufgestanden. Zur Zeit einer Epidemie nahm er alle Kraft zusammen und wurde nicht krank, als einziger Schüler in seiner ganzen Klasse, so daß er von den anderen lange verspottet und gemieden wurde wie ein Aussätziger.

Später stieg er dann ganz allein auf die gefährlichen Berge im Umkreis seiner Heimatstadt, denn es war allgemein bekannt, daß man auf dem höchsten Gipfel eines Berges den Mond berühren kann, wenn man die Zähne zusammenbeißt und den Arm ausstreckt, so weit es nur geht. Das gelang ihm aber nicht. Vielleicht hatte er doch noch zuviel Angst, das Gleichgewicht zu verlieren, oder es fehlte ihm an Selbstvertrauen und er streckte den Arm nicht weit genug aus. Aber damals war er noch nicht erwachsen.

Später, als Mann, hatte er eine Geliebte. Sie hatte einen bösen Traum mitgeträumt, der damals viele Leute befiel, des Nachts und auch am hellen Tag, und sie hatte im Traum um sich geschlagen und dabei Menschen weh getan. Dafür sollte ihr der Kopf abgeschlagen werden und ihm das Herz herausgerissen, zur Strafe, daß er sie liebhatte.

Er küßte sie und schärfte ihr ein, nicht an den Tod zu glauben, denn ihre Liebe mache sie beide unsterblich, auch wenn man ihm zehnmal das Herz aus dem Leibe risse. Sie hörte ihn an und sagte Ja, denn sie liebte ihn.

Am nächsten Tag sah er zu: in dem Augenblick, in dem man ihr den Kopf abschlug, spürte er, wie ihm das Herz herausgerissen wurde. Er schüttelte sich und konnte wieder seine Arme und Beine gebrauchen. Sein starker Wille hatte gesiegt.

Er ging zu seiner Geliebten und setzte ihr den Kopf wieder auf die Schultern. Er streichelte sie und redete ihr gut zu. Aber sie blieb tot; ihr Wille war zu schwach gewesen.

Der Mann mit dem starken Willen aber lebt heute noch und spricht seinen Mitbürgern im ganzen Land Mut zu, daß Bomben und Flammen nicht wirklich gefährlich sind, und daß das Sterben nicht tödlich sein muß, wenn man nur weiß, was man will.

Die Geschichte vom Mann mit dem starken Willen wurde wahrscheinlich noch in Deutschland, im amerikanischen Armeehospital geschrieben, vielleicht aber erst kurz nach der Entlassung und Rückkehr nach Amerika. Der Soldat hatte diese Fabel vergessen und war überrascht, sie unter seinen Manuskripten zu finden. Er kann sich nicht mehr erinnern, ob sie nur sarkastisch und bitter gemeint war, oder ob seine Sehnsucht nach mystischem oder okkultem Trost, die damals sehr groß war, bei ihrer Entstehung mitgespielt hat. Aber der letzte Satz spricht meines Erachtens dafür, daß die Grundstimmung doch Bitterkeit war. Außerdem hat der Soldat auf das Manuskript einen alten englischen Scherzreim, der in diesem Zusammenhang auch nur sarkastisch gemeint sein kann, notiert, einen sogenannten *Limerick*, samt seinem eigenen Übersetzungsversuch:

> There was a faith-healer of Deal
> Who said: ›Though I know pain ain't real,
> If I sit on a pin
> And it punctures my skin
> I dislike what I fancy I feel.‹

> Ein Gesundbeter in Deal sagte: ›Zwar,
> Daß es Schmerz gar nicht gibt, ist mir klar.
> Aber wenn ich mich auf einen Reißnagel setze
> Und glaube zu spüren, daß ich mich verletze –
> Dieser Wahn ist höchst peinlich, fürwahr.‹

Das Bild vom ›herausgerissenen Herzen‹, das sich hier wie in der vorigen Geschichte findet und sich natürlich auf die volkstümliche Darstellungsweise unerträglicher Trauer bezieht, taucht auch in einem um dieselbe Zeit entstandenen Gedicht des Soldaten auf, *Sinnloser Tod*. Dort wird es mit aztekischen Menschenopferriten in Verbindung gebracht.

Wenn aber dein Herz aus dir ausbricht, noch vor der Nacht
Wie Aussatz ausbricht: am Weg und mitten am Tag –
Wenn der Lärm aller Autos übertönt wird von seinem
   Schlag,
Wenn es, ein Sturmbock, dir gegen die Rippen kracht,

Wirst du allein sein mit deinem Blutwein im Munde,
Mit deinen Brunnenadern und deinem Trümmergebein,
Nur dein zuckendes Herz auf dem Pflasterstein
Wird zu dir schrein, als eine zweite Wunde.

Zwar, dann wirst du dich weit nach hinten verbiegen
wie ein Geopferter auf seinem Stufenaltar,
Der schon in heiliger Hut seiner Götter war.
Dich aber lassen sie auf der Straße liegen.

Denn dein Herz war kein Opfer: Es bittet um keinen Segen.
Es liegt nichts an ihm. Du kannst dich zu ihm in den
Rinnstein legen.

Zur Textstelle ›Sie hatte einen bösen Traum mitgeträumt, der
damals viele Leute befiel...‹ schrieb er mir:
›Ich weiß ganz genau, daß das keine ausreichende Begründung,
geschweige denn Verteidigung, sein kann. Aber ich weiß mir nicht
zu helfen. Ich glaube nicht, daß man das Recht hat, an einem Satz,
den man einmal so geschrieben hat, weil man unbedingt mußte,
nachträglich allzuviel herumzuändern. Stilistisch ja, aber politisch
›auf die Höhe seiner bewußten Erkenntnisse bringen‹? Ich weiß
nicht; scheint mir abgeschmackt. Außerdem habe ich eine gute
Entschuldigung vor mir selbst: Auch das ist doch nur eine von
meinen Umschreibungen und nichts wirklich Erlebtes. In Wirklichkeit wurde ja auch kein Kopf abgeschlagen.
Schon aus dieser kläglichen Verteidigung siehst Du hoffentlich, daß
ich mir nicht zu helfen weiß. Liebe fragt halt nicht, ob sie berechtigt
ist, und möchte am liebsten auch Unentschuldbares entschuldigen.
Und außerdem habe ich immer noch das Gefühl (und ich glaube
bestimmt: nicht nur, weil ich sie liebgehabt hab'), daß ihr Unrecht
geschehen ist. Vor allem: Todesstrafe überhaupt! – Da haben wir ja
die gleichen Ansichten. Zweitens auch der Fall selbst: sie war doch

noch ein Kind, als sie dazu erzogen wurde. Ich möchte niemandem einen Vorwurf machen. Solche Urteile waren nach den furchtbaren Greueln, die geschehen waren, unvermeidlich und sehr verständlich. Aber ob das Unrecht, das trotz allem darin lag, die ›verlorenen Kinder‹ zu töten, nicht späterhin den eigentlichen Schuldigen zugute kommt, die dahinterstanden, die sie systematisch zu Ungeheuern ausbildeten, nachher aber oft schlau genug waren, dem ersten Vergeltungshunger zu entgehen?‹

Zeit und Liebe braucht man zu diesen Beobachtungen. Sehen wir zum Beispiel einem Mann zu, der eben Nachricht vom Tod seiner Geliebten erhalten hat, wie er aufsteht, sich höflich entschuldigt, sich verabschiedet, hinausgeht und sich erschießt. Wenn es ein richtiger Mann war, so könnte man darauf wetten, daß er im Gehen noch einen kleinen Scherz gemacht hat, womöglich einen Scherz, dessen feinere Bedeutung man erst nachher versteht.

Aber es gehört Geduld dazu; nicht jedem glückt die Beobachtung gleich beim ersten Mal. Und heute verfährt mancher Mann in solcher Lage nicht mehr stilgerecht.

Die Beobachtungen werden auch dadurch erschwert, daß man vorher nie weiß, wann die Gelegenheit, die sich bietet, wirklich echt ist, mit einem Wort, wann es wirklich Liebe war. Nachträgliche Beobachtungen aber zählen nicht, denn dann will jeder gleich lauter bedeutsame Worte gehört und schwerwiegende Gesten bemerkt haben. Am leichtesten wäre das Sammeln solcher Beobachtungen, wenn man die Ereignisse einfach verkehrt ablaufen ließe, wie einen Film beim Aufspulen. Die unwiderstehliche Komik dieser verkehrten Handlungen wäre für den Betrachter schon nach dem ersten Dutzend Todesfälle – oder, besser gesagt, Auferstehungen – so gewohnt, daß er kaum mehr lächeln müßte, sondern einfach darüber hinwegsehen könnte.

Es gibt Menschen, die sich bei Schicksalsschlägen von ihrer besten Seite zeigen. Manche können das Schwerste tragen, und wäre es nicht ein Verstoß gegen göttliche und irdische Gerechtigkeit, so müßte man ihnen wünschen, es möge ihnen immer wieder etwas zustoßen, damit sie sich zu ihrer ganzen Größe erheben können. Entfaltung der höchsten Fähigkeiten ist schließlich wichtiger als bloßes Wohlergehen.

Andere sind beim Hereinbrechen der Katastrophe nicht minder tapfer, gefaßt und großzügig. Sie stehen scheinbar über den Dingen. Später aber, nach Stunden, Tagen oder Wochen, in denen sie ihre Heldenrolle erfolgreich gespielt haben, packt sie der Jammer. Sie bleiben gleichsam mitten im Wort stecken, versuchen mit Hilfe der bewährten Gesten über den toten Punkt hinwegzukommen, wiederholen laut einige ihrer tapferen und erfolgreicheren Redewendungen, fast noch beifallheischend, aber schon mit starrem und hilfeflehendem Blick, und brechen schließlich zusammen. Dann sind sie kleinmütig und bitter, ungerecht, konfus, schäumen vor ohnmächtiger Wut und bieten ein Bild kläglicher Fassungslosigkeit, selbst wenn sich die wirkliche Lage der Dinge in der Zwischenzeit gebessert hat, zum Beispiel wenn die zum Tod verurteilte Geliebte mittlerweile schon längst auferstanden ist.

Das Verhältnis des Ausmaßes der in Erscheinung tretenden Gefühle zu den tragischen Anlässen und zur Länge der heldenhaften Zwischenzeit oder Inkubationsfrist läßt sich nur schwer durch eine brauchbare Formel ausdrücken. Erfahrene Staatsmänner, Berichterstatter, Henker und andere Menschen in bevorzugter Stellung behaupten, je schwerer die Schicksalsschläge und je größer das Format der Betroffenen, desto mehr Zeit verstreiche zwischen dem Unglück und den von ihm hervorgerufenen Verfallserscheinungen. Skeptiker wollen sogar die Größe wirklich bedeutender Männer einfach aus deren langsamen Reaktionen erklären. Die Zeitspanne soll bei ihnen so groß sein, daß ihr moralischer Verfall oft erst Monate, ja erst Jahre nach ihrem Tod eintritt.

Kleine Beobachtungen und *Menschenwürde* bedürfen kaum einer Erklärung. Die Bitterkeit, die Neigung zu abstrusen Vorstellungen sprechen für sich selbst und verraten zugleich die Entstehungszeit: kurz nach dem Zusammenbruch. Es ärgerte ihn damals, daß er zusammengebrochen war, aber auch, daß er nicht Selbstmord begangen hatte. Der Gedanke an den umgekehrten Ablauf einer Handlung in *Kleine Beobachtungen* ist vielleicht vom Ende seiner Hinrichtungsvision angeregt, die in den Bericht als *Zweites Bleistiftmanuskript* eingerückt wurde.

Der Mann, der immer an meinem Fenster vorübergeht, ist weiter nicht interessant. Niemand sieht ihn zweimal an, und außer seinen Bekannten hat es wahrscheinlich kein Mensch bemerkt. Es ist auch noch nicht lange her. Er kann sie kaum seit mehr als einer Woche tragen, die Armbinde, sogar wenn ich sie vielleicht zwei, drei Tage lang übersehen habe.

Sie sitzt auf dem Mantelärmel, am Oberarm. Sie erhebt sich ein wenig über die Ärmeloberfläche. Ein rundumlaufendes Stück Stoff, dunkel, auf den Mantel aufgenäht, aber aus ganz anderem Material. Ursprünglich wenig mehr als ein dunkles Loch zum Hineinschlüpfen, umhegt und umfriedet sie nun den einen Ärmel.

Auf den ersten Blick sticht die Binde fast wohltuend von dem schon etwas schäbigen Kleidungsstück ab; ihr Stoff ist neu, peinlich sauber und hat einen gedämpften, matten Glanz. Zu einem erfreulicheren Anblick macht aber die Armbinde den Mann nicht. Daran ist vielleicht nur ihre düstere Farbe schuld. Aber das alles ist eigentlich nicht wichtig. Mir liegt gar nicht genug an diesem Mann, den ich schließlich nicht näher kenne. Nur an den Mantel denke ich jetzt manchmal. Keine wesentlichen oder besonders klugen Gedanken, aber immerhin, sein Mantel und besonders die Binde flößen mir ein gewisses beiläufiges Interesse ein.

Eine dunkle Binde, die keine Wunde verbindet und keinen Schaden in Dunkel hüllt ... denn es ist ja nicht anzunehmen, daß sich gerade an jener Stelle zufällig wirklich eine Wunde, ein Riß oder ein Loch im Mantel aufgetan habe. So abgerissen sieht der Mann doch nicht aus. Es müßte also schon einigermaßen seltsam zugehen, wenn diese Binde wirklich einen unheilbaren Schaden verdeckte. Ganz ausgeschlossen ist das freilich nie, besonders wenn man bedenkt, daß eine überlegende oder hausfraulich veranlagte Person von einer schadhaften Stelle leicht veranlaßt werden könnte, gerade dort die schwarze Binde anzubringen, so daß man ihr wenigstens diesen einen bescheidenen Vorteil abgewinnt. Aber dennoch finde ich es höchst unwahrscheinlich.

Man muß also annehmen, daß die Binde ein Stück Mantelstoff verdeckt, genau so groß wie sie selbst und durchaus heil, soweit sich dieses Wort auf einen doch schon etwas abgetragenen Mantel überhaupt noch anwenden läßt. Die Binde wäre demnach ein äußeres Merkmal der Stelle, an der wir ein Stück Stoff nicht mehr sehen, das sich in keiner Weise von dem übrigen Stoff unterscheidet, den ich von meinem Fenster aus tagtäglich in wechselnder Bewegung und Beleuchtung auf der Straße erkenne.

Luft und Licht können nun das unter der Binde ruhende Stück Stoff nicht mehr erreichen, zumindest fällt es ihnen schwer, die Binde zu durchdringen, die es von allen Seiten umschließt und ein wenig überwölbt. Dafür ist aber dieses verborgene Stück Stoff dem Straßenstaub und dem Regen entrückt und von seiner dunklen Umhüllung weit besser geschützt als alles, worauf noch das Licht scheint. Wahrscheinlich ist dieser Schutz einer dünnen Schicht etwas schaler Luft, die zwischen der Binde und dem, was sie verhüllt, eingeschlossen ist, noch mehr zu verdanken als dem Stoff der Binde selbst.

Bedenke ich das genauer, wozu ich freilich kaum Zeit finde, weil ich schließlich andere Sorgen habe, so scheint mir sogar, daß eine meiner anfänglichen Behauptungen gar nicht stimmt oder doch jetzt nicht mehr stimmen kann: das betreffende Stück Stoff hat zwar vielleicht, als man es verdeckte, noch ganz wie seine Umgebung ausgesehen, nun aber wirken doch unablässig Sonne und Regen, Wind und Staub dahin, daß ein immer deutlicherer Unterschied entsteht.

Man kennt die unbefriedigenden Versuche, etwas umzustellen oder auch nur zu verrücken, was lange Zeit an einer bestimmten Stelle gestanden hat; etwa Möbel, die ein bestimmtes Stück Wand verdeckt haben; aber auch Vorstellungen, die in einem Menschen eine bestimmte Rolle gespielt haben. Das vorgestellte Möbelstück oder Bild läßt sich nicht mehr entfernen, ohne daß der Schaden offenbar wird. Dabei weiß man oft gar nicht, welches Wandstück eigentlich das beschädigte ist, der unangenehm auffallende Fleck oder die übrige, verstaubte oder verblichene Wandfläche.

Wenn ich also eines Tages mein Fenster aufmache und den Mann anhalte, dann muß ich ihn warnen. Ich muß ihm sagen, er soll sich um keinen Preis einfallen lassen, seine Binde wieder abzunehmen und nachzusehen, wie es darunter aussieht. Denn das wäre kein erfreulicher Anblick mehr! Weigert er sich aber, zeitlebens mit einem zweifelhaften dunklen Verband auf dem Ärmel herumzulaufen, so soll er den Mantel lieber überhaupt ablegen. Gut ist der ohnehin nicht mehr.

Aber ich werde den Mann kaum warnen; sogar ganz sicher nicht. Schon das Aufstoßen meines Fensters ist nicht immer leicht, besonders an einem kalten Morgen nicht, wenn es noch festgefroren ist. Der Mann wäre wohl in der Menge, die zur Arbeit hastet, längst verschwunden, ehe ich dazu gekommen wäre, ihn wirklich zu rufen. Außerdem könnte ich mich zu einem solchen Schritt kaum entschließen; man muß bedenken, daß mir an dem Mann eigentlich nicht viel liegt. Auch der Stoff seines Mantels kann mir schwerlich etwas bedeuten. Manchmal, wenn ich sie sehe, Mann und Mantel, ertappe ich mich sogar dabei, wie wenig sie mir bedeuten. Zugegeben, ich denke von Zeit zu Zeit an den Mann, an den Mantel und an die dunkle Binde. Aber das könnte doch auch kaum anders sein, solange sie mir leibhaftig vor Augen stehen, nur durch ein zerbrechliches Fenster mit Fingermalereien auf der beschlagenen Scheibe von mir getrennt. An das Stück Stoff aber, das doch immer noch unter dieser Binde vorhanden sein muß, wie sehr es sich auch verwandelt haben mag, denke ich schon fast gar nicht mehr.

Man muß sich vor Augen halten, daß ich dieses Stück Stoff, ebenso wie den ganzen übrigen Mantel, bis vor einer Woche tagtäglich mindestens zweimal von meinem Fenster aus gesehen habe. Jetzt aber ist mir schon manchmal, als sei es nie dagewesen. Daraus kann man ermessen, wie gering meine Anteilnahme sein muß.

Die Armbinde entstand kurz nach der Geschichte *Sein wirkliches Herz.*
Eine Armbinde hat der Soldat lange getragen, auch noch, als ich ihn kennenlernte. Man nahm damals an, er trage sie zum Zeichen der Trauer um seine Schwester. In Wirklichkeit hatte er sie schon zuvor getragen; die Trauer galt Helga.
Auch *Die Armbinde*, ebenso wie sein am Anfang des Buches zitiertes Gedicht *Soldaten der Freiheit* sind das, was er *Umschreibungen* nennt. Er versucht nicht sich selbst, sondern ›fast sich selbst‹ darzustellen.

So will er sich auch von dem Träger der Armbinde distanzieren. Außerdem sagte er mir, zu jener Zeit habe er sich ständig ausmalen müssen, wie Helga im Grab zerfalle. Er sagte auch: »Außerdem hat mich eine literarische Spielerei interessiert: ich wollte das Begraben des *Stoffes* am Ärmel des Mannes als richtiges kleines Begräbnis schildern und dabei auch die Schrecken des Grabes ein wenig andeuten.«

II. Aus den letzten Kriegsjahren

DER SIEGER
Kasperle hat den Tod gefällt
mit seinem hölzernen Schwert.
Nun ist kein Tod mehr in der Welt,
drum ist auch das Leben nichts wert.

Und ist das Leben nichts wert in der Welt,
so ist das Sterben nicht schwer.
Kasperle hat den Tod gefällt
und ist hölzern wie er.
[aus den Gedichten des Soldaten]

Diese Geschichten sind in Amerika entstanden, vor der Begegnung des Soldaten mit Helga, und zeigen, wie er seine Welt sah und empfand.

Was mich damals als Kind eigentlich in Sicherheit gewiegt hat, weiß ich kaum. Gewiß, meine Eltern lebten, außer einem Hund war in meinem Umkreis noch nichts gestorben; auch ein eigenes Zimmer hatte ich, mit schönen Möbeln. Und doch war es mehr die Geborgenheit unter den gleichgültigen Dingen, die mir wohltat, das Umgebensein von Geschäftsläden, Laternen, Gartenmauern und Plakaten, nicht einmal schön, aber alle seit jeher so gewohnt, daß ich sie gar nicht richtig bemerkte. Dieses Nichtbemerken aus langer Gewohnheit dürfte auch einer der Gründe sein, weshalb es mir nicht gelingen will zu beschreiben, wie das Haus vor dem Brand ausgesehen hat. Ich habe das Haus und die ganze Gasse zu oft gesehen. Hätte man mir rechtzeitig gesagt: »Morgen wird es brennen«, so wüßte ich jetzt alles. Aber zuvor gab es keinerlei Anzeichen, und dann brannte es eben.

Auch meine Eltern sind schuld daran, besonders meine Mutter. Hätte sie mich damals am Vormittag aus der Schule abgeholt und in die Gasse geführt, durch den Rauch, bis vor das Haus, es wäre mir sicherlich noch gelungen, aus den Flammen das alte Bild zu retten. Die Flammen müssen an jenem Vormittag die Zimmer erhellt und von innen heraus durchsichtig gemacht haben, und diesen Anblick hätte ich so leicht nicht vergessen. Die Stimmung unmittelbar bevorstehender Vernichtung läßt den Blick schärfer werden, und die Dinge am Rand ihres Nichtmehrseins treten uns plastischer entgegen.

Meine Mutter aber tat nichts dergleichen. Es war für mich ein gewöhnlicher Schultag. Zwar hörten wir die Signale der Feuerwehr, aber der Lehrer schlug mehrmals mit dem Lineal auf den Tisch, kurz und zornig, so daß selbst die Flinksten, die schon von ihren Plätzen aufgesprungen waren, um ans Fenster zu eilen, zurückgescheucht wurden, als hätte der Hieb sie selbst getroffen.

Mittags holte die Mutter mich ab wie alle Tage. Für den Rauchgeruch wußte sie eine Erklärung: »In der Nebengasse wird geteert.« Wir machten einen Umweg. »Man ruiniert sich sonst nur die Schuhe«, meinte die Mutter.

Allerdings muß gesagt werden, daß auch sie von der wahren

Bedeutung des Brandes keine Ahnung gehabt haben kann. Vielleicht hätte sie sich sonst ganz anders verhalten. Das Leben in einer großen Stadt aber brachte es mit sich, daß man fast täglich von Feuersbrünsten erfuhr, einmal da, einmal dort, und es deshalb verlernt hatte, einem Brand genügende Aufmerksamkeit zu schenken. Man verließ sich auf die städtische Wasserversorgung und auf die modern ausgestattete Feuerwehr, die Tag und Nacht oben auf dem alten Lebensturm einen Beobachtungsposten unterhielt. Es war, ohne daß man davon gesprochen hätte, als sei durch den Bestand der Feuerwehr ein Brand gleichsam in die Reihe der ordnungsgemäßen und gehörigen Dinge aufgerückt und eigentlich nur noch Angelegenheit der Feuerwehrleute, etwa wie die Anfertigung eines neuen Schlüssels Sache des Schlossers war.

Mein Fenster, das sich nach der Nebengasse hin öffnete, war an jenem Abend geschlossen und verhangen, und ich erinnere mich zwar noch, daß meine Eltern flüsterten, aber ich kam damals nicht auf den Gedanken, ihr Geflüster in Zusammenhang mit dem ungewöhnlichen Zustand des Fensters zu bringen.

Am nächsten Tag allerdings, in der Schule, hörte ich alles. Einige Kinder aus schlechterem Hause, mit denen ich sonst wenig zu tun hatte, die aber viel auf der Gasse herumtollen durften, hatten es sogar mit eigenen Augen gesehen und hatten allerlei Reliquien, verkohlte Holzstücke, angesengte Blätter von alten Büchern und übelriechende, stark rußende Stoffreste mit in die Schule gebracht. Diese Gegenstände gingen heimlich von Bank zu Bank, man betastete sie, roch daran und besah sie von allen Seiten. Da viele Kinder in ihrer Erregung die gewohnte Vorsicht vergaßen, wurde der Lehrer aufmerksam, fuhr dazwischen, nahm uns ein Stück nach dem andern weg und legte es auf das Katheder, bis dieses zuletzt selbst das Aussehen einer kleinen Brandstätte hatte.

Aus geflüsterten Mitteilungen erfuhr ich, daß es ein großes Feuer sein mußte, denn es hatte gestern am Vormittag zu brennen angefangen und war heute knapp vor Schulbeginn weder gelöscht noch auch nur herabgemindert. Allerdings hörte man auch von einem Umsichgreifen der Flammen nur wenige unverläßliche Gerüchte, von denen die meisten kindische Wunschträume waren, wie zum Beispiel das hartnäckige Getuschel von der Bedrohung der Schule und ihrer stündlich bevorstehenden Schließung.

Zu Hause am Nachmittag bemühte ich mich mehrmals, das Gespräch auf das Feuer zu bringen, zwar erfolglos, doch verwickelten sich die Eltern in Widersprüche. »Von welchem Feuer sprichst du? Ich weiß von keinem«, meinte die Mutter. Der Vater aber sagte: »Ich will von deinem Feuer nichts mehr hören, und wenn ich auch nur eine Spur von Ruß an dir finde, dann kannst du was erleben!«

Am Abend fand ich mein Fenster wieder ganz und gar verhangen, aber als die Mutter zum Zimmer hinaus war, stieg ich aus dem Bett, hob die schwere Decke und den Vorhang und sah mir alles an. Der Nachthimmel war von einem herrlichen roten Schein erhellt. Er ging von einer Feuersäule aus, die aus der Nebengasse in die ruhige Winterluft aufstieg, und darunter glühten die Dachsparren des brennenden Hauses wie die Gräten eines riesigen Fisches, die noch auf dem Teller liegen, wenn alles Eßbare schon verzehrt ist. Auf den umliegenden Dächern konnte ich die kleinen Schattengestalten der Feuerwehrleute erkennen, die mit Seilen, Äxten und Schläuchen hantierten, die Dächer berieselt hielten und ab und zu einen Wasserstrahl auf die Flammen richteten, worauf jedesmal eine Wolke gelbleuchtenden Dampfes zum rosigen Himmel aufstieg. Der Anblick hatte nichts Furchtbares, und in dem Bewußtsein, immerhin einen Blick auf das Feuer geworfen zu haben, schlief ich beruhigt ein.

Am nächsten Tag ließ uns der Oberlehrer in den Festsaal zusammenrufen und verkündete seinen Entschluß, uns alle unter Aufsicht unserer Lehrer an die Brandstätte zu führen, um so durch den wirklichen Augenschein dem heimlichen, neugierigen Geflüster ein Ende zu bereiten, das jeden ordentlichen Unterricht unmöglich mache.

Wir brachen in lauten Jubel aus, holten unsere Mäntel, Mützen und Handschuhe, stellten uns in Zweierreihen auf und wurden, sorgsam von den Lehrern eskortiert, in die Nebengasse geführt.

Es war allerdings nicht daran zu denken, an das brennende Haus so dicht heranzukommen, wie wir das gerne gewollt hätten. Ein Seil sperrte die eine Seite der Gasse ab, und Feuerwehr und ein starkes Polizeiaufgebot standen da, den

Rücken gegen das Feuer, mit ausgebreiteten Armen, und vereitelten jeden Versuch durchzuschlüpfen. Das Haus brannte lichterloh; was aber nachts von meinem Fenster aus eine Feuersäule gewesen war, das zeigte sich uns jetzt nur als Rauchwolke. Überhaupt machte sich der Lichtschein der Flammen weit weniger merkbar als ihre Wärme. Schon beim Einbiegen in die Gasse war uns aufgefallen, daß man trotz des Wintertages keinen Atemhauch mehr sah, und hier in der Nähe der Flammen war es so warm, daß wir Handschuhe und Mützen in die Manteltaschen steckten und die Mäntel selbst auszogen und über den Arm hängten.

Es standen viele Neugierige da; auch konnten wir sehen, daß zwischen dem Feuerwehrkommandanten und einigen älteren Herren in Zivil erregte Gespräche geführt wurden. Schließlich verlor der Wortführer die Geduld und sagte mit erhobener Stimme zum Feuerwehrkommandanten: »Aber was! Praktische Erfahrung!« Und zu den anderen Zivilisten: »Gehen wir, meine Herren! Ein Dienst, der nicht seine Theorie hat, ist eben ein bloßer Handlangerdienst!«

Die Telephonzelle an der Ecke war von einer Schar hastig sprechender Männer umlagert, Zeitungsreporter, wie uns unsere Lehrer erklärten. Einige Straßenkinder versuchten immer wieder zwischen Feuerwehrleuten und Polizisten durchzubrechen. Ihrem Aussehen nach mußte ihnen das auch schon mehrmals gelungen sein, denn sie waren über und über voll Ruß. In der breiten Toreinfahrt des alten Hauses schräg gegenüber der Brandstelle hatten zwei Maler ihre Staffeleien aufgestellt und winkten den Leuten von Zeit zu Zeit, sie mögen ihnen doch die Aussicht freigeben. Als die Hausbesorgerin herauskam und heftig gestikulierend auf die Maler einsprach, drückte ihr der eine etwas in die Hand, worauf sie die halbfertigen Gemälde andächtig anblickte, mit dem Zeigefinger zwischen Leinwand und Brandrichtung hin- und herfuhr, mehrmals mit dem Kopf nickte und endlich verschwand.

Über den Brand selbst, der doch eigentlich das Interessanteste hätte sein müssen, weiß ich nur wenig zu berichten. Das Feuer beschränkte sich auf das eine Haus, das, wie uns unsere Lehrer sagten, nun schon seit drei Tagen genau den gleichen Anblick bot. Vorhänge, Einrichtungsgegenstände, Bücher, Kleider, sagte man uns, seien schon in den ersten Augenblikken verlodert und verkohlt. Das Haus selbst aber habe die ganze Zeit gleichmäßig gebrannt, ohne zu verbrennen. Dieser an sich unerklärliche Umstand, daß Sparren, Fensterrahmen und Türstöcke brannten, ohne sich zu verzehren, und daß sich die Flammen ohne neue Nahrung erhielten, verlieh dem Anblick etwas Ruhiges und Selbstverständliches.

Als uns schließlich mehrere Feuerwehrleute versicherten, es sei auch nicht ein einziger Mensch ums Leben gekommen, hörten wir auf, Knochensuchen zu spielen, und unser Interesse erlahmte. Wir wendeten uns vom Feuer ab und den umliegenden Häusern zu. Dort war viel mehr los. Die Möbelpacker waren am Werk, Wohnungseinrichtungen auf große wartende Wagen zu verladen. Diese Häuser waren immerhin vielleicht gefährdet, außerdem sickerte das Wasser, mit dem die Feuerwehr ihre Dächer berieselte, nach und nach durch alle Decken und Fußböden und beschädigte Tapeten und Einrichtung. Die zornigen Hausbesitzer machten dem Feuerwehrkommandanten verzweifelte Vorstellungen, er solle doch ihre Dächer nur vom First aus besprengen, so daß das Wasser unschädlich abfließen könne wie Regen, und nicht die Häuser von unten her anspritzen lassen, daß die Fensterscheiben zerbrachen und der Dachbelag hochgeworfen wurde. Der Feuerwehrkommandant aber, offenbar noch von seinem Wortwechsel her verärgert, weigerte sich, von der gewohnten Praxis abzugehen, und verwies die Beschwerdeführer an die Stadtverwaltung. Seine Mannschaft sicherte mitunter sogar die auf der Straße zum Abtransport bereitstehenden Schränke und schweren Polstersessel durch einen kräftigen Wasserstrahl vor Brandschaden.

Auf dem Rückweg in die Schule fiel es mir schwer, meine Enttäuschung zu verbergen. In den Tagen des Wartens hatte ich mir wirklich einen bedeutenderen Anblick erhofft. Auch nachts im Traum sah ich dann nicht etwa den Brand selbst, sondern nur die bestechliche Hausbesorgerin und den rücksichtslosen Feuerwehrkommandanten. Die beiden vollführten einen wahren Höllentanz, bei dem sie hüpften und sprangen und rot und glühendheiß wurden, als seien sie selbst die Feuersbrunst. Dann wieder malte der Feuerwehrkommandant mit Wasserfarben gierige Flammenzungen auf Haustore und herumstehende Möbel, und die Hausbesorgerin sah bewundernd zu und verrichtete Handlangerdienste;

das heißt, sie spritzte Wasser zum Mischen der Flammenfarbe aus einem Schlauch, der wie eine Schlange den Zugang zum verbotenen Haus sperrte. So trieben sie es die ganze Nacht lang.

Es wäre aber ein Irrtum, anzunehmen, der Ausflug an die Brandstätte habe in der Schule die Ruhe wiederhergestellt. Kaum war uns die Feuersbrunst aus den Augen, so erregte sie wieder unsere Phantasie. Wir zündeten Streichhölzer an, versuchten eine Schulbank in Brand zu stecken, verbrannten eine große Fliege, die wir gefangen hatten, und stellten uns im Waschraum an den Wasserhahn, hielten mit dem Finger die Mündung zu, drehten dann auf und spielten so mit scharfen, dünnen Strahlen Feuerspritze.

Am nächsten Tag brannte das Feuer immer noch. Es galt nun allgemein als unlöschbar, aber die Leute begannen sich schon daran zu gewöhnen. Nicht einmal mehr meine Mutter bestand darauf, einen Umweg zu machen. Da es unsere Lehrer verantworten zu können glaubten, uns hinzuführen, sei nun ohnehin alles einerlei, meinte sie achselzuckend. Die Kinder aber hielten in der großen Pause auf dem Schulhof Kriegsrat über die Möglichkeit, einen unlöschbaren Brand zu löschen. So kam es auch zu dem ersten Todesfall, der mit dem Ausbruch des Feuers in Zusammenhang stand. Einige größere Jungen gossen einem unbeliebten kleinen Rothaarigen unter lautem »Feurio!« einen Eimer Wasser über den Kopf. Er saß dann während der drei folgenden Stunden triefendnaß auf seinem Platz hinten beim Fenster, zu verschüchtert, um etwas zu melden. Tags darauf fehlte er, und eine Woche später starb er an Lungenentzündung.

Der Rothaarige hatte aus Furcht vor der Rache der Größeren seinen Eltern erzählt, ihn habe auf dem Weg durch die Gasse ein Strahl aus einem der Spritzenschläuche getroffen. Auch wir andern vertuschten den Vorfall; so kam es zu keiner Untersuchung, und das Leben in der Schule nahm seinen gewohnten Verlauf. Vielleicht haben wir deshalb in den nächsten Wochen über das Feuer weniger gesprochen, als wir es sonst getan hätten.

Nichts schien sich ändern zu wollen. Das Haus brannte und stürzte nicht ein; an Stelle der Seilsperre war ein verläßlicheres und gefälliger aussehendes Gitterwerk errichtet worden, und damit schien das Feuer endgültig zu einer stehenden

Einrichtung geworden zu sein. Es griff nicht um sich; es ließ sich aber auch nicht löschen. Man versuchte es mit allerlei chemischen Löschmitteln, aber ohne merkliche Wirkung, höchstens daß die Flammen eine Weile lang ihre Farbe veränderten. Öfters kamen Herren von der Stadtverwaltung und führten Abordnungen ausländischer Wissenschaftler an die Brandstätte. So verging der Winter.

Ich weiß nicht, ob ich erwähnt habe, daß damals die gewohnten Ausbrüche größerer und kleinerer Brände völlig aufhörten. In den ersten Wochen gab es noch dann und wann in entlegenen Stadtteilen ein kleines Feuer, doch handelte es sich um ganz unbedeutende Ausbrüche, die meist schon vor Eintreffen der Feuerwehr von den Hausbewohnern gelöscht oder gar von selbst erloschen waren. Nach einigen Wochen hörte auch das auf. Von Januar bis Mitte April brannte in der ganzen Stadt nur das eine Haus in unserer Nebengasse.

Dann eines Tages riefen die Zeitungsjungen Extraausgaben aus. Es brannte in fünf verschiedenen Stadtteilen. Fünf Brände an einem Tag wären sonst in einer so großen Stadt nichts Ungewöhnliches gewesen, aber nach Monaten ohne ein einziges Feuer erregten sie Aufsehen, ja Panik. Um die gleiche Zeit erlosch plötzlich das Feuer in der Nebengasse, und das Haus stürzte von einem Augenblick auf den andern zu Asche ein, wobei mehrere Feuerwehrleute ums Leben kamen. Bei ihrem Begräbnis wurden ernstliche Ruhestörungen nur mit knapper Not vermieden.

Schon am nächsten Tag stand fest, daß die fünf neuen Brände von gleicher Art waren wie der erste. Die Zeitungen brachten beruhigende Erklärungen, es sei immer noch weniger als jedes zehntausendste Haus betroffen, und die Feuergefahr in der Stadt sei demnach eigentlich geringer als je zuvor. Trotz dieser tröstlichen Statistiken herrschte Angst. Die Preise der Landhäuser stiegen von Tag zu Tag und erreichten phantastische Höhen, und auf den großen Ausfallstraßen drängten sich hochbepackte Fahrzeuge aller Art. Auch bei uns wurden Kisten und Koffer gepackt und alle Vorbereitungen zum Verlassen der Stadt getroffen.

Ich ging nach wie vor in die Schule. Die Stadtverwaltung hatte angeordnet, daß der Unterricht seinen gewohnten Fortgang zu nehmen habe. Viele Eltern ließen ihre Kinder nicht mehr aus den Augen, und in unserer Klasse fehlte mehr als ein Drittel der Schüler. Der Unterricht verlief dadurch eigentlich recht angenehm, denn die Lehrer hatten mehr Zeit, sich mit Einzelheiten zu befassen, wirklich neuen Lehrstoff wollten sie aus Rücksicht auf die hohe Zahl der Fehlenden nicht durchnehmen. So wurden einem allerlei Fragen beantwortet, die sonst mit einer ausweichenden Bemerkung abgetan worden waren. Dennoch wäre ich lieber daheim geblieben, denn beim Packen unserer Sachen kamen nun oft die merkwürdigsten Dinge ans Licht; die Tischgespräche der Eltern wurden trotz meiner Gegenwart von Tag zu Tag aufschlußreicher und interessanter.

Das Wetter war ungewöhnlich schön und warm. Es herrschte Windstille. Nachts konnten wir vom Balkon unseres Hauses aus in verschiedener Entfernung vier Feuersäulen aufsteigen sehen, die höchste halb verdeckt von der gigantischen schwarzen Masse des alten Lebensturms. Die fünfte Brandstelle lag auf der anderen Seite des Hauses und war nur vom Dienstbotenzimmer aus sichtbar.

Aus den Gärten kam der Duft der blühenden Sträucher, morgens und abends sangen die Vögel. Manchmal wurde von der warmen Luft, die an den besonnten Häuserwänden aufstieg, schon ein weißer oder brauner Schmetterling hochgetragen, und ich habe meine Mutter mehrmals mitten in Gesprächen über die bevorstehende Abreise sagen gehört, sie habe noch nie einen so schönen Mai erlebt.

Es war nämlich schon Mai, Mitte Mai, und so ist eigentlich nicht mehr viel zu berichten. Das wußte aber damals noch niemand.

Am Tag, an dem es geschah, hatten wir Schulausflug. Ich kann mich noch an die Auseinandersetzung zwischen meinen Eltern erinnern, ob es nicht doch unvorsichtig sei, mich so lange fortzulassen. Die Erlaubnis zur Teilnahme an dem Ausflug hatte ich schließlich dem Fatalismus meines Vaters zu verdanken. Ich erwähne das, weil mir dieser Fatalismus sonst öfters wie Gleichgültigkeit und Mangel an Liebe erschienen war. An jenem Morgen aber kam er mir eben recht, und so verließ ich das Haus ohne Groll gegen meinen Vater.

Der Ausflug verlief zunächst wie alle Schulausflüge. Es wurde gesungen, gewandert, gespielt und auf einer Wiese Mittagsrast gehalten. Nach dem Essen lagen wir schläfrig blinzelnd im Gras und ruhten ein wenig aus. Plötzlich begannen zwei oder drei Kinder zu schreien.

Die Wiese lag auf einem sanft geneigten Hang, von dem man auf die Stadt heruntersehen konnte, auf den Fluß, den alten Lebensturm und die zahllosen Straßen und Häuser. Nur die südlichen Vorstädte waren nicht zu sehen.

Als die Kinder zu schreien anfingen, hatten wir ihnen zuerst ins Gesicht gesehen, dann aber in dieselbe Richtung geblickt wie sie. Nur die wenigsten von uns schrien mit. Einige blieben ganz still sitzen. Von den Mädchen begann eines laut zu lachen, hielt sich aber dann den Mund zu. Auch der Lehrer sagte nichts. Er ballte nur die Fäuste und stieß die Fingerknöchel mehrmals langsam und nachdenklich gegeneinander, nicht zu fest, als fürchte er, sich weh zu tun.

Ich kann eigentlich nicht einmal sagen, daß ich entsetzt war. Es war ein dumpfes und zugleich leise prickelndes Gefühl, ähnlich wie wenn einem ein Fuß eingeschlafen ist, nur eben nicht im Fuß, sondern in der Magengrube und im Kopf, und vielleicht nicht einmal dort, sondern irgendwo außerhalb.

Unser Entsetzen wäre vielleicht größer gewesen, wenn das Bild dort unten noch etwas Bekanntes gehabt hätte. Aber es hatte nichts Bekanntes mehr. Die ganze Niederung war eine einheitliche Masse von Flammen. Es gab weder brennende Häuser noch Straßenzüge oder Stadtteile, nur Flammen. Nicht einmal der alte Lebensturm oder der Fluß waren zu erkennen.

Daß aus diesem Feuer niemand mit dem Leben davonkommen konnte, wußten wir eigentlich gleich. Dennoch entschlossen wir uns zur Flucht erst, als der heiße, trockene Wind den Hang heraufkam. Der Lehrer befürchtete einen Waldbrand. Daß auch weiterhin Wälder und freie Landstriche nicht betroffen wurden, war damals noch nicht bekannt.

Spät am Nachmittag erreichten wir einen Ort am Fuß des Gebirges. Die Leute waren bereit, uns aufzunehmen, doch brannten bei ihnen seit dem Mittag die Kirche und das Beinhaus auf dem Friedhof. Die heiße Luft im Beinhaus sprengte vor unseren Augen das Tor auf, und drinnen konnte man die Schädel mit ihren tiefen Augenhöhlen glühen sehen.

Wir zogen es vor, im Wald zu übernachten. Gegen Mitternacht verfiel das Mädchen, das am Nachmittag gelacht hatte, in Krämpfe und starb vor dem Morgengrauen. Wir konnten sie nicht ins Kirchdorf zurückbringen, denn das brannte schon lichterloh, doch waren viele Bauern mit dem Leben davongekommen. Sie gaben uns Brot und Speck. Wasser tranken wir aus einer Quelle.

Tags darauf erfuhren wir in der Kreisstadt die ersten Einzelheiten über das Schicksal unserer Vaterstadt. Wir sahen auch die Namenlisten der Überlebenden, kaum fünfhundert Namen. Eines der Kinder fand seinen Vater auf der Liste und wurde von uns getrennt und zu ihm gebracht. Bei diesem Abschied haben fast alle geweint, zum ersten Mal seit der Katastrophe.

Als nach einigen Tagen in der Kreisstadt der erste Brand ausbrach, fuhren wir weiter. Wir wurden mit überlebenden Kindern aus zwei anderen großen Städten unter Aufsicht einiger Pflegerinnen und Lehrer zu einer Art Sommerlager zusammengeschlossen. Der Sommer jenes Jahres war ja ungewöhnlich schön, auch hatten wir dank der Fürsorge einer behördlichen Stelle zunächst genügend Lebensmittel. Von den Ereignissen des Herbstes hatten wir damals noch keine Ahnung. Ich glaube aber, auch wenn wir alles gewußt hätten, hätten wir uns nicht anders benommen. Wir waren besonders in den ersten sechs oder acht Wochen gehorsam, leicht zu lenken, schliefen sehr viel und waren überhaupt ein wenig still und stumpf, fast wie Pflanzen. Bekanntlich war dieser Zustand nicht von Dauer, aber was schließlich zu einer plötzlichen Änderung geführt hat, das hängt nicht mehr unmittelbar mit dem Brand zusammen, von dem hier berichtet werden sollte.

Der Brand ist trotz aller märchenhaften, symbolischen und allegorischen Züge eigentlich eine richtige Flüchtlingsgeschichte. Bedrohung und Zerstörung der Heimat, überraschende Einblicke durch die Gefährdung althergebrachter Zustände, Vorbereitungen zur Emigration und zuletzt Anfang einer ratlosen Flucht; das sind die wesentlichsten Elemente der Handlung.

Die Bestechung der Hausbesorgerin geht auf ein wirkliches Erlebnis des Verfassers zurück. Er schrieb mir in einem Brief darüber:

›Nach den Judenverfolgungen vom 10. November 1938 war der

Andrang nach Ausreisepapieren sehr groß. Wir standen Schlange. SA zerstreute uns unter Drohungen, aber meine Mutter hat von einer Hausbesorgerin einen sogenannten ‚Stehplatz' in einem Tor in der Nähe des Amtes gekauft. Wir standen dort, voller Angst vor der SA, aber überzeugt, daß es unbedingt notwendig sei, trotz allem zu warten und die Ausreisepapiere zu holen.‹

Interessant ist vielleicht, daß das erste Todesopfer ein Rothaariger ist. Der Rothaarige ist im Volksaberglauben seit jeher der vom Schicksal Gezeichnete. Ähnliches findet sich auch in seinen späteren Schriften.

Die Darstellung der totalitären Kräfte des Terrors als Elementargewalten erklärt vielleicht, wie sich der Verfasser von Haß freihalten konnte.

Den Vergleich des Starregefühls unmittelbar nach Eintritt eines Ereignisses, das zu schwerwiegend ist, um bewältigt zu werden, mit einem ›eingeschlafenen Fuß‹ hat der Verfasser später, als er mir von seiner Begegnung mit Helga erzählte, mehrmals gebraucht.

Die Beschreibung des Starregefühls beim Brand der Stadt ist eine spätere Einfügung des Soldaten in sein Manuskript, ebenso seine Schilderung des Mädchens, das angesichts der Katastrophe zu lachen beginnt, sich die Hand vor den Mund hält und am nächsten Tag stirbt. Beide Einfügungen dürften *Umschreibungen* von Beobachtungen des Soldaten bei seinem ersten Zusammenstoß mit Helga sein.

Es war ein sonniger Nachmittag in einem Sommerhaus unweit der Stadt. Das Kind hatte auf einen Ausflug in den Wald gehofft, aber die Mutter war müde. Allein durfte es nicht gehen; es war noch nicht groß genug. So blieb es gelangweilt im Garten, spielte einsame Spiele mit dem Pingpongtisch, weinte mehrmals, ohne daß jemand es trösten kam, versuchte sich selbst ein Märchen zu erzählen, in dem es eine hochgestellte Person war, und wurde schließlich auf die Fliegen aufmerksam.

Die Fliegen versammelten sich auf dem Pingpongtisch um die kreisrunde Spur des Glases. Das Kind hatte sein Himbeerwasser gleich nach dem Essen ausgetrunken, auch das Glas war schon weggenommen worden. Aber die klebrigen Tropfen konnten noch nicht vertrocknet sein, denn die Fliegen ließen sich nicht verscheuchen.

Das Kind versuchte sie mit der Hand zu fangen, aber es hatte kein Glück. Es war ungeschickt, das wußte es. Auch der Ekel hemmte seine Hand, mitten in der Bewegung. Schließlich lief es ins Haus und brachte aus der Küche einige alte Papiertüten.

Eine davon wurde über die Hand gestülpt; das Kind lauerte mit erhobenem Arm neben dem Pingpongtisch. Dann klatschte die Hand flach auf die Fliege nieder, durch das Papier vor der widerwärtigen Berührung geschützt.

Von Zeit zu Zeit wurde eine reine Tüte genommen. Als alle verbraucht waren, wickelte das Kind Zeitungspapier um die Hand. Für jedes Opfer wurde auf den Pingpongtisch ein kleiner Stein vom Kiesweg gelegt.

Die einzelnen Bewegungen wurden rasch zweckmäßiger. Vor dem Zuschlagen stellte sich das Kind so an den Tisch, daß kein störender Schatten seiner Hand eher auf die Tischplatte fiel als die Hand selbst. Nach Ausschaltung dieses letzten, unfreiwilligen Warnsignals konnte es die Zahl seiner Denksteine auf dem Pingpongtisch rasch vergrößern.

Das Kind war nicht unzufrieden mit sich; es tat nützliche Arbeit. Tierquälerei konnte ihm niemand vorwerfen, denn es tötete seine Fliegen schneller als das Fliegenpapier an der Küchenlampe. Aber sein Verfahren hatte eine Schwäche.

Zwar die gewöhnlichen kleinen grauen Fliegen und sogar die grünen vom Düngerhaufen streckte es in Scharen auf die Tischplatte nieder, aber gegen die großen Brummfliegen, die ebenfalls naschen kamen, versagte es. Diese Tiere hatten eine unberechenbare Art sich zu bewegen. Sie waren mißtrauischer als die kleinen. Je größer, desto gescheiter waren sie offenbar. Das Ärgste aber blieb ihr lautes Aufsummen, vor dem das Kind jedes Mal erschrak und die Hand zurückzog.

Endlich, als es dennoch einen dieser großen Brummer erlegt hatte, deren jeder eigentlich mehr Steine wert war als zehn von den kleinen Fliegen, zerriß zwischen Fliegenkörper und Hand das Papier, und das Kind mußte voll Ekel zum Brunnen laufen und die Hand abspülen. Es kam sich dabei gar nicht mehr wie die hochgestellte Person aus seinem Märchen vor, sondern eher wie der Räuber, der seine Opfer mit einem ganz kurzen Dolch abschlachtet und nachher voll Blut ist.

Auf dem Rückweg vom Brunnen verschwand das Kind wieder ins Haus und holte ein langes Holzlineal.

Wenn man das Lineal mit der einen Hand hielt, mit der anderen zurückbog und dann plötzlich das Ende losließ, schnellte es mit scharfem Geräusch vor. Diese Bewegung, dicht über der Tischplatte vollführt, scheuchte die Fliegen auf und vor das Lineal, das mit einem kleinen Knall gegen ihre Leiber klopfte wie gegen Erbsen und sie wie Erbsen mit trockenem Schlag fortschleuderte. Der Schlag war tödlich.

Auch diese neue, viel elegantere Jagdmethode wollte erst gelernt sein. Bei dem verbesserten Verfahren war es zweckmäßig, anders zu stehen. Hatte der Schatten zuvor den Ertrag vermindert, so steigerte er ihn nun. Der Schatten des Linealendes konnte nämlich die Tiere gerade einen Augenblick vor dem Vorbeiflitzen des Holzes von ihrem Fraß aufstören. Zum Entkommen war es dann schon zu spät; sie fanden nur noch Zeit, dem Lineal in den Weg zu fliegen. Es kam auch sehr darauf an, die Beute in eine Richtung zu schleudern, wo man sie ohne Mühe finden und zählen konnte, denn das Lineal tötete oft mit einem Schlag zwei oder drei Stück, und die Kiesel wurden immer noch gewissenhaft als Denksteine auf den Tisch gelegt.

Die Einrichtung der Denksteine behielt das Kind nur aus Gewohnheit bei. Eigentlich waren sie nicht mehr nötig, denn zu den Vorteilen des neuen Verfahrens gehörte es auch, daß die Beute nicht bis zur Unkenntlichkeit verstümmelt wurde, sondern mehr oder weniger Ähnlichkeit mit dem Anblick bewahrte, den sie zu Lebzeiten geboten hatte. So konnten nun neben ihren Denksteinen auch die Fliegen selbst in Reih und Glied ausgelegt werden. Ein sanftes Nachschieben mit dem Lineal und mit einem Blumenstengel brachte jede an ihren richtigen Ruheplatz. Zuerst hatte das Kind gegen diese Aufbahrung gewisse Bedenken gehabt; als aber die Fliegen vom Anblick ihrer Toten gar nicht abgeschreckt wurden, sagte es sich, daß der Jagd keine Gefahr drohe, seufzte nach Art seiner Mutter erleichtert auf und beruhigte sich.

Die Jagdmethode erreichte ihre Vollendung, als das Ballnetz, das quer über den Pingpongtisch lief, mit Zeitungspapier zu einem undurchdringlichen Wall ausgebaut wurde, einer Art Kugelfang, gegen den die getroffenen Fliegen geschnellt wurden. Diese Hilfsvorrichtung erleichterte das Bergen, Zählen und Zurechtlegen der Leichen aller Größen und brachte Ordnung in das Verfahren. ›Fliegenpingpong‹ nannte das Kind seinen neuen Sport.

Eben hatte das Lineal eine große Brummfliege auf den Zeitungswall zu geschleudert, da wurde das Kind ins Haus gerufen. Nach ein oder zwei Minuten kam es zurückgelaufen und suchte am Fuß des Zeitungswalls seine Beute.

Die Brummfliege lebte. Sie hatte sich halb aufgerichtet und kroch sehr langsam am Rand eines Zeitungsblattes dahin; schließlich erklomm sie das Papier, zögernd und mit sichtlicher Mühe. Der eine Flügel war aus der Richtung geknickt, und dahinter glänzte etwas feucht. Die Fliege war stellenweise mit sehr kurzem, braunem Haar bedeckt. Sie kroch nicht geradeaus über das Papier, sondern immer im Kreis herum. Der gesunde Flügel befand sich an der Außenseite dieses Kreises. Wenn man sie mit dem Blumenstengel leicht berührte, summte sie, aber nur sehr leise. Immer wieder versuchte sie, das Bein, das unter dem getroffenen Flügel ansetzte, in den Bereich ihrer Mundwerkzeuge zu bringen, die sich ununterbrochen bewegten. Es gelang aber nicht. Als das Kind mit seinem Blumenstengel an dem Bein schob, um nachzuhelfen, summte sie heftig auf, unternahm einen Flugversuch, fiel vom Tisch und blieb unten im Kies auf dem Rücken liegen.

Das Kind war erschrocken. Es faßte sie behutsam am gesun-
den Flügel, ließ ihn aber gleich wieder los, aus Furcht, ihn
abzureißen. Es sah sich hilfesuchend um, riß achtlos ein Stück
Zeitung aus seinem Zeitungswall, schob die Fliege mit dem
Blumenstengel sorgfältig auf das Papier und hob sie auf den
Tisch zurück. Dann sah es sie an.
Die Fliege regte sich nicht. Nach einer kleinen Weile begann
sich das Kind zu fürchten. Es schob die Fliege mit dem
Blumenstengel ganz langsam einige Zeilen weit über das
Zeitungsblatt, um sie vielleicht so zu einer Bewegung zu
ermuntern. Der feuchtglänzende Fleck hinter dem beschä-
digten Flügel ließ auf dem Papier eine zarte Spur zurück. Da
schob das Kind nicht weiter. Es beugte sich über die Fliege
und begann sie leise anzuhauchen, einige tiefe, nicht sehr
sichere Atemzüge lang. Endlich bewegte das verletzte Tier
wieder die Beine und zappelte schwach. Das Kind riß noch
einen zweiten Streifen vom Zeitungswall und drehte nach
mühseligem Hantieren mit den beiden Papierstücken die
Fliege um. Sie kam zu stehen, dann und wann hob sie ein
Bein.
Einmal, als das Kind ein Stück Zeitungspapier in den Mund
stecken wollte, hatte man ihm gesagt, Druckerschwärze sei
giftig. Das fiel ihm nun ein. Vielleicht war die Druckerschwärze auch für die Fliege giftig. Auch der Pingpongtisch
mit seiner giftgrünen Farbe konnte gefährlich sein. Man
mußte die Fliege in eine bessere Umgebung bringen, wenn
sie sich erholen sollte. Das Kind trug sie auf dem Papier zu
einer großen Blume und schob sie behutsam in den offenen
Kelch. Die Fliege bewegte sich matt. Dem Kind fiel ein, daß
Fliegen eigentlich nicht von Blüten leben, und es rannte ins
Haus und brachte aus der Küche ein winziges Stück Käse und
eine einzelne Fleischfaser.
Die Fliege saß nicht mehr im Kelch. Sie war gefallen und in
ein glitzerndes Spinnennetz geraten, dem der Stengel der
großen Blume als Stütze diente. Sie strampelte ein wenig.
Das Kind überwand sich, griff ins Netz und nahm den Teil, in
den sich die Fliege verstrickt hatte, in die Hand. Auf der
Handfläche trug es die klebrigen Fäden mit der Fliege zum
Tisch zurück. Es legte Fleischfaser und Käse auf den Tisch,
um die andere Hand freizubekommen. Dann begann es die
Fliege von den Fäden zu lösen; eine langwierige Arbeit,

obwohl sie sich nicht fest verstrickt hatte. Zuletzt hielt es sie prüfend gegen die sinkende Sonne. Kein Faden haftete mehr an der Fliege, aber sie bewegte sich kaum.

»Sie wird müde sein von den vielen Aufregungen.« Das Kind trug die Fliege wieder auf die Blume. Dann legte es Fleischfaser und Käsekrume säuberlich rechts und links neben sie in den Kelch.

Als die Mutter zum Abendessen rief, sah das Kind noch rasch den Himmel an. Keine Wolke zu sehen; es würde nachts nicht regnen, hoffentlich nicht. Ein letzter Blick auf die Blume zeigte alles unverändert. Die Fliege stand im Kelch, ein wenig schief, neben ihr Fleisch und Käse. Die Reste des Spinnennetzes waren gründlich zerstört worden.

Gute Nacht konnte man zu einer Fliege nicht sagen. Also nickte das Kind nur flüchtig mit dem Kopf; das mußte nicht mehr bedeuten, als daß nun alles soweit in Ordnung sei. Dann mußte es ins Haus.

Am Morgen war sein erster Weg zur Blume. Im Kelch glänzte noch Tau. Käse, Fleisch und Fliege waren verschwunden. »Sie hat sich erholt, sie hat alles aufgegessen und ist schon weggeflogen«, sagte das Kind. Auf der Erde und in den Gräsern rund um die Blume war nichts zu sehen. Das Kind atmete auf. Es dachte nach. Eigentlich wollte es sich freuen, die Fliege war doch gerettet. Es sagte sich das mehrmals, zuletzt ganz laut; dabei wurde es aber rot im Gesicht, als habe es etwas verschwiegen.

Mit einem Mal ballte es die Faust und rannte davon. Es schlug einen großen Bogen um den Pingpongtisch, sah sich im Laufen um, stolperte, fiel auf den Kies und begann laut zu weinen.

Die letzte Fliege trägt über dem Titel einen Bleistiftvermerk: ›Fast alles wirkliches Kindheitserlebnis.‹

Das Umschlagen der Feindschaft in Liebe ist wie selbstverständlich dargestellt, ebenso der Wunsch, Rettung zu bringen. So fällt einem der Umfang dieser Verwandlung im ersten Augenblick vielleicht gar nicht auf. Eine solche Gefühlsänderung hat bekanntlich wenige Monate später im Leben des Verfassers eine entscheidende Rolle gespielt. Aber schon lange vor Kriegsende hat ihn das plötzliche Umschlagen von Gefühlen viel beschäftigt und kommt in seinen

Geschichten immer wieder vor. Er selbst nennt es Umkippen oder Umschlagen, manchmal auch Rollentausch.

Der Brand z. B. enthält einen Traum, in dem der Feuerwehrkommandant vom Vortag Flammen auf Haustore und Möbel malt. Dieser Rollentausch zeigt vermutlich das Mißtrauen des Verfassers gegen die Obrigkeit und ihre angeblich guten Absichten.

Jeden Morgen, wenn die Mutter es spielen schickte, stand das Kind eine Weile vor dem Spinneneck, horchte, wie die Wasserleitung tickte, und war traurig. Warum, das wußte es nicht, genau wie es nicht wußte, warum der Winkel bei der Wasserleitung Spinneneck hieß, der Garten oben am Hang hinter dem Sommerhaus Hexenpark und die Holztreppe zum Garten hinauf Brummstiege. Diese Namen hatte das Kind selbst in vergangenen Feriensommern erfunden, aber sie waren seither Wirklichkeit geworden, vielleicht wirklicher als Winkel, Garten und Treppe. Sie hatten ihren eigenen Geschmack im Mund, sie ließen sich beim Spielen stundenlang wiederholen, und sie blieben dabei doch seltsam und geheimnisvoll.

Das Kind stand vor dem Spinneneck und war traurig. Die Sonne blinkte in den Tropfen, die vom Wasserleitungshahn ins Becken fielen, wobei sich jedes Mal ein Wellenkreis bildete und in der Mitte, einen Augenblick lang, wenn der Tropfen aufplatschte, ein winziger Stiel aus Wasser, der rundgedrechselt wie der Holzgriff eines Springseils aussah, mit dünnerem Hals, aber oben am Ende wieder verdickt. Das Kind konnte nie herausfinden, ob diese Stiele dadurch entstanden, daß die gefallenen Tropfen noch einmal hochhüpfen wollten, oder ob ihnen das Wasser zuletzt entgegenkam.

Jeder Tropfen glitzerte in der Morgensonne, und das bewegte Wasser im Becken warf zitternde Spiegellichtfiguren ins Spinneneck, so daß die Spinnweben glänzten und manchmal alle Regenbogenfarben in den glasigen Flügeln standen, die von den gefressenen und abgefallenen Mücken und Sommerfliegen im Netz übriggeblieben waren.

Hatte sich ein Tier erst vor kurzem in den klebrigen Fäden verfangen und war es von seinen Befreiungsversuchen noch nicht zu erschöpft, so ermutigte der tanzende Sonnenfleck es manchmal zu neuer Bewegung. Dann glitt die Spinne vorsichtig ein kleines Stück näher, besorgt um Falle und Fang.

Fast immer gab es im Spinneneck etwas zu sehen, denn da hing ein Netz neben dem anderen, und in einem zappelte immer ein Tier. Nicht umsonst trug das Spinneneck seinen Namen, nur war nicht einzusehen, warum gerade die Ecke bei der Wasserleitung so hieß, denn das Sommerhaus hatte viele Winkel, und der Schuppen daneben noch mehr, und in den meisten gab es viel mehr Spinnen als bei der Wasserleitung, wo die Mutter sie immerhin von Zeit zu Zeit mit einem Besen entfernte.

Diesmal aber hatte sich nichts Lebendiges in die Fäden verstrickt, nur eine graue Spinne glitt hin und her und besserte ihr Netz aus: »Sie lauert auf Schmetterlinge.«

Erst vor wenigen Tagen hatte die Mutter von der Schmetterlingskönigin erzählt und hatte auch den hohen Ton nachgeahmt, mit dem ein Schmetterling weint, wenn er gefangen wird. Nur viel lauter als wirkliche Schmetterlinge, die man ohne ganz besondere Apparate nicht hören kann. Das Kind hatte versprochen, nie mehr Schmetterlinge zu fangen. Aber die Spinne war nach wie vor auf Fang aus und schämte sich nicht einmal.

Ein abgebrochener Zweig lag neben der Wasserleitung auf den Fliesen. Das Kind sah die Spinne an und hob ihn auf. Es hielt den Zweig wie der Vater im Kaffeehaus den Billardstock, zielte auf die Spinne, die gerade langsam über die Mauer kroch, und berührte schließlich ihren Rücken. Die Spinne hätte weglaufen oder über das Holz auf das Kind zukriechen und es in die Flucht schlagen können, aber sie zuckte nur, zog die Beine ein und stellte sich tot. Zuletzt, als sie sich bewegen wollte, war es schon zu spät. Mit feinem Knacken, wie eine pralle Erbsenschote, auf die man drückt, platzte ihr Leib.

Das Kind wandte sich ab, sprang mit einem Satz aus dem Spinneneck in den Hof zurück und stocherte mit dem Ende seines Zweiges im Staub herum, um die Spinnenreste loszuwerden.

»Wein nicht! Du bist kein Wickelkind mehr«, hatte ein alter Herr vor einigen Tagen gesagt, als es sich beim Spazierengehen weh getan hatte. Mit weiten Augen, in denen es zuckte, betrachtete das Kind sein Spiegelbild in einer Fensterscheibe. Es war wirklich schon groß. Es schluckte, fuhr sich mit dem staubigen Handrücken über die Nase und faßte wieder Mut. Eine Spinne war ja nicht wie ein anderes Tier. Und die Schmetterlingskönigin würde ihm dankbar sein und ihm zur Belohnung vielleicht sogar verzeihen, was es selbst bis vor kurzem...

Das Kind strich sich das Haar aus dem Gesicht und marschierte mit seinem Zweig ins Spinneneck zurück. Es hieb die Reste der Spinne von der Wand und zerstörte mit einigen schnellen Schlägen alle Netze. Zwei Spinnen kamen hervor. Die eine wurde erschlagen. Die andere hielt sich am Stock fest und ließ sich an einem Faden zu Boden gleiten. Das Kind zertrat sie. Ehe es den Fuß wieder hob, scharrte es lange auf dem Stein. Dann sah man nur noch einen großen feuchten Fleck auf den Fliesen.

Im innersten Winkel des Spinnenecks hatte sich der Verputz von der Mauer gelöst. Dort war ein Loch. Man konnte nicht sehen, ob eine Spinne drinnen saß. Es fiel zu wenig Licht hinein. Das Kind traute sich auch nicht ganz nahe an das Loch heran. So holte es vom Hof einen spitzen Span und stieß ihn ins Loch, ganz tief. Dann ließ es ihn wieder ein wenig locker. So bewegte es seinen Span hin und her, hin und her, in wachsender Erregung. Als es ihn zurückzog, haftete an der Spitze ein zappelndes, langes Bein. Das Kind fühlte, wie sein Herz einen Augenblick lang stehenblieb. Dann lachte es laut, stand kerzengerade, schulterte seinen Zweig, steckte sich den Span zur Seite, wie ein Jäger seinen Hirschfänger, und zog ab.

Von Winkel zu Winkel ging die Jagd, vom Haus in den Schuppen und wieder zum Haus zurück. Die Spinnen wurden zertreten und erschlagen, in ausweglose Ecken gejagt und mit dem nachrückenden Span gespießt, im Regenfaß ertränkt oder mit Sand begraben. Zuerst warf das Kind nur ganz wenig Sand auf eine Spinne; dann, wenn sich an einer Seite des Häufchens der Sand zu verschieben begann und ein ruderndes Bein auftauchte, wurde mehr Sand aufgeschüttet, bis ein ganzer Hügel entstand, den das Kind schließlich feststampfte und mit der Hand zu einem Kuchen formte. Bald gab es auf den Fliesen mehr Spinnenkuchen, als das Kind zählen konnte. Die Spinnen, die erlegt wurden, waren hell oder dunkel, grau oder braun, ohne Zeichnung oder seltsam gemustert. Mehrmals fand das Kind ganz junge Spinnen, die wie schwarze Punkte in Haufen beisammenhockten und mit einem grünen Blatt, das sich das Kind auf den Daumen legte, zerdrückt wurden, alle auf einmal, ganz ohne Mühe und Gefahr; Spinnenkinder.

Es war ein schöner, sonniger Sommermorgen; langsam

wurde es sehr warm. Ab und zu flatterte ein Schmetterling über den Hof, ließ sich von der lauen Luft, die an der sonnenbeschienenen Hausmauer aufstieg, hochtragen und flog über das Dach zum Hexenpark hinauf. Dem Kind fiel wieder die Schmetterlingskönigin ein, und es rief den Faltern freundlich zu: »Seht ihr, die werden euch nicht mehr fangen, die Spinnen da!«

Es befreite sogar einen Schmetterling und eine Libelle aus Spinnweben, die ihm auf seinem Feldzug in die Hände kamen. Eigentlich wollte es alle gefangenen Tiere befreien, aber bei den kleinen Mücken ging das so schwer, und sie waren so gebrechlich, daß sich das Kind bald begnügte, die Tiere mitsamt den Fäden, in denen sie hingen, vor den Mund zu halten und sie dann ins Weite zu blasen. Wenn sie Glück hatten, konnte sie das kräftige Pusten von den Fäden befreien.

Als Haus und Schuppen abgesucht waren, ging es über die Brummstiege in den Hexenpark hinauf. Am Geländer fand sich ein großes Netz, und da zappelte eine Biene. Die Spinne selbst saß im Netz und beobachtete respektvoll ihre Gefangene, die wütend summte. Das Kind zerdrückte die Spinne zwischen zwei Wäscheklammern. »Siehst du«, sagte es zur Biene. Dann fischte es sie mit seinem Zweig aus dem Netz. Die Biene hing aber immer noch in den Fäden, summte und konnte nicht freikommen. Gerne hätte das Kind sie losgemacht, aber es fürchtete ihren Stachel und wagte nicht, sie mit der Hand anzufassen. Nicht einmal ganz dicht an den Mund hielt es sie. Endlich, als alles Blasen nicht half, warf es den Zweig zornig zu Boden und trat ihn mit Füßen.

Einen Augenblick später, als das Kind die zertretene Biene ansah, setzte sich ein großer gelber Schmetterling auf den Rücken seiner Hand, die auf dem Geländer der Brummstiege lag. Der Schmetterling klappte die Flügel auf und zu und sah ihm ins Gesicht. Er hatte winzige, schwarze, stechende Augen. Das Kind wurde rot, verscheuchte ihn, packte seinen Zweig und lief die letzten Stufen hinauf.

Im Hexenpark stand ein Buchsbaumstrauch. Seine Zweige waren voller Spinnweben. Das waren meistens hellgrüne Gartenspinnen. Das Kind war wütend geworden. Es zerrte und zerzauste den Strauch, hieb in die dichten weißlichen Gespinste hinein, daß die kleinen ledrigen Blätter auseinanderflogen, und wenn es eine Spinne herausgeangelt hatte, begnügte es sich nicht damit, sie zu zertreten, sondern es spuckte die zuckenden Tiere an und trampelte vielmals auf dem gleichen Fleck herum, ehe es sich neuen Opfern zuwandte. Dabei rief es: »Jetzt komm herunter, Schmetterlingskönigin! Jetzt schau mir zu!« Aber nur weit oben gegen die Sonne gaukelten ein, zwei Falter, und keiner kam nahe.

Anfangs hatte sich das Kind auf die Vertilgung der richtigen Spinnen beschränkt, die wirklich in Netzen saßen. Nun aber wurden auch die langbeinigen wippenden Pfefferkörner, die Weberknechte, nicht mehr verschont. Und als hinter abgeschlagenem Mauerbewurf und unter umgewendeten Steinen Asseln auftauchten, häßliche, furchtsame Tiere, die noch viel mehr Beine hatten als die Spinnen selbst, wurde auch mit ihnen kurzer Prozeß gemacht.

Gefangene Tiere in den Netzen wurden schon lange nicht mehr befreit. Das war meist ohnedies nur schlecht gegangen, und ein Flügel oder einige Beine waren fast immer hängengeblieben. Jetzt wurde einfach das Netz mit einem Gabelast abgehoben, auf die Erde gelegt und in den Staub getreten. Das ging schneller, und man verlor nicht so viel Zeit für die eigentliche Spinnenjagd.

So kam das Kind nach langen, erfolgreichen Zügen, die nur die Mutter mit einem uninteressanten zweiten Frühstück und einigen ewig gleichen Ermahnungen unterbrochen hatte, an den Ort zurück, von dem es am Morgen ausgezogen war, zum Spinneneck bei der Wasserleitung.

Die Wasserleitung tickte und der Sonnenfleck tanzte, aber nicht mehr in der Ecke, sondern hoch an der Wand an einer ganz anderen Stelle. Im Spinneneck selbst rührte sich nichts. Aber da, zwischen Wasserleitungshahn und Holzpfosten, zog sich ein glitzernder dünner Faden, der am Morgen noch nicht dagewesen war. Als das Kind genauer hinsah, fand es neben dem Becken die Spinne, die den Faden festgemacht hatte und jetzt wieder hochkroch, sich vom Wasserleitungshahn spannentief hinabließ, ein wenig baumelte, ihren ersten Faden faßte und nun mit ihrem Hinterleib einen zweiten dicht neben ihm hinführte. Sie baute ein neues Netz.

Es war eine große, dicke, fast weiße Spinne. Wäre sie im Spinneneck herumgekrochen, so hätte man sie sofort erschlagen können. Aber daß sie ihr Netz an der Wasserleitung baute, die doch dauernd von der Mutter benutzt wurde, versetzte das Kind in Staunen. Nachdenklich sah es eine Weile lang dem Fadenziehen und Festmachen zu, ohne sich zu bewegen. Nicht nur was die Spinne tat, war eigentümlich, sondern auch ihr Aussehen, obgleich das gar nicht so ungewöhnlich war; außerdem erinnerte die Spinne das Kind an etwas, was mit der Wasserleitung und dem Spinneneck zusammenhängen mußte; aber nichts, was an diesem Morgen geschehen sein konnte. Es war nichts Angenehmes, und das Kind wußte auch gar nicht, was es eigentlich war; aber es fiel ihm ein, was geschehen mußte, wenn die Mutter zur Wasserleitung kam. Es schüttelte den Kopf. »Geh weg!« sagte es zur Spinne. »Geh doch lieber weg!« Aber die Spinne arbeitete weiter.

Das Kind wartete, bis sie wieder an ihrem Faden baumelte, nahm dann den Faden mit dem Finger ab und setzte die Spinne auf die Fliesen. »Die Mutter kommt und macht dich tot!«

Die Spinne saß bewegungslos vor dem Kind. »Man muß sie wegscheuchen.« Das Kind nahm seinen Holzspan und berührte sie, um sie zum Weglaufen zu bewegen.

Ein Schatten wanderte die Wand entlang, fiel auf die Wasserleitung und traf das Kind; es drehte sich halb um. Die Mutter ging vorbei; sie hatte im Hexenpark Grünzeug für die Küche geholt. Das Kind blickte ihr nach. »Gut, daß sie dich nicht gesehen hat«, sagte es leise zur Spinne, dann erst wandte es sich ihr wieder voll zu, um zu sehen, welchen Eindruck die plötzliche Gefahr auf die Spinne gemacht habe.

Die Spinne war tot. Als sich das Kind nach der Mutter umwandte, hatte es sich unwillkürlich auf den Span gestützt. Der Span hatte den dicken, weißen Leib des Tieres zermalmt. Nur die vielen Beine zuckten noch rundum wild auf dem Stein.

Das Kind war sehr blaß. Es stand langsam auf. Es wußte alles.

Die Wasserleitung tickte und tickte. So hatte sie getickt, als der Winkel Spinneneck getauft worden war. Hinter der Wasserleitung hatte eine dicke, weiße Spinne gewohnt, und das Kind hatte sie jeden Morgen besucht. Die Spinne kannte es und freute sich schon, wenn es kam. Sie durfte jeden Morgen auf seinem Arm kriechen, hin und her, hin und her.

Einmal kam plötzlich die Mutter. Sie war zum Ausgehen angezogen, aber sie wollte noch ein Glas Wasser holen. »Lieber Gott! Was tust du mit dem garstigen Insekt!? Weißt du denn nicht: Spinne am Morgen bringt Kummer und Sorgen!«

Sie hatte die Spinne zu Boden geschleudert und behutsam mit der Spitze ihres eleganten Schuhs zertreten. Die vielen, vielen Beine hatten noch wild auf dem Stein gezuckt, rundum.

Das Kind kniete nieder und berührte die vielen Beine leise mit dem Finger, jedes einmal. Langsam beruhigten sie sich. Die Sonne brannte viel zu heiß. Die Tropfen tickten wie Trommeln.

Ein Grabhügel aus Sand wurde gebaut. Dann holte das Kind seine Schaufel, schob das ganze Grab auf das Blatt, mit der Spinne, und trug es langsam die Brummstiege hinauf, an eine sichere Stelle oben im Hexenpark, wo niemand es zertreten würde.

Die Mutter rief zum Essen. Das Kind meldete sich nicht. Es faltete die Hände. Viel andächtiger als beim Schlafengehen sprach es das einzige Gebet, das es kannte:

> »Müde bin ich, geh zur Ruh,
> Schließe beide Augen zu.«

Es rieb sich die Augen, die unerträglich brannten, mit den Händen, die noch voll Spinnfäden waren, und voll Sand vom Grab.

> »Vater, laß die Augen Dein
> Über meinem Bette sein.«

Es sah zum Himmel auf. Ein Schmetterling flog vorbei, aber hoch oben. Es konnte auch ein anderes Tier sein.

> »Hab ich Unrecht heut getan,
> Sieh es, lieber Gott, nicht an!«

An dieser Stelle begann die Stimme unsicher zu werden, und die ersten Tränen kamen. Aber das Kind nahm sich zusammen und betete zu Ende:

> »Alle Menschen, groß und klein,
> Sollen Dir befohlen sein.«

Aber es betete nur für einen kleinen, weißlichen Menschen, der dick gewesen war und viele Beine gehabt hatte.

»Wo steckst du denn bloß, du!?« Die Mutter hatte es am Arm gepackt und zerrte es hoch. »Seit einer Stunde ruf ich zum Essen. Und wie du nur aussiehst!«

Das Kind sah die Mutter an. Sie hatte das Gebet nicht gehört und das Grab nicht gesehen. Sie hatte die schrille, erregte Stimme. Die alte Spinnenstimme von der Wasserleitung ...

Nun erst kam das Weinen, das Weinen und die Wut.

Das Kind riß sich los: »Laß mich, ich will nicht! Ich will nicht essen!«

Dann rannte es schreiend davon.

Der Spinnenkreuzzug wurde unmittelbar nach der Geschichte *Die letzte Fliege* geschrieben. Das Manuskript trägt den Bleistiftvermerk ›Doppelter Rollentausch!‹

Der Verfasser hat mich aber darauf aufmerksam gemacht, daß der *Spinnenkreuzzug* nicht nur ein Gegenstück zur *Letzten Fliege* ist, sondern auch eine Darstellung, wie ein Kreuzzug zur ›Verbesserung der Welt‹ zu einem totalen Vernichtungsfeldzug wird.

Auf der letzten Seite des Manuskripts steht folgende Notiz:

›Als meine Mutter die Spinne zertreten hat, war ich drei Jahre alt, als *ich* Spinnen töten ging, war ich natürlich schon drei, vier oder fünf Jahre älter. Die Geschichte von der Schmetterlingskönigin, die über das Leben der Schmetterlinge und Bienen wacht, kommt aus einem alten Band der *Kinder-Gartenlaube*. Meine Großmutter hat sie mir vorgelesen.‹

Auch hier wird der Gegenstand des Hasses zuletzt – und zu spät – Liebesobjekt, sogar schon *bevor* das Kind die Zusammenhänge zwischen seinem Haß und seiner Liebe versteht. Wahrscheinlich ermöglicht ihm erst die Wiederkehr der Liebe dieses Verstehen.

Offenbar bestehen auch Zusammenhänge zwischen dieser Geschichte und der Geschichte vom *Brand*. Der Verfasser erzählte mir, der Schatten seiner Mutter sei ins Spinneneck durch eine Art Torbogen gefallen, durch den man gehen mußte, um zur Wasserleitung zu kommen. Hier besteht vermutlich ein Zusammenhang mit dem Haustor, in dem die Hausmeisterin im *Brand* Stehplätze verkauft.

Der enge Zusammenhang mit der vorhergehenden Geschichte *Die letzte Fliege* ist unverkennbar. Beide Arbeiten sind, abgesehen von den unmittelbaren Kindheitsreminiszenzen und Haß-Liebe-Problemen, auch echte Kriegsgeschichten. Die gleichsam automatische

Verbesserung und Vervollkommnung der Tötungsmethoden ist in beiden fast unerträglich genau geschildert. Der Verfasser hat sich immer geweigert, mir die genauen Einzelheiten des Nachmittags zu schildern, an dem er sich mit mechanischer Tüchtigkeit und Ausdauer den Weg zu Helga bahnte, trotz oder dank seines Starregefühls (›eingeschlafener Fuß‹). Auf meine Fragen erwiderte er meistens: »Denk an die Geschichten, wie das Kind erfinderisch war, als es die Fliegen und Spinnen umbrachte, grad weil es nur weitergemacht hat wie ein Uhrwerk. Als es dann wieder ein Mensch war, da war diese sogenannte Tüchtigkeit wie weggeblasen. So ging's auch mir damals. Am Nachmittag tüchtig wie nur was; aber am nächsten Morgen – du weißt ja!«

III. Aus dem Mental Ward

ERKLÄRUNG

Ich war ein Berg
den hat die Welt bestiegen.
Ich mußte ihr unterliegen
ich bin ein Zwerg

Leute ihr lacht
denn das versteht ihr nicht:
mich hat ein großes Gewicht
so klein gemacht
[aus den Gedichten des Soldaten]

Der Ausdruck *Mental Ward*, den der Soldat immer gebrauchte, verhält sich zur offiziellen Bezeichnung *Psychiatric Ward* wie der volkstümliche Wortgebrauch Irrenhaus zu den offiziellen Bezeichnungen Nervenheilanstalt oder Heil- und Pflegeanstalt. In diese Abteilung des amerikanischen Militärhospitals war der Soldat an Helgas Todestag gebracht worden und schrieb dort in den neun oder zehn Wochen bis zu seiner Entlassung fast ununterbrochen.

Ob das Haus gut war oder schlecht, das kann ich eigentlich nicht sagen, denn ich habe zeitlebens in keinem anderen Haus gewohnt, und auch meine Eltern haben schon in der gleichen Wohnung gelebt und sind dort gestorben. Doch fällt mir bei genauerem Nachdenken ein, daß sich meine Mutter in den letzten Jahren, als ich schon ins Amt ging, öfters bei mir über die klimpernden losen Ziegel im Treppenhaus beklagt hat, und auch über den großen nassen Fleck an der Zimmerdecke. Eigentlich gab es zwei Flecke in der Wohnung, aber der andere war nur im Dienstbotenzimmer; das war kein sehr heller Raum, also sah man ihn nicht so deutlich. Dieser eine aber verunzierte unsere Salondecke, gerade neben dem Lüster. Außerdem hatte er ein sonderbares Aussehen. Wie ein spitziges Gesicht. Heute würde ich sagen, er sah Jakob Zehrer ähnlich. Aber das reime ich mir vielleicht nur hinterher so zusammen.

Es muß doch ein recht gutes Haus gewesen sein. Wenigstens fällt mir sonst nichts Störendes mehr ein. Ich erinnere mich noch meiner Zufriedenheit, als bald nach meiner Mutter Tod das große Transportunternehmen im Erdgeschoß zugrunde ging. Nun war es auch vorbei mit dem Gepolter der schweren Rollbalken und mit dem Lärm des Verladens von Möbeln, Leitern und Brettern; auch die Rufe der ungehobelten Aufleger waren verstummt, alles Geräusche, die etwas Beängstigendes hatten, ähnlich vielleicht wie Laute von hungrigen Tieren.

In einem wahrscheinlich nur durch Zufall vergessenen Einsiedeglas hinter der verstaubten Spiegelscheibe des eingegangenen Unternehmens hatte sich eines Tages eine Maus gefangen, rannte voll Angst hin und her und konnte nicht mehr heraus. Aber kein Mensch betrat mehr die leeren Räume. Ich beobachtete sie, acht Tage lang, zweimal täglich, auf dem Weg ins Amt und auf dem Heimweg. Zuletzt waren ihre Bewegungen schwächer, sogar wenn ich mit einem Stück Brot an die Glasscheibe klopfte. Dann starb sie: vor Hunger und Angst.

Eigentlich hatte ich ja kein ganz reines Gewissen, aber in einem höheren Sinne schien mir hier dennoch Gerechtigkeit zu walten, denn Mäuse haben etwas Beängstigendes; wenn sie erst da sind, kann man ihnen nie entrinnen. So schien es mir damals ganz in Ordnung, daß auch diese Maus ihrerseits nicht entrinnen konnte und Angst litt. Wenigstens muß ich das so empfunden haben, ich hätte sonst sicher den Hausbesorger mit einem kleinen Trinkgeld veranlaßt, die Maus zu erlösen. Sie ist dann in ihrem Glasgefäß verfault, und das war vielleicht wieder für mich die gerechte Strafe.

Ich bin nämlich mit einem überaus feinen Geruchssinn begabt, und in den folgenden Wochen und Monaten, abends, wenn sich die Küchendünste des Hauses einigermaßen verzogen hatten, konnte ich den Verwesungsgeruch der Maus durch die geschlossenen Türen bis in meine Wohnung hinauf spüren. Daran änderte sich auch nichts, als ich die Wohnnungstür mit Filzstreifen abdichten ließ. Damals erwog ich zum ersten Mal ernstlich, das Haus zu verlassen.

Es war an einem jener Abende. Ich stand gerade unschlüssig vor dem Haustor und war im Begriff, das Taschentuch vor mein Gesicht zu halten, um beim Eintreten dem Geruch wenigstens halbwegs zu entgehen, da kam er auf mich zu.

»Guten Abend zu wünschen, der Herr!« grüßte er mich auf seine unfein aufdringliche Art, »Jakob Zehrer mein Name.« Dann fragte er mich nach der Adresse des Hausbesitzers. »Ich möchte nämlich dieses leere Lokal da mieten. Ganz schön, ganz schön, was?« Er pfiff durch die Zähne.

Ich glaube eigentlich nicht, daß es nur auf Grund meiner Auskunft geschah. Wahrscheinlich hätte ihm sonst der erstbeste Wohnungsinhaber die Adresse des Hausbesitzers verraten, und er wäre höchstens ein oder zwei Tage später eingezogen. Aber andererseits will ich meine Mitschuld auch nicht einfach leugnen: ich muß gestehen, ich war von der Aussicht bestochen, daß nun die Maus entfernt werden würde, und fast ganz ohne mein Zutun! Ich war deshalb bemüht, die Ähnlichkeit des Mannes mit dem nassen Fleck an der Decke meines Salons zu übersehen.

Vier Wochen später zog Zehrer ein. Schon am Tag zuvor waren die Überreste der Maus verschwunden. Ich versuchte den Hausbesorger vorsichtig auszufragen, aber er wollte von nichts wissen. Offenbar war er bestochen, oder es mußte einer von Zehrers dienstbaren Geistern die Arbeit verrichtet haben. Am gleichen Tag wurde ein schreiend buntes Firmenschild angebracht: *Jakob Zehrer – Feinkost, Delikatessen. Eier! Butter! Käse!*

In den folgenden Wochen lebte ich in den Tag hinein und scheine wenig von dem bemerkt zu haben, was doch in meiner unmittelbaren Umgebung vorgefallen sein muß. Dann sperrte mein Kaufmann Hromadka seinen Laden zu und beging mit seiner Gattin Selbstmord, mit Leuchtgas. Nun kaufte ich bei Jakob Zehrer ein, ohne mir etwas dabei zu denken. Sein Gerede, daß meine Aufwartefrau dem Ehepaar Hromadka bei der Leichenwäsche die Trauringe gestohlen habe, beschloß ich zu überhören. Üble Nachrede hat etwas Beängstigendes für mich, und man kann Leuten vom Schlage Zehrers in solchen Fällen nie entrinnen. Und überdies mochte es mir damals vorteilhaft erschienen sein, meinen Kaufmann im Haus zu haben.

Meine Aufwartefrau erzählte mir, Zehrer arbeite mit amerikanischen Methoden, und keiner der Kaufleute in der Umgebung könne die Konkurrenz ertragen. Ich hörte nur mit halbem Ohr zu, dennoch konnte ich mich eines leisen Unbehagens nicht erwehren. Das konnte auf meinem Vorurteil gegen amerikanische Methoden beruhen. Außerdem aber war mir nicht entgangen, daß die Stimme meiner Aufwartefrau besorgt klang; und ich habe die Erfahrung gemacht, daß einfache Leute wie sie oft einen überraschend scharfen Instinkt besitzen.

Meine Aufmerksamkeit war jedenfalls geweckt, und ich konnte feststellen, daß während der nächsten Wochen in der Tat alle paar Tage der eine oder andere Laden in der Nachbarschaft zusperren mußte. Sie alle wurden von Zehrer – aufgezehrt. Ich gestatte mir das bescheidene Wortspiel nur, weil es mir schon damals bei Tag und Nacht nicht mehr aus dem Sinn wollte. Die geschlossenen Läden hingen noch eine Weile lang im Gefüge der Straßen herum wie leergesogene Mücken in einem Spinnennetz; Jakob Zehrer war die Spinne, saß in der Mitte und gedieh.

Ich kaufte damals Kerzen bei ihm, um gegen ein etwaiges Versagen der elektrischen Wohnungsbeleuchtung ein wenig gesichert zu sein. Als ich die Verpackung prüfte – noch ohne jeden Verdacht –, sah ich, daß Zehrers riesige Geschäftsführerin die Kerzen in die schwarzumrandete Todesanzeige meines zugrunde gerichteten Kaufmanns Hromadka gehüllt hatte. Ich mußte die Kerzen fortwerfen, und ich hätte mich fast beschwert, denn ich fand die Verwendung der Todesanzeige zu solchem Zweck nicht nur menschlich unschön, sondern auch höchst unangebracht. Ich hatte doch nur kurze, dicke Stearinkerzen gekauft, keine langen Totenkerzen.

Dieser Vorfall hatte mir den letzten Rest meines Vertrauens geraubt, und ich sah keinen Grund mehr, mir noch länger den üblen Geruch zu verhehlen, der seit Wochen das Haus durchzog und immer durchdringender wurde. Zunächst hatte ich an die Maus im Glas denken müssen; auch an den toten Hromadka, der ohnehin immer etwas Mausartiges gehabt hatte, piepsig, flink und immer beflissen hin und her huschend. Aber dann verwies ich diese Verdächtigungen als unzureichend begründet in das Reich meiner Phantasie. Der üble Geruch jedoch war damit nicht aus der Welt geschafft. Er wurde stärker, er bediente sich der Wege, die der Verwesungsgeruch der Maus im Verlaufe vieler Monate durch das Haus gebahnt haben mußte, und drang auf ihnen vor.

Wahrscheinlich rührte er von den zahllosen Käsesorten her oder von manchen Waren minderer Qualität, die Zehrer billig erstand und zu Brotaufstrichen und ähnlichem Zeug verarbeitete.

Im Frühling, als es wärmer wurde, steigerte sich der Geruch mit der Temperatur und wurde unerträglich. Dabei roch es draußen vor dem Laden ganz anders, geradezu einladend, und auch im Inneren des Ladens war alles schön geordnet und duftete so, daß alle Sinne schwelgten. Offenbar mußte eine geheime Rohrleitung bestehen oder ähnliche Vorrichtungen, durch die die bei einer so großen Anhäufung von Eßwaren unvermeidlichen üblen Gerüche von den Kunden ferngehalten und ins Innere des Hauses abgelenkt wurden. Das waren wohl die amerikanischen Methoden, von denen meine Aufwartefrau gesprochen hatte.

Jedenfalls beschloß ich, von nun an genau auf Veränderungen im Gefüge des Hauses zu achten, vor allem aber auf Rohrmündungen, die ja leicht etwa als Mauselöcher maskiert sein könnten.

Schon nach wenigen Tagen machte ich meine erste Entdekkung. Die losen Ziegel im Treppenhaus klimperten nicht mehr, wie sie es seit den letzten Lebensjahren meiner Mutter getan hatten, sondern waren in eine weiche, überaus klebrige

Masse eingebettet, die sich wahrscheinlich aus den Käsedünsten niedergeschlagen hatte. Die gleiche Masse hatte in einigen abgenutzten Treppenstufen die Vertiefungen ausgefüllt, nicht unähnlich erstarrendem, aber noch nicht hartem Zement. Ich mußte diese Stufen mit beträchtlicher Vorsicht vermeiden, um nicht kleben zu bleiben. Schon aus der Tatsache, daß keiner der außer mir im Haus Wohnenden ein Wort davon sprach, konnte ich sehen, daß sie gerade so litten wie ich. Denn nur großer Ekel kann den Wohnparteien eines Miethauses angesichts solcher Ereignisse den Mund verschließen.

Der üble Geruch und die klebrigen Stufen machten jede Benutzung der Treppe zu einem Abenteuer, das den Aufwand meiner ganzen Entschlußkraft in Anspruch nahm. Dennoch machte ich mich am Tag, an dem ich mir über die volle Bedeutung der neuen Lage klargeworden war, auf und ging noch einmal aus dem Haus. Ich wußte nicht, daß es das letzte Mal sein sollte.

Ich ging drei Gassen weit zu Kinderlei, dem einzigen Konkurrenzladen Zehrers, der noch bestand. Ich wollte Zehrer entrinnen. Meine Aufwartefrau sollte von nun an die nötigen Eßwaren für mich bei Kinderlei einkaufen. Außerdem wollte ich Frau Kinderlei die Ereignisse in unserem Haus bekanntmachen.

Ich war schon lange nicht in jenem Laden gewesen und war betroffen, als ich die Veränderungen sah, die hier stattgefunden hatten. Frau Kinderlei saß zwar noch immer an der Kasse, aber sie war stark gealtert und sah meiner Mutter ähnlich.

Ich fühlte mich auch gleich beim Eintreten geborgen und unter guten Freunden, viel mehr zu Hause als in dem Gebäude, in dem ich mein ganzes Leben lang gewohnt hatte.

»Guten Tag, Herr Amtsrat! Schön, daß Sie sich wieder anschauen lassen! Wie geht es denn dem nassen Fleck an der Salondecke?«

Das waren Frau Kinderleis erste Worte an mich. Sie war ein zu vornehmer Mensch, um gleich von Zehrer anzufangen; aber die Sorge in meinen Augen entging ihr nicht, und sie wollte mir helfen. Ich trat ganz nahe zu ihr hin und sah sie dankbar an. Dabei holte ich tief Atem, so daß ich den

Gewürzduft ihrer Kleider spürte, den ich schon als kleiner Junge geliebt hatte, wenn meine Mutter mich zum Einkaufen mitnahm. Und wirklich griff Frau Kinderlei in die Geldlade, in der kein Geld war, holte ein Likörbonbon hervor und steckte es mir mit einer verstohlenen Bewegung in den Mund.

Dann tat sie, als bemerke sie meine Tränen nicht, und begann in hastigen Worten von sich zu erzählen. Sie sitze zwar noch da, aber eigentlich führe ihr Mann, Herr Kinderlei, die Kasse. Es sei ohnehin nur mehr wenig zu tun, denn das Geschäft gehe schlechter als je. Dafür widme sie sich jetzt viel mehr den persönlichen Wünschen und Sorgen der Kundschaft, denn die habe dieser Tage viel auf dem Herzen. Besonders beim letzten großen Regen habe es wieder überall durchgeregnet, und an den Zimmerdecken seien die sonderbarsten Figuren aufgetaucht, und außerdem sei ein Mann vom Tierschutzverein bei ihr im Laden gewesen und habe alle Mausefallen beschlagnahmt. Dadurch hätten sie nicht nur viel Geld verloren, sondern das Ärgste daran sei, daß nun alle Kunden in der ganzen Umgebung den immer zahlreicher werdenden Mäusen hilflos ausgeliefert blieben, oder den unverschämt teuren großen Ungeziefervertilgern, die mit amerikanischen Methoden arbeiteten.

Ich verstand sie nur zu gut und nickte eifrig Zustimmung. Da ging hinter mir die Ladentüre auf und machte zweimal scharf ›klink-klink‹, denn es war eine Patenttüre und meldete jeden Hereinkommenden. Ich sah Frau Kinderlei blaß werden und drehte mich zögernd um. Im Laden stand Jakob Zehrer mit seiner riesigen Geschäftsführerin. Alle Kraft verließ mich. Eigentlich wollte ich mich verneigen und ein paar höfliche Worte sagen, denn die Lage entbehrte nicht einer gewissen Ähnlichkeit mit einer Inspektion im Amt. Aber ich brachte kein Wort hervor. Daran trug vielleicht auch das Bonbon Schuld, das mir in den Hals gerutscht war und nun weder vor noch zurück wollte.

Der alte Herr Kinderlei und alle anderen Kunden hatten sich hinter einen Ladentisch geduckt. Ich konnte ihr schweres Atmen hören. Sonst herrschte Stille im Laden. Auch Jakob Zehrer war still; er sah nur Frau Kinderlei böse aus seinen Diebsäuglein an und nagte mit seinen ungewöhnlich langen Vorderzähnen an der Unterlippe.

Desto gesprächiger aber war seine riesige Geschäftsführerin: »So, so, Frau Kinderlei! Auf unsere Kundschaft sind Sie also aus? Den Herrn Amtsrat wollen Sie uns untreu machen? Ja, haben Sie denn gar kein Gewissen nicht im Leib? Der weiß ja noch gar nicht, was er tut, der Herr Amtsrat! Nicht wahr?«

Ich muß gestehen, daß ich zustimmend nickte, denn wenn mich Zehrers Geschäftsführerin der Verantwortlichkeit für mein Tun enthob, konnte das meine Rettung bedeuten.

Sie sprach weiter: »Er ist ja noch wie ein kleines Kind, der Herr Amtsrat. – Da schaun Sie nur her!« Sie deutete auf eine Pfütze, die sich um mich herum gebildet hatte. Ich wußte, daß es nur Likör aus dem Likörbonbon war, das einzige Ergebnis meiner Schluckversuche, aber ich widersprach nicht, denn erstens hinderte mich das Bonbon noch immer am Sprechen, und zweitens wollte ich Frau Kinderlei nicht verraten, die es mir doch im Vertrauen geschenkt hatte.

Frau Kinderlei würdigte die Geschäftsführerin keines Blickes, und so wandte diese sich schließlich an mich. »Aber, nicht wahr, Herr Amtsrat, Sie werden uns nicht untreu werden? Kommen Sie schön her zu mir, wir gehn jetzt nach Hause!« Sie preßte mich mit heuchlerisch mütterlicher Zärtlichkeit so fest an ihre Brüste, daß mir der Atem ausging und ich mich ganz benommen aus dem Laden und durch die Straßen zerren ließ.

Der Polizist an der Ecke zog die Brauen hoch, als er mich so sah, und ich wollte schon zu hoffen beginnen, denn er war ein tatkräftiger Mensch vom gleichen Schlag wie mein verstorbener Vater. Aber Zehrers Geschäftsführerin lächelte ihm zu, daß er zu schmunzeln begann, und sagte mit ihrer süßlichen Stimme: »Ja, ja, Herr Inspektor. Der Herr Amtsrat war schlimm; und jetzt ist ihm nicht gut, und er muß nach Hause.« Dabei zischte sie mir zu: »Warten Sie nur, bis wir nicht mehr auf der Straße sind!«

Zwei Minuten später befand ich mich im dunklen Flur unseres Hauses, ganz allein mit der riesigen Geschäftsführerin und mit Jakob Zehrer, der auf einmal wieder dicht neben uns war.

Zehrer pfiff durch die Zähne, seine Geschäftsführerin stieß mich roh von der Brust, so daß ich ihm in die Arme taumelte. Er hielt mich fest. Die Frau legte eine große, feuchte Hand auf meine Stirn. Ein Finger ihrer anderen Hand bohrte sich mir in den Schlund, vorüber an dem Zäpfchen, das sich steif aufrichtete. Gleich darauf hielt sie mit einem zufriedenen »Na, also!« das Bonbon in der Hand. Sie reichte es Zehrer, der es an den Mund hob und benagte. Aber da schlüpfte ihm das Bonbon durch die Finger und kollerte, mehr laufend als rollend, in das nächste Mauseloch.

Zehrer mühte sich vergeblich, es hervorzuholen, wurde wütend und schrie mich an: »Lächeln Sie nicht so unverschämt, das wird Ihnen gar nichts helfen! Solange ich lebe, kriegen Sie das Bonbon ohnehin nicht wieder! Und damit Sie's nur wissen: das Haustor bleibt ab heute zu! Und den Flur hier verwende ich als Lagerraum. Wer da noch herein oder heraus will, der muß durch meinen Laden. Und wer nicht bei mir kauft, der kann überhaupt nicht mehr durch; der wird schon sehen, was ihm geschieht. Sagen Sie das gefälligst auch Ihrer Aufwartefrau, ich will niemand mehr im Flur erwischen, und damit Sie sich das auch ja gut merken...«

Er beugte sich ganz dicht über mich und entblößte seine großen Vorderzähne. Ich weiß nicht, was noch geschehen wäre, aber in diesem Augenblick betrat Frau Minka Schnur, meine Nachbarin, das Haus, leisen Schrittes wie immer, und sagte mit weicher, etwas gedehnter Stimme: »Guten Abend, Herr Amtsrat... Wie geht's denn?«

Schon seit einiger Zeit war mir nicht entgangen, daß Zehrer vor Minka Schnur Angst hatte. Heute scheint es mir, als müsse das bei ihm eine Vorahnung gewesen sein, aber jedenfalls packte er seine Geschäftsführerin erschrocken an der Hand und zog sich mit ihr ins Flureck zurück, zur kleinen Hintertüre seines Ladens. Von dorther zischte er meine Nachbarin an: »Und Sie kriegen bei mir überhaupt nichts zu kaufen; keine Milch und keinen Bissen Brot! Meinetwegen können Sie verhungern!« Er nahm sich nicht Zeit, die Wirkung seiner Worte abzuwarten, sondern pfiff noch einmal gellend durch die Zähne und schlug die kleine Ladentür hinter sich zu.

Frau Minka sah mich aus schmalen Augen an. Nun, da sie mich vielleicht gerettet hatte, fiel mir wieder recht deutlich auf, wie schön sie war. Eine merkwürdige Frau. Sie trug immer einen Pelzmantel und dicksohlige Schuhe, in denen ihre Schritte unhörbar waren. Der Pelzmantel paßte gut zu ihr. Die Frau hatte etwas Gefährliches, Weiches. Auch ihre

Hände waren samtweich, nur hatte sie lange rotlackierte Fingernägel. Vor diesen Nägeln fürchtete ich mich fast, weil sie mir erzählt hatte, daß sie die Mäuse im Haus mit der Hand fing, seit die Fallen beschlagnahmt waren.

Sie stellte mir viele Fragen, die mit Zehrers Ausfall gegen sie zusammenhingen. Aber wie immer, wenn sie zu mir sprach, hörte ich gar nicht so sehr ihren Worten zu wie ihrer Stimme. Sie sprach mit deutlich exotischem Akzent, besonders auffällig war mir die surrende, gurrende Art, in der sie ihren Namen Schnur aussprach. Sie rollte dabei das ›r‹ scharf und lange. Diesmal kam der eigenartige Akzent besonders deutlich zur Geltung, denn sie war sehr aufgeregt, und als wir die Treppen erstiegen, sprangen aus ihrem Pelz kleine elektrische Fünkchen auf mich über.

Ich bemühte mich, auf ihre Fragen einzugehen und sie zu beruhigen: »Sorgen Sie sich doch nicht, Frau Minka! Meine Aufwartefrau ist eine sehr energische Person und wird sich sicherlich einen Weg durch den Flur zu bahnen wissen, auch wenn Zehrer alle seine Waren dort auftürmt. Und ich werde sie beauftragen, bei Frau Kinderlei auch für Sie einzukaufen, Minka. Ich selbst werde mir schon morgen einen geheimen Gang durch das Warenlager bauen. Was glauben Sie denn, meine Liebe? Ich muß doch ins Amt! Und das Ganze wird nicht lange dauern, denn es werden sich alle Parteien beim Hausbesitzer über Zehrer beklagen.«

»Ach, Sie wissen noch nicht?« klagte Frau Minka: »Er hat doch das Haus gekauft. Er ist jetzt der Herr im Haus und kann tun, was er will.«

Das war zuviel. Ich mußte mich am Geländer festhalten und stehenbleiben. »Ja, ja«, fuhr sie fort, »vor drei Tagen hat er es gekauft. Ganz billig. Es ist ja durch den – den schlechten Geruch entwertet, und der Baumeister soll auch gesagt haben, daß die Käsedünste das Mauerwerk angefressen haben und daß es baufällig ist.«

Ich erwiderte nichts. Durch die trübselige Stille hörten wir von unten herauf, vom Hausflur, ein Hin und Her, ein Huschen und Scharren und Schaben. Das waren Zehrers dienstbare Geister, die im Flur die Waren aufstapelten, um uns den Weg zu verbauen.

An jenem Tage sprachen wir nicht weiter. Ich setzte mich in meine Wohnung und wartete auf meine Aufwartefrau. Sie kam nicht. Nun, man mußte ihr Zeit lassen, die Hindernisse zu überwinden, die Zehrer ihr in den Weg gelegt hatte. Am nächsten Morgen aber stand ich sehr früh auf, denn auch ich mußte mir ja erst einen Weg aus dem Haus bahnen, wenn ich ins Amt gehen wollte.

Die Treppen mit ihren gefährlichen Käsestellen schienen mir diesmal gar nicht gefährlich. Im Gegenteil, sie waren eher eine geistige und körperliche Vorbereitung auf die bevorstehenden Aufgaben, eine harte, aber notwendige Schule, wie das Bewährungsjahr im Amt oder der Anmarsch zu manchen schwer ersteigbaren Berggipfeln, von denen einige meiner Kollegen nach dem Sommerurlaub zum Nachteil ihrer Amtspflichten endlose Geschichten zu erzählen wußten.

Unten angelangt, sah ich mich um. Wie ich erwartet hatte, fand ich den Flur mit Zehrers Waren verbarrikadiert. Kisten, Ballen, Bananen, Haufen von scharfen Gewürzen, denen man nicht zu nahe kommen durfte, ohne sich ein Taschentuch vorzuhalten, Sardinenbüchsen, Aale, Hummer, Käse. Die Käselaibe verbreiteten durchdringende Gerüche, Mayonnaisen und Salate machten das Ganze geil und schlüpfrig, und einige zählebige Hummer bewegten immer noch ihre Scheren, ganz langsam, tick-tack, tick-tack. Nur die vielen bunten Etiketten auf Büchsen und Schachteln wirkten ermutigend und zugleich auch beruhigend, bekundeten sie doch, daß selbst dieses Chaos durch Aufschriften und Herkunftsangaben in einzelne, feststellbare Bestandteile auflösbar war und im Falle behördlichen Einschreitens einer Inventaraufnahme keine unüberwindlichen Schwierigkeiten in den Weg stellen konnte.

Ich machte mich also an die Arbeit. Einige Kisten stemmte ich hoch und schob andere darunter, wobei mir die Glitschigkeit des Flurbodens hinderlich war, manchmal aber auch zustatten kam. So gelang es mir nach einer Weile angestrengter Arbeit, einen Kriechgang zu bauen, ähnlich wie ich dergleichen vor Jahren, noch zu Lebzeiten meiner Mutter, ein- oder zweimal in alten Bergwerksfilmen gesehen hatte.

Es war eine schweißtreibende, aber doch durchaus befriedigende Tätigkeit, vor allem ein wahrhaft männliches Unterfangen, zu welchem ich – ich stelle das mit Stolz fest – dank meiner Berufserfahrung mit immerhin gewichtigen Aktenbündeln gar nicht so ungeeignet war.

Bei der Arbeit dachte ich an Frau Schnurs Freude über den Ausweg, den ich uns da kurzentschlossen bahnte. Dann kamen mir Frontgeschichten von Schützengräben und Sappeuren, ja schließlich selbst große historische Vorbilder in den Sinn. Schon allein die rhythmischen Bewegungen waren mir, der ich sonst eine vorwiegend sitzende Lebensweise führte, ein erregendes Erlebnis, ein sportlicher Hochgenuß, wie ihn sich andere, wanderlustigere Naturen nur durch zeitraubende und kostspielige Reisen in die Berge oder in ferne Länder erkaufen können.

Ich war schon fast bis zum Haustor vorgedrungen, als mich das ungewohnte Hochgefühl, das alle meine Adern durchflutete, schlechthin überwältigte. Mit dem Aufgebot all meiner Kraft drängte ich zwei schwere Pappschachteln zur Seite und brach dabei in den Ruf aus: »Der Freiheit eine Gasse!«

Das hätte ich nicht tun sollen. Zwar erstarben die Worte echolos in den hochgetürmten Eßwaren, aber ich fühlte plötzlich, daß ich nicht mehr allein war.

»Wer da?« fragte ich. Keine Antwort. Aber neben mir kroch etwas durch den knöcheltiefen Fleischsalat. Beim Schein meiner Blendlaterne stellte ich fest, daß es eine lange, nicht mehr ganz frisch aussehende Wurst war, die sich langsam, aber doch merklich, auf mich zubewegte.

Jakob Zehrer hatte in seinem Schaufenster, fast genau an der Stelle, an der einst das Einsiedeglas mit meiner Maus gestanden hatte, ein Plakat: »*Würste meine besondere Spezialität!*« Es war mir oft als besonders aufdringlich und lächerlich aufgefallen. Aber nun kam mir plötzlich die Erkenntnis, daß sich das Plakat nicht umsonst dort befand: die Wurst neben mir war eine von Zehrers speziellen Würsten und war ihm offenbar bis zum Letzten ergeben. Das verstand ich und gab alle Hoffnung auf. Ich kroch zurück. Die Wurst mir nach.

Ich eilte die Treppen hinauf, aber die Wurst blieb mir auf den Fersen, glitschte von Stufe zu Stufe, wobei sie eine verräterische Kriechspur hinterließ, nicht unähnlich einer Nacktschnecke. Vor Frau Minkas Wohnungstür blieb ich stehen und überlegte, ob ich sie nicht zu Hilfe rufen solle. Nur sekundenlang stand ich still, aber der Wurst hatte es genügt. Sie hatte mich eingeholt. Sie schlüpfte von unten her in mein Hosenbein, wand sich um meine Wade und begann an mir hochzukriechen. Nun konnte ich nicht mehr rufen.

Ich eilte, so rasch ich konnte, in meine Wohnung, schloß mich ins Badezimmer ein, und es gelang mir, die Wurst, die mich schon zwei- oder dreimal empfindlich gebissen hatte, zu packen, beinahe wie Laokoon in der berühmten Gruppe eine der Schlangen packt, knapp hinter dem Kopf. Die Wurst wand sich in meinen Händen, und ich spülte sie fort, von Ekel geschüttelt, wie man Unrat entfernt. Ich hatte sie überwunden, nicht zuletzt dank der Selbstüberwindung, die ich in der harten Schule der letzten Wochen gelernt hatte. Aber es war ein Pyrrhussieg. Ich war völlig erschöpft und es flimmerte mir vor den Augen. Mutlos und geschwächt, hängenden Kopfes, ging ich zu Frau Minka hinüber. Mittlerweile war es längst Zeit, im Amt zu sein, aber auch Frau Minka beschwor mich, keinen weiteren Versuch zu wagen. Statt dessen trachtete sie, die eine schwindelfreie Turnerin war, über das Dach das Nachbarhaus zu erreichen und dort durch ein Mansardenfenster die Verbindung mit der Außenwelt aufzunehmen. Meinen Vorschlag, die Wäscheleinen aus unseren Wohnungen aneinanderzuknüpfen und uns zum Fenster hinunterzulassen, hatten wir nicht durchführen können, weil wir alles Strickwerk von Mäusen zernagt fanden.

So sah ich pochenden Herzens von einer Dachluke aus zu, wie Minka auf allen vieren und dennoch leicht und graziös über den Dachfirst hin dem Nachbarhaus zuschritt. Aber sie mußte unverrichteterdinge zurückkehren. Das Nachbarhaus schloß nicht mehr, wie bisher, unmittelbar an unser Haus an, sondern war durch einen mehrere Meter breiten Abgrund von ihm getrennt. Mag sein, daß es wegen der übelriechenden Käsedünste abgerückt war, doch konnte auch Zehrer unser Haus, nachdem er es erworben hatte, verschoben haben. Mit Geld kann man alles. So gab es für uns kein Entrinnen mehr.

In den nächsten Wochen und Monaten lernten wir den Hunger kennen, den Hunger und die Angst. Frau Minka und ich waren mutterseelenallein im Haus. Alle anderen Parteien hatten bei Zehrer irgendeine beliebige Kleinigkeit erstanden, um sich den Durchgang durch seinen Laden zu erkaufen, und waren nicht wieder zurückgekehrt. Ihre Wohnungen und all ihr Hab und Gut ließen sie im Stich.

Frau Minka und ich standen hinter dem Treppenabsatz und hörten, wie Zehrer eine Treppe tiefer mit seiner Geschäftsführerin die Wohnungen besichtigte: »Auch gut, auch gut! Wir brauchen ohnehin neue Lagerräume. Das Geschäft wächst, das Geschäft wächst!« Er pfiff vergnügt durch die Zähne, wie es seine Art war.

Bald zogen die Waren in die Wohnungen ein. In die eine, wo Herr und Frau Dr. Kasper gewohnt hatten, lauter Käse, in die andere Pfeffer, der einem durch die Türritzen in die Augen fiel, wenn man anklopfte. Als ich an einer der anderen Wohnungen klingelte, sah mir durchs Gucklock eine Wurst entgegen. Ich wußte genug, und noch ehe die Tür aufging, lief ich davon wie ein unartiger Junge.

Es scheint widersinnig, daß wir inmitten der ungeheuren Mengen von Eßwaren zehrenden Hunger litten. Aber es verstand sich von selbst, daß die Waren von ihrem Besitzer Instruktion hatten, auf uns zu lauern, und mein Erlebnis mit der Wurst hatte uns allen Mut zu Versuchen geraubt. So blieb uns nichts übrig, als die Niederschläge der Käsedünste aus dem Mauerwerk und aus den Vertiefungen der Treppenstufen herauszukratzen und zu essen. Eine ekle Kost, entwürdigend und unzureichend.

Auch die verschiedenen Pilze und Flechten, die das Haus befallen hatten, schnitten wir oft ab und kochten und verzehrten sie. Tags darauf waren sie meist schon nachgewachsen, denn im Hause herrschte, offenbar durch die Zersetzungswärme der aufgespeicherten Eßwaren, ein drückendes, tropisches Klima wie in einem Treibhaus. Durch dieses Klima wurden auch alle Farben greller, das Leben war nur noch ein dumpfes Dahinbrüten, in dem selbst immer wiederkehrende Gedanken, wie die an meine Aufwartefrau oder an das Amt, allmählich an Lebhaftigkeit verloren. Nur die Schimmel- und Flechtenvegetation lebte, rankte sich in langen, lianenartigen Fäden um Wasserleitungen und Treppengeländer und gedieh unglaublich schnell und üppig. Besonders an den schweren Holzbalken auf dem Dachboden wuchs immer ein großer mausgrauer Pilz, der trotz seiner zähen korkartigen Fasern zur Not an Stelle von Brot verzehrt werden konnte. Sonst wäre vielleicht noch eine zarte, scheckige Pilzgattung zu erwähnen, die auf einem alten Katzenfell wucherte, das nun ebenfalls auf dem Dachboden lag. Meine Mutter hatte dieses Katzenfell in ihren letzten Lebensjahren am Knie getragen, zum Schutz gegen Rheumatismus. Ich hatte die scheckigen Pilze auf dem Fell als erster entdeckt und fand sie vortrefflich. Sie schmeckten süß, erinnerten dabei entfernt an Kümmellikör und wirkten sogar, wenn ich mir das nicht nur einredete, wirklich leicht berauschend. Doch war ich vielleicht in meinem geschwächten Zustand besonders anfällig. Die Ernte auf dem Fell war aber bei weitem nicht so häufig und ergiebig wie auf den Dachbalken. So blieben die scheckigen Katzenfellpilze ein seltener Leckerbissen, doch hatte das vielleicht auch sein Gutes, denn Frau Minka, die sonst zu allem zu haben war, hatte gegen diese eine Pilzart eine mir unerklärliche Abneigung und schien auch meine bescheidene Freude an ihrem Genuß zu mißbilligen. Sie begnügte sich mit den mausgrauen Balkenpilzen, gelegentlich mit einem Aufstrich von kondensiertem Treppenkäse.

Dennoch wären wir mit der Zeit sicherlich verhungert, hätten nicht eines Morgens Frau Minka und ich je ein ungeheures Geschenkpaket mit Zehrers speziellen Würsten vor unseren Wohnungen gefunden. Dabei lag ein Brief. Er, Jakob Zehrer, feiere heute Seinen Geburtstag und erwarte von uns, daß auch wir Sein Wiegenfest mit Ihm begehen würden. Eine spöttische Nachschrift lautete, Er wolle sich für den Wert Seiner von Ihm persönlich übersandten Würste schon auf Seine Weise bezahlt machen.

Frau Minka und ich waren hungrig. Wir dachten wenig und aßen viel. Wir aßen tagelang. Aber schließlich hielten sich die Würste nicht länger frisch. Sie wurden in unserem tropischen Klima rasch schimmelig. Nun konnten wir sie nicht mehr essen. Fortwerfen aber konnten wir sie auch nicht, denn seit Zehrer den Hausflur versperrt hatte, wurden die Küchenabfälle nicht mehr abgeholt, ein scheinbar unwesentliches, in Wirklichkeit aber bedeutungsvolles Zeichen des Verfalls, besonders für den Gebildeten, der sich dabei unwillkürlich erinnert, daß das Aufhören der öffentlichen Müllabfuhr in Rom am Ende des Altertums für den Historiker die Zeit der tiefsten Demütigung und Erniedrigung der Ewigen Stadt bezeichnet.

Die verdorbenen Würste krochen nun auch innerhalb unserer Wohnungen frei umher und knurrten bösartig, wenn man ihnen zu nahe kam. Zu spät erkannten wir Jakob Zehrers Absicht, uns auch noch den Frieden unserer Wohnungen zu rauben. Das war offenbar seine Art und Weise, sich bezahlt zu machen.

Frau Minka wurde von diesen ungebetenen Mitbewohnern bis in ihre Träume hinein verfolgt. So entschloß sie sich eines Tages, zu mir zu ziehen, weil sie es allein nicht mehr aushielt. Ich, der ich seit dem Tode meiner Mutter vielleicht sogar zu lange und zu viel allein gewesen war, wäre über die Veränderung meiner Lebensumstände zu jeder anderen Zeit überglücklich gewesen. Nun aber, ohne Möglichkeit, das Haus zu verlassen oder ins Amt zu gehen, war es nur ein trauriges Leben, das wir führten, ganz zu schweigen davon, daß es uns doch an den vorschriftsmäßigen Amtshandlungen gebrach, die einem derartigen Schritt erst seine eigentliche Weihe verleihen.

Andererseits erlegte uns eben die heillose Unordnung der äußeren Umstände gewisse Beschränkungen auf, so daß die in solchen Beziehungen sonst übliche Ordnung sozusagen auf einem Umweg doch wieder zu ihrem Recht kam. An eine gemeinsame Nachtruhe zum Beispiel war gar nicht zu denken, denn einer von uns mußte immer gegen die Würste Wache halten. So war schließlich alles, was ich unter diesen kläglichen Umständen vermochte, daß ich von Zeit zu Zeit Minkas Pelz armselige kleine Funken entlocken konnte, wenn sie – vor Hunger trotz des Tropenklimas fröstelnd – in der Ecke hinter dem Ofen saß. Dann summte sie auch manchmal mit ihrer tiefen, angenehmen, exotischen Stimme eine zärtliche, monotone Weise, und so hingekauert schmiedeten wir stundenlang phantastische Rettungspläne, die in seltsamem Gegensatz zur nüchternen Verzweiflung unserer Lage standen.

Anfangs sprach ich davon, daß doch schließlich das Amt Erhebungen über meinen Verbleib anstellen werde, doch wußte ich im stillen, daß solche Erhebungen im Dienstweg nicht von einem Tag auf den anderen erfolgen, sondern zu gewissenhafter Bearbeitung und Erledigung Wochen und Monate, ja oft Jahre erfordern. Öfter noch sprach ich davon, wie eines schönen Tages meine Aufwartefrau kommen und uns erlösen werde. Ich erinnere mich noch des Bildes vor meinem geistigen Auge. Es war eine Art Dornröschenkuß. Meine Aufwartefrau, die ohnehin seit Jahren über einen nicht unbeträchtlichen Bartwuchs verfügte und deren Kittel in meinen Gedanken – besonders nach dem Genuß von Katzen-fellpilzen – leicht als Rüstung gelten konnte, war der erlö-sende Prinz. Die Stelle der Königstochter vertraten abwech-selnd Minka und ich selbst. Im Herzen aber war ich dennoch schon halb und halb überzeugt, daß schließlich auch diese treue Seele den aussichtslosen Kampf aufgegeben haben mußte.

Deshalb ist es mir ganz unmöglich, mein Glücksgefühl zu schildern, als eines Morgens Zehrer vor der Türe rief: »Kommen Sie doch heraus, Herr Amtsrat! Wollen Sie denn nicht Ihre Aufwartefrau sehen?« Mir kamen die Tränen.

»Ja, natürlich! Danke vielmals, lieber, guter Herr Zehrer! Ich komme sofort! Vielen, vielen Dank!« rief ich, und Minka, gleichfalls bebend vor Glück, half mir in meinen besten Anzug. Dann öffnete sie die Tür.

Jakob Zehrer stand breitbeinig draußen und stemmte mir mit beiden Händen eine ungeheure Mausefalle entgegen. Im zugeschnappten, zahnbewehrten Bügel hing blutig und reglos meine arme Aufwartefrau.

»Ich hab Ihnen gesagt, sie soll sich nicht im Hausflur erwischen lassen! Aber was man zu euch redet, das ist ja alles für die Katz! Also hab' ich im Flur Fallen aufgestellt. Da hat sie sich eben gefangen!« Er sagte das sehr ruhig und sah mir dabei ins Gesicht.

Ich sah Zehrer an, ich sah meine arme Aufwartefrau an und sah dann an mir selbst nieder. Es war ein Glück im Unglück, daß ich in meinem besten Anzug bei diesem traurigen Anlaß immerhin einen würdigen Eindruck machte. Diese Erkennt-nis gab mir ein wenig von meiner Fassung wieder.

»Wieso haben Sie denn überhaupt noch Mausefallen?« stellte ich Zehrer zur Rede. »Die hat doch ein Herr vom Tierschutz-verein überall beschlagnahmt?«

Aber Zehrer lachte nur: »Der Tierschutzverein?! Schöne Einrichtung, ich wollte sagen, Institution. Ja, ja, eine schöne Anstalt ist der!« Er betonte das Wort Anstalt auf seine widerwärtige Art und tippte sich dabei gegen die Stirn. »Wissen Sie, Herr Amtsrat! Die haben doch alle etwas im Kopf... Mein Gott, der Tierschutzverein! Und überhaupt, sehn Sie sich das doch nur an: das ist doch keine gewöhnliche Mausefalle, sondern eine Wolkenkratzerfalle, neueste ameri-kanische Methode. Das sagt Ihnen doch schon die Größe.

Der Tierschutzverein konfisziert nur die kleinen Fallen, nur die kleinen, verstanden!?«

Er lehnte die Falle mit ihrem traurigen Inhalt an die Wand und ließ mich stehen. Mit Minkas Hilfe untersuchte ich meine arme Aufwartefrau. Sie war tot – mausetot, wie Zehrer im Gehen wegwerfend gesagt hatte.

Da verlor Minka die Fassung. »Ich halte das nicht mehr aus«, schrie sie. »Das ist ja nicht mehr menschlich, das ist ja tierisch! Ein Gefängnis ist das, eine einzige, riesige Falle!« Sie schrie immer lauter: »Und dem Zehrer, das sag ich dir, dem kratz ich die Augen aus, wenn er glaubt, er kann uns lebendig begraben hier, in diesem Mausoleum! Hörst du«, fauchte sie mich plötzlich an, »ein Mausoleum ist dieses Haus, ein Mausoleum! Aber wartet!« Sie schlug, ehe ich sie hindern konnte, die Fensterscheiben ein, daß plötzlich frische Luft hereinströmte, und brüllte auf die Straße hinunter. »Tierschutzverein! Tierschutzverein!! Hilfe! Hier herauf! Hilfe!!«

Ich suchte sie zu beschwichtigen: »Um Himmels willen, reg dich doch nicht so auf. Wir können doch keinen Skandal auf der Straße verursachen; schließlich bin ich doch ein höherer Beamter, berücksichtige das doch!« Aber sie war nicht zu beruhigen, und als sie endlich erschöpft in der Ofenecke niedersank, klopfte es schon dreimal scharf an die Tür.

Ich tat auf. Ein Mann in der grauen Uniform des Tierschutzvereins trat ein, ohne meine Aufforderung abzuwarten, und marschierte ins Zimmer. Von meinen entgegengestreckten Händen nahm er keine Notiz, sondern schnarrte mit scharfer Stimme: »Achtung! – Was hat da geschrien?«

Ich stand stramm und sagte rasch: »Ich, ich«, um Minka etwaige Unannehmlichkeiten zu ersparen. Zu meiner Erleichterung stellte ich fest, daß er sie in ihrer Ofenecke von seinem Standort aus gar nicht bemerken konnte. »Ach so«, meinte er. »Und ich habe schon gedacht, ein Tier hat geschrien, das gequält wird. Nun also, was wollen Sie denn eigentlich von mir?«

Am liebsten hätte ich ihn wieder fortgeschickt, denn sein Verhalten gefiel mir nicht. Sein Gesicht war seltsam starr, und er schien weder über gute Umgangsformen zu verfügen noch irgendwelcher Anteilnahme fähig. Selbst wenn ich annehmen durfte, daß ihn Zehrer rasch durch seinen Laden eingelassen hatte und daß ihm beim Herauflaufen der Zustand und das unnatürliche Klima des Flurs, der Treppen und des ganzen Hauses nicht aufgefallen war, Zehrers Wolkenkratzerfalle und ihren Inhalt mußte er doch bemerkt haben.

»Ja, haben Sie denn die Falle vor unserer Wohnungstür nicht gesehen?« Er machte eine wegwerfende Handbewegung: »Das schon, aber da war doch nur ein Mensch drin. Das geht uns weiter nichts an. Sie als ehemaliger Beamter sollten das doch wissen und uns nicht mit Sachen behelligen, die nicht in unserem Zuständigkeitsbereich liegen!«

»Aber – aber«, verantwortete ich mich mit versagender Stimme, das Wort ›ehemaliger‹ hatte mir alle Kraft geraubt, »Sie waren doch der Herr, der alle Mausefallen konfisziert hat, nicht? Und die da sind doch sogar ganz besonders große, gefährliche? Die haben Sie vielleicht übersehen, nicht wahr?« Mir kam ein Gedanke, und ich fuhr eifrig fort: »Und überhaupt, es könnte doch ein Unglück geschehen: Es könnte sich, geradeso wie meine Aufwartefrau, eines Tages ein Tier drin fangen, bedenken Sie das doch!«

Aber der Mann vom Tierschutzverein strich nur seine mausgraue Uniform glatt und lächelte geringschätzig. Da versuchte ich das Letzte. Ich fiel auf die Knie vor ihm: »Haben Sie doch ein Herz, mein Herr! Schließlich ist doch kein so großer Unterschied zwischen Tieren und Menschen! Leben... leben wollen doch alle! Und überhaupt, wir leben ja wie die Tiere, seit Herr Zehrer hier ist. Überall hat er die Fallen aufgestellt, und...«

Das Gesicht des Mannes war von einem so hämischen Lächeln entstellt, daß ich nicht weitersprechen konnte.

»So, also weil ich die kleinen Fallen konfisziert habe, soll ich auch die großen einziehen. Und alles Ihnen zuliebe? Was?« Er pfiff durch die Zähne.

Dann riß er sich die graue Uniform des Tierschutzvereins vom Leibe und auch das angeklebte schwarze Schnurrbärtchen, das die langen Vorderzähne verhüllt hatte, und stand splitternackt und abschreckend häßlich vor mir. Jakob Zehrer.

»Was, da staunen Sie, mein Lieber? Ich bin selber der Mann vom Tierschutzverein! So, jetzt können Sie ja versuchen, ob ich Ihnen auf Ihre Geschichten Kredit gebe, gegen mich selbst!« Er hielt sich den Bauch vor Lachen.

Da, während er noch lachte, geschah es. Minka sprang – ein blankes Küchenmesser in der Hand – mit der Geschmeidigkeit und Schnelligkeit eines Raubtiers aus ihrer Ofenecke hervor auf den nackten Zehrer zu. Ich hielt mir die Hand vor die Augen. Die Nase schnitt sie ihm ab, wenn ich mich recht entsinne. Ja, es muß die Nase gewesen sein, denn es verbreitete sich sogleich ein eigenartiger Geruch im Zimmer, offenbar der charakteristische Blutgeruch.

Zehrer verbiß mit unmenschlicher Anstrengung den Schmerz. Er wimmerte nur ganz leise wie ein kleines Kind. Sonst war es sehr still im Zimmer. Plötzlich bemerkte ich auf dem Fußboden eine lange Wurst. Es war eine von Zehrers speziellen Würsten, vielleicht aus einem Winkel unbemerkt herbeigekrochen. Sie sah Zehrer mit ihren grauen Schimmelaugen an, beschnupperte das reichlich fließende Blut und hob schließlich nach Hundeart dicht neben der Pfütze ein Bein. Zehrer, der seinen Schmerz kaum noch verbeißen konnte, rief ihr mit hoher, heiserer Fistelstimme zu: »Daherein! Zu deinem Herrn kommst du!« Mit seiner Hand, die er bisher vor die Wunde gehalten hatte, um das Blut zu stillen, deutete er auf Minka: »Da! Putz weg! Beiß sie hinein! Pack sie!«

Aber die Wurst tat, als habe sie mit Jakob Zehrer nie etwas zu schaffen gehabt. Sie dehnte und reckte sich träge, drehte sich nach allen Seiten, machte einen Katzenbuckel und rieb sich dann zutraulich an Minka, die im Vollgefühl ihres Sieges mit ihr zu spielen begann.

Zehrer versuchte noch einmal, die Wurst durch einen Pfiff zu sich zu locken, aber das Pfeifen wollte ihm nicht mehr gelingen, sei es wegen seiner Schmerzen, sei es, weil er seine völlige Machtlosigkeit erkannt hatte. Große Tränen traten ihm in die Augen, die zu meinem Erstaunen ihren Ausdruck plötzlich verändert hatten und rührend und flehend hin und her blickten, wie verzweifelte Tieraugen, wenn es kein Entrinnen mehr gibt, schließlich aber, auf Minka gerichtet, vor Entsetzen erstarrten.

Denn nun duckte sich Minka, bis sie noch rundrückiger dastand als zuvor die Wurst, und sprang Zehrer, der vor ihren schmalgewordenen Augen mehr und mehr zusammenschrumpfte, zum zweiten Mal an. Im Sprung wuchs sie um ein beträchtliches. Sie packte Zehrer mit den Zähnen, warf ihn in die Luft, fing ihn mit dem Mund auf, warf ihn abermals hoch, schüttelte ihn zwischen ihren Kiefern hin und her, wobei sie wieder und wieder ihre Finger mit den langen roten Fingernägeln rechts und links in seinen Leib schlug, und fuhr mit diesem grausamen Spiel fort, bis sein Kopf mit gebrochenem Genick furchtbar beweglich hin und her pendelte. Dann begann sie ihn zu zerfleischen. Ich mußte schaudernd an Penthesilea, die wie eine Tigerin reißende Amazonenkönigin in Heinrich von Kleists schon fast krankhaftem Drama, denken.

Und da wurde es vor unseren Augen offenbar: Zehrers Skelett, das von Minkas Zähnen und reißenden Fingernägeln mehr und mehr freigelegt wurde, war nicht das eines Menschen, sondern einer ungeheuren Maus. Im Magen aber fanden wir die angenagten Trauringe des Ehepaars Hromadka. Zehrer hatte meine arme Aufwartefrau verleumderisch bezichtigt, sie bei der Leichenwäsche entwendet zu haben. Ich hatte das nie geglaubt, aber nun erst war dieser Akt endgültig geschlossen und die Unglückliche von jedem Verdacht gereinigt. Das Wesen aber, das ihren Tod und den des Ehepaars Hromadka auf dem Gewissen hatte, war seiner Strafe nicht entgangen. Für den Augenblick war ich von diesem Tatbestand überwältigt wie von einer Offenbarung, so daß ich für andere Gedanken und Gefühle einfach nicht Raum hatte.

Aber das war nicht die einzige Entdeckung. Außer den Ringen fanden wir in dem nunmehr völlig zerfleischten Kadaver zwischen den heraushängenden Organen ein raffiniertes, ungemein verzweigtes Röhrensystem, das alle Teile des Körpers verband. Man bedurfte keines langen Ratens, um zu verstehen, daß dies das geheime Röhrensystem war, durch das Zehrer alle üblen Gerüche aus dem Laden abgesaugt hatte, um sie später durch die Hintertür ins Innere des Hauses weiterzuleiten.

Die grausigen Vorfälle und Entdeckungen der letzten Minuten hatten den Rest meiner Kraft verzehrt, und so sehr ich von den Ereignissen überwältigt und wie gebannt war, ich wäre doch sicher zusammengebrochen, wäre nicht plötzlich etwas Braunes, Rundes in meinen Mund gehüpft, der im Nu von einem belebenden Getränk und von angenehm süßem

Geschmack erfüllt war: Mein Likörbonbon war zu mir zurückgekehrt!

Zehrer hatte geschworen, ich solle es nicht wiederbekommen, solange er lebe. Und nun war es da. Jetzt erst begriff ich ganz, daß es mit ihm aus war. Endgültig aus.

Fast im selben Augenblick klimperte es hell in meinen Ohren. Die Ziegel im Treppenhaus bewegten sich wieder, genau wie zu Lebzeiten meiner Mutter. Nun muß ich zwar gestehen, daß zwischen diesem Ereignis und Zehrers Ende kein unmittelbarer Zusammenhang bestanden haben muß. Vielleicht hatten einfach Minka und ich die Ziegel im Lauf der Zeit selbst befreit, als wir die kondensierten Käsedünste, die sie hielten, fortkratzten, um uns von ihnen zu ernähren.

Aber wie immer dem sei, mir gaben die altgewohnte Musik und der erfrischende Geschmack im Mund meine Kraft wieder, und hätte ich nicht durch einen unseligen Zufall Zehrers letzten todtraurigen Blick aufgefangen, ich wäre restlos glücklich gewesen. So aber ließen mir diese Augen keine Ruhe. Es drängte mich, noch einmal ganz aus der Nähe in sie hineinzusehen, so wie Zehrer auf dem Gipfel seiner Macht mir in die Augen gesehen hatte, im dunklen Hausflur drohend über mich gebeugt.

Ich trat also an Zehrers Kadaver heran. Aber gerade in diesem Augenblick riß ihm Minka das eine Auge aus. Nur das andere glotzte mich noch glasig an, und – ich weiß nicht, wie ich das hinlänglich augenfällig schildern soll – aber jedenfalls, das Glasige blieb nicht auf das Glotzen beschränkt, sondern, offenbar gespeist von den Glaskörpern des anderen, ausgerissenen und zerflossenen Auges, wuchs es rund um uns, wurde größer und größer, bis ich mich – gemeinsam mit dem Kadaver und Minka – von einem gigantischen Glasgefäß ummauert sah. Wir waren gefangen.

Dazu kam, daß die Käsedünste, die unter hohem Druck dem zerbissenen Röhrensystem des Kadavers entwichen, Feuer zu fangen begannen. Sie hatten sich offenbar durch die tropische Temperatur, die im Haus herrschte, entzündet. Das ganze, ohnehin schon morsche Gebäude stand im Nu in hellen Flammen. Aufweinend warf sich Minka an meinen Hals. Hier tat rasches Handeln not.

Ich lud sie auf meinen Rücken und trat ganz dicht an das flammenumprasselte Gerippe dessen heran, was eben noch

Jakob Zehrer gewesen war. Dann schwang ich mich, meinen Ekel überwindend, auf die unterste seiner Rippen. Von da auf die nächste. So ging es höher und höher, von Stufe zu Stufe auf dem Knochengerüst. Es war eine richtige Jakobsleiter, himmelhoch! Durch die höllische Hitze des Brandes dehnte sich das Gerippe immer mehr aus und ragte schließlich so hoch auf, daß wir vom oberen Ende unserer grausigen Leiter aus den Rand des Glasgefäßes erklimmen konnten, der schon glühendheiß war und zu zerspringen drohte. Jeden Augenblick glaubte ich das verhängnisvolle Klingen zerbrechenden Glases zu hören.

Wirklich ertönte in diesem Augenblick ein scharfes ›kling-kling‹, aber nicht wie von Glas, sondern wie von einer Patenttüre, wenn jemand hereinkommt. Die Feuerwehr war da. Als erste sprang Frau Kinderlei vom Wagen und setzte die große Leiter ans Glas an. So wurden wir gerettet. Ich weiß nicht, wie der Wagen zuletzt aus der brennenden Wohnung entkommen ist, denn wir waren beide in Ohnmacht gefallen. Das Haus mit allen Waren, mit der Leiche meiner armen Aufwartefrau und mit meiner gesamten Wohnungseinrichtung wurde ein Raub der Flammen. Nur das Glasgefäß hat seinen grausigen Inhalt konserviert.

Ich habe wenig hinzuzufügen, denn das Gutachten des Gerichtsarztes erklärt, das Verfahren sei noch nicht abgeschlossen. Er ist jetzt mein unmittelbarer Vorgesetzter. Da wegen des von Jakob Zehrer über mich verhängten Hausarrestes meine Stellung im Amt anderweitig besetzt worden war, habe ich mich bis zur Erledigung meines Wiedereinstellungsantrags zur Verfügung der Behörden gestellt. Man hat mir hier einen neuen Wirkungskreis zugewiesen: ich ordne die Akten des Falles Zehrer und bewache das wenige vorhandene Beweismaterial, vor allem das Skelett, das in seinem Glasgefäß draußen im dunklen Flur vor dem Archiv steht. Das ist eigentlich die gerechte Strafe für das Skelett, denn es kann mir nun so wenig entrinnen, wie ich ihm zu seinen Lebzeiten entrinnen konnte. Aber eigentlich ist es auch eine Strafe für mich, denn es erinnert mich immer an irgend etwas Unangenehmes. Nicht an Zehrer selbst, denn das wüßte ich ja, sondern es muß etwas Unwesentliches sein, das mir im Strudel der Ereignisse entfallen ist.

Minka, die immer noch ganz aus dem Häuschen ist, macht

immer, wenn sie mich besucht, einen Bogen um das Glas. Sie hat einstweilen beim Tierschutzverein Gastfreundschaft gefunden, aber der Gerichtsarzt sagt, wenn das Verfahren beendet ist, werde ich vielleicht versetzt und rücke in eine höhere Rangstufe auf. Dann hole ich sie dort heraus und dann heiraten wir.

Die Falle ist die erste noch erhaltene Erzählung, die im amerikanischen Armeehospital entstanden ist. Die Idee geht auf einen Traum des Soldaten zurück, in dem viele Kindheitserinnerungen auftauchten. Das große Delikatessengeschäft zum Beispiel war tatsächlich im Haus eröffnet worden, das der Verfasser als Kind bewohnte. Es ruinierte auch wirklich alle Konkurrenten in der näheren Umgebung.

Auch der Amtsrat war eine wirkliche Kindheitsfigur, die der Soldat aber als ›Umschreibung‹, als distanzierende Selbstdarstellung, ziemlich unbekümmert um das Original verwertet hat.

›Ich habe aber sehr darauf geachtet, daß mir der Amtsrat während des Schreibens nicht zu ähnlich wird, sonst hätte mir das Schreiben keinen Spaß mehr gemacht.‹ Das ist ein Zitat aus einem Brief des Soldaten, in dem er auch schreibt, die verquälte Art, wie der Amtsrat sich Gedanken über seine Beobachtungen und Pläne macht, habe er einigen Paranoikern im *Mental Ward* abgelauscht.

Die Erlebnisse des Soldaten spiegeln sich in der Beziehung des Amtsrats zu Minka, in einem zum Kerker gewordenen Haus, zwischen Leben und Tod. Diese Frau, die einmal Geliebte und Schicksalsgefährtin, einmal reißendes Raubtier ist und zum Schluß Opfer dessen wird, was sie erlebt und getan hat, erinnert deutlich an Helga.

Daß sie in eine Anstalt gebracht wird, zum ›Tierschutzverein‹, statt zu sterben, ist wieder eine der vielen ›Umschreibungen‹, die Wahrung eines Abstandes zwischen erlebter und dichterischer Wirklichkeit, um beim Schreiben nicht von den eigenen unüberwundenen Erlebnissen überwältigt zu werden. Nicht der Erzähler selbst, sondern nur seine Geliebte leidet an seelischer Zerrüttung. Auch die Fensterscheibe zertrümmert sie, und nicht er selbst! Außerdem war der Soldat der Ansicht, daß Menschen wie Helga geheilt, nicht hingerichtet werden sollten. Insofern ist der Abschluß der Erzählung ein Wunschtraum. Das Skelett Zehrers, das der Verfasser am Ende der Erzählung im dunklen Flur zu bewachen hat, dürfte unter anderem eine leise politische Warnung bedeuten.

Die anderen wichtigen Ereignisse im Haustor und im Hausflur erinnern an die Rolle von Toreinfahrten in den früheren – und auch in ein, zwei späteren – Geschichten.

Noch eine Briefstelle: ›Wenn Du willst, kannst Du *Die Falle* auch mit dem Untertitel *Ein Katz-und-Maus-Spiel* versehen. Mauß heißt auf hebräisch der *Tod* und das Adjektiv *tot*. Über das Rotwelsch ist das auch in die deutsche Sprache eingedrungen, z. B. in *mausetot,* oder *Daß dich das Mäuslein beiße.* Aber auf Leben und Tod geht ja eigentlich jedes Spiel.‹

Drachen in schwarzen Höhlen; Bodenritzen, auf die man nicht treten darf, weil man sich sonst in eine Kröte verwandelt; vor dem Einschlafen die heimlichen Zeichen zum Schutz gegen böse Geister... an all das glaubte ich nicht mehr; lang genug hatte es mich geängstigt. Auch das Totsein gehörte dazu.

Das Sterben nicht. Sterben konnte man wirklich. Ich hatte Erna sterben sehen, und ich wußte, daß meine alte Großmutter gestorben war. Auch mein Vater war gestorben, schon vor ihr, sogar im selben Teil der Stadt, in dem ich ratlos hin und her lief, nur durfte ich in den letzten Stunden nicht zu ihm hin. Sterben, ja, das konnte man, aber das war nicht so arg. Mich hatte das Totsein geschreckt, nur das Totsein. Sterben ohne Totsein ist nicht so arg. Auch in der Erde liegen ist nicht so arg. Vor dem Krieg, als es uns noch gut ging, waren wir im Sommer oft am Meer. Dort lagen wir gerne so, ganz eingegraben in den warmen Sand, nur das Gesicht frei zum Atmen. Wer stirbt, der muß nicht mehr atmen, also kann er noch tiefer hinunter. Im Sand am Meer hätten die Gestorbenen immer gewonnen. Nur deshalb hielten sie sich zurück und spielten nicht mit. Es wäre ungerecht gewesen; die Gestorbenen hätten uns Kinder zu leicht besiegt.

An das Verwesen aber, an das Zerfallen zu Wasser und Jauche und Erde und Kalkstaub, glaubte ich nicht mehr. Das gehörte zu den Drachenhöhlen und Krötenritzen, zu den Hexentänzen und Nachtgespenstern. Ich schämte mich sogar manchmal, es je geglaubt zu haben. Es war fast so lächerlich wie das Märchen vom Storch, außerdem aber häßlich, ein böser Kinderschreck. Gut nur, daß ich das alles beizeiten durchschaut hatte.

Stück für Stück, wie ein Geduldspiel, hatte ich mein Wissen zusammengefügt, aus eigener Erfahrung, aus Büchern, denn ich begann früh zu lesen, und aus unbedachten Worten, die den Erwachsenen entschlüpft waren; Stück für Stück, aber jedes paßte zu den anderen, und schließlich blieb dem Aberglauben kein Raum mehr.

Begonnen hat es mit den Erdarbeiten auf dem alten, aufgelassenen Friedhof, der damals schon ein Park mit einem Kinderspielplatz war. Ich sehe es noch ganz deutlich vor mir. Die Männer gruben etwas Hartes aus dem Grund. Voller Lehm. Der Gärtner kam neugierig näher und richtete seinen Schlauch auf den Fund. Ein scharfer Wasserstrahl, kräftig genug, um unsere Spielzeugsäbel zu verbiegen. Der Lehm wurde weggespült. Ein weißer Arm mit einer wunderschönen schlanken Hand, das war es. Zuerst stand ich ganz still, dann begann ich in die Hände zu klatschen, zu lachen und zu springen. »Nicht tot!« rief ich. »Nicht tot!« Die Männer sahen mich an und lachten mit. Einer streichelte mir sogar den Kopf, und obwohl er lehmige Hände hatte und ich damals noch ein besseres Kind war, machte ich mir gar nichts aus meinem gebürsteten Haar. Am liebsten wäre ich hochgesprungen und ihm um den Hals gefallen. »Siehst du«, sagte er zuletzt, »das ist der Arm von dem weißen Marmorengel dort am Tor. Es geht nichts verloren in der Erde.«

So redeten die Erwachsenen. Ich antwortete nicht und ging weg. Von meiner Schwester hatte mir Großmutter immer gesagt: »Sie ist jetzt ein Engel.« Und in einem Märchenbuch stand etwas von einem Mädchen, das starb und dann marmorweiß dalag, bevor sie wieder aufwachte. Und es geht nichts verloren in der Erde, hatte der Gartenarbeiter gesagt.

In den nächsten Nächten hatte ich zwar noch ärgere Träume als zuvor, aber das waren die letzten. Dann war es aus. Daß man nicht tot ist, wußte ich damals natürlich noch nicht, aber immerhin, mein Glaube an den Tod war erschüttert.

So vergingen Jahre. Ich kam aufs Gymnasium und sah die Bilder und Gipsabgüsse der römischen und griechischen Statuen. Unser komischer alter Studienrat wurde immer pathetisch und schrie ganz laut, wenn er sich in Schwung redete. Er erzählte uns von den Ausgrabungen zur Zeit Leonardos und Michelangelos. »Und so hob man sie aus ihren Gräbern. Unzerstört! Unzerstörbar! Voll lebendiger Schönheit!« brüllte er. »Das heißt Renaissance: Wiedergeburt!« Die Klasse lachte.

Auch ich hatte mitgelacht, aber nach und nach dämmerte mir auf, daß das in Wirklichkeit die Gestorbenen sein mußten, aus Griechenland und aus Italien. Alte Funde konnten leicht falsch erklärt werden, und Auferstehung war ja ein vertrauter Begriff. Es war gut so. Ich konnte ohne Beklemmung im

Dunkeln allein sein. Damals gab ich die Gewohnheit mit dem Nachtlicht auf. Damit war aber auch die Frage für mich vorerst abgetan. Was ich wissen mußte, das wußte ich, und es war eigentlich gar nicht mehr besonders aufregend. Im Gegenteil, beruhigend, sehr beruhigend.

Außerdem lernte ich kurz darauf, in den Sommerferien, Erna kennen, und wir waren viel zu glücklich für solche Gedanken. Das Wetter war herrlich, der Bergsee ungewöhnlich warm, weil immerzu die Sonne schien. So konnte man weit hinausschwimmen, und wir tummelten uns stundenlang im Wasser herum wie Delphine.

Meine alte Großmutter, die statt meiner Mutter mit aufs Land gekommen war, hegte vielleicht Verdacht. Auch Ernas Mutter mochte sich Gedanken machen. Wir aber hatten uns hoch am Hang in einer Felsennische ein Nest aus Stroh gebaut. Dort konnte uns keiner sehen, und wäre einer den Hang heraufgekommen, so hätte ihn das lose Geröll unter den Füßen schon von weitem verraten.

Sünde? Ach was! Wir haben niemandem etwas zuleide getan, und wir waren glücklich! Und vielleicht, ich meine, es kann sein... Es hätte ja sein können, daß Erna sonst, denn es waren ja kaum mehr zwei Jahre... daß sie sonst gestorben wäre, daß sie gestorben wäre, ohne... man muß doch leben, ehe man stirbt!

Zwei Jahre, und wieder in der Stadt. Noch niemand war mir gestorben. Aber die Fahnen mit dem geknickten Abzeichen klatschten im Regenwind gegen die Mauern, und vom billigen Fahnentuch fielen rote Tropfen auf das Pflaster. Dann wurde der Himmel wieder blau, und die Sonne schien. An jenem Tag war eines von ihren unzähligen Festen, von denen wir ausgeschlossen waren und die wir auch haßten. Und doch war der Anblick irgendwie schön: die Musik und die Gesichter der Kinder in ihrer Tracht, und ihr aufgeregtes Lachen. Solche Schönheit hat wenig mit ihrem Anlaß zu tun. Und dann die Pferde der Berittenen, ja die Pferde, eines von diesen Pferden...

Wir standen viel zu weit vorne. Natürlich trugen wir beide keine Abzeichen, und ich sah nicht aus, als gehörte ich zu ihnen. Plötzlich hatte mich ein langer Kerl gepackt. Erna fuhr dazwischen, erhielt einen Stoß, taumelte zurück, fiel, gerade als die Pferde...

Übrigens war er keiner von den Ärgsten. Er war sogar erschrocken. Er ließ mich los, rief einige andere herbei und legte selbst mit Hand an. Erna wurde nach Hause getragen. Sie wohnte nur wenige Schritte weit. Die Jungen standen mit dummen Gesichtern herum, schlugen dann die Hacken zusammen und machten dröhnend kehrt. Später wären sie weniger verlegen gewesen. Aber das war noch lange vor dem Krieg.

Sie soll nicht wieder zu Bewußtsein gekommen sein. Aber ich habe das nie recht geglaubt. Wenigstens zuletzt, als sie sich aufrichtete, muß sie mich doch erkannt haben. Diese eine Bewegung aus unserer Zeichensprache wäre sonst ganz sinnlos gewesen. Aber wesentlicher war dann der Eindruck, als ich fünf Stunden später in ihr Zimmer schlich.

Verletzt war sie nicht, oder wenigstens konnte man es nicht sehen, denn sie hatte nicht geblutet, und ihr schönes braunes Haar verdeckte alles. Sie war ... marmorweiß war sie. Es gibt kein anderes Wort. Ich berührte sie, nur sacht, nur am Arm. Der war hart und kühl, kühl und hart, sehr ruhig. Irgendwie würdig, sicher. Fest wie die Erde, die uns trägt und hält und nicht verliert.

Ich ging wieder hinaus. Ich war gar nicht traurig. Etwas in mir war eingeschlafen, ruhig, ohne zu träumen. Noch nie hatte ich weniger an den Tod geglaubt. Hart und fest und weiß wurde man im Sterben. Stein. Und hätte das Sinn gehabt, hart und fest und steinern zu werden, wenn man zerfallen mußte? Nein. Die Lebenden waren viel hinfälliger. Die Gestorbenen waren sicher. Ich war auch kein kleiner Junge mehr. Die Zeit war schwer genug, und ich ließ mich nicht auch noch unnütz schrecken.

Dann starb mein Vater. Sie hatten ihn halb zertreten. Dann wanderte ich aus. Dann kam der Krieg. Dann, nach und nach, die kurzen Briefe von drüben, Dokumente, Nachrichten, Sterbeurkunden. Dieser verschickt, jene verschwunden, unbestellbare Rote-Kreuz-Briefe zurück, Postvermerk ›Adressat verstorben‹. Mein bester Freund, Selbstmord; meine Großmutter, gestorben; alle unter der Erde, keiner mehr übrig. Drei Jahre, vier Jahre, fünf Jahre. Man weiß, was Alltag heißt: die erste Nachricht schien trotz des Erschreckens fast selbstverständlich. Man konnte in solchen Zeiten nichts anderes erwarten. Die zweite Nachricht überraschte mich nicht, weil ich die erste so kurz zuvor erhalten hatte; dann, bei der dritten, vierten, zehnten, hätte ich gar nicht mehr den Briefumschlag aufreißen müssen. Ich hatte mich daran gewöhnt; und schließlich waren sie alle weit weg, und ich hatte viel zu tun, und in der Stadt kam man nie zur Ruhe.

Im Traum war ich zuweilen eine Art Bergmann, sprengte Querstollen von Grab zu Grab und sah, wie die dort unten zerfielen. Aber beim Erwachen war natürlich alles wieder in den Boden versunken. Nicht einmal ein Gefühl der Beklemmung blieb zurück. Es war ja auch unmöglich; ich als Bergmann! Ich hatte schon in der Schule immer zu den Ungeschicktesten und Schwächsten gehört. Und die Querstollen hätten lang sein müssen, denn meine Leute waren über die halbe Welt zerstreut gestorben! In München und in Theresienstadt, in Polen, in Australien, ein Freund auch im Afrikakorps; und von vielen wußte ich gar nicht, wo. In welche Richtung hätte ich meinen Stollen treiben müssen? Und in den Gräbern selbst, zwischen denen ich die Stollen hätte graben müssen, ging es, gottlob, auch nicht so zu, wie man sich das als Kind in Angstträumen vom Verwesen und Zerfallen vorgestellt hatte. Kinder lassen sich alles mögliche einreden, und gegen Gerüche und ungewohnte Eindrücke sind sie überempfindlich. Ich erinnerte mich noch genau an Ernas harten, kühlen, marmorweißen Arm. Ein kräftiger Strahl kalten Wassers ins Gesicht, vor dem Schlafengehen und nach dem Aufstehen, das war das Beste gegen solche lähmenden Schauervorstellungen.

Dann meldete ich mich zur Armee. Drill, Überfahrt nach Europa. Büroarbeiten, zerstörte Städte, Kantinen, Urlaub. Einmal machte ich mich selbständig. Mich lockte das Ländliche.

Es war ein patriarchalisches Dörfchen. Die Dörfer in jener Gegend sind sauber und friedlich. Zu lange war ich nicht aus lauten Menschenhaufen und Schreibstuben herausgekommen, nun würde es mir guttun. Urlaub: Ferien; das Wort machte um Jahre jünger. Bergseen und Felsenhänge gab es freilich in dieser Gegend nicht. Meine Erinnerungen konnten an nichts anknüpfen und blieben in der Luft schweben.

Abends kam ich zufällig über den Friedhof und blieb vor dem schönen steinernen Grabwächter mit den schweren Flügeln stehen. Von ferne hatte ich ihn zuerst für einen Menschen gehalten. Der eine Arm war abgebrochen und lag zu seinen Füßen; Granatsplitter, sagte man mir. Irgendwie fühlte ich mich zu Hause.

In der Nacht stand ich dann auf. Kein Mensch begegnete mir in den alten Gassen; ausgestorben lagen die Häuser da, der Friedhof war leer. Richtig stak der Spaten im lockeren Grund, ich mußte nur weitergraben. Es war kühl, aber bei der ungewohnten Arbeit wurde mir bald warm. Ich warf den Rock ab, nach einer Weile zog ich sogar das Hemd aus und grub mit nacktem Oberkörper wie die bronzebraunen Straßenarbeiter im Hochsommer. Es muß seltsam ausgesehen haben, aber Arbeit schändet nicht, und Erdarbeit ehrt.

Als ich an den ersten Körper kam, klang mein Spaten hell auf, so hart war er angestoßen. Es war eine ehrwürdige alte Frau, eiskalt, gekleidet in die Tracht einer längstvergangenen Zeit. Ich erhob mich von den Knien und arbeitete weiter. Alte und Junge fand ich, Männer und Frauen, längst Begrabene und solche aus frischen Gräbern. Ob es ein Mann war oder eine Frau, ein junger Mensch oder ein alter, das hörte ich bald schon am Klang des Spatens. Zwar klangen keine zwei Körper ganz gleich, jeder hatte seine eigene Note, aber dennoch gab es viel Gemeinsames, wie das unter Menschen so ist. Ich wurde sehr ruhig. Das Gleichmaß sinnvoller Arbeit bemächtigte sich meiner Bewegungen. Meine Gewißheit war bestätigt: in der Erde war nichts verlorengegangen.

Ich stolperte; das war die Mündung des ersten Querstollens. Fast wäre ich hineingefallen. Ich wollte nichts zerstören und wandte mich ein wenig ab. Man mußte ihnen Zeit geben. Als ich den Spaten wieder aufnahm, sah ich, daß ich recht behalten hatte. Erna lag da. Dann grub ich meinen Vater aus, meine alte Großmutter, viele halbvergessene Onkel und Tanten, einige Freunde; keiner fehlte. Ich fand noch mehrere Stollenmündungen, aber ich hatte keine Lust, hinunterzukriechen. Sie hatten ihren Zweck erfüllt.

Ich muß doch sehr verwirrt gewesen sein, denn es kam mir gar nicht in den Sinn, daß ich vielleicht nicht ewig Zeit haben würde. Ich bewegte mich langsam, ruhig, und dachte nach.

Dann hob ich zuerst meine Großmutter hoch. Sie hielt die Lippen fest geschlossen und rührte sich nicht. Aber diesen Kniff kannte ich schon seit meiner Kindheit. Gar nicht selten hatte sie mich so erschreckt, zur Strafe, wenn ich am Abend zuvor unfolgsam gewesen war. Ich tat wie damals. Als ich ihre Nasenspitze berührte, verzog sie ein wenig das Gesicht. Fast hätte ich laut gelacht. Um sie mußte ich mir keine Sorge mehr machen.

Nun kam mein Freund an die Reihe. Hier ging ich weniger sanft ans Werk. Ich schlich mich an, dann schlug ich ihm plötzlich mit aller Kraft auf die Schulter. Ich muß sagen, er hatte sich gut in der Gewalt. Immerhin war mir nicht entgangen, daß er sich, als der Hieb ihn traf, mit einem kleinen Ruck ein wenig zu mir herumgedreht hatte.

Ähnlich verfuhr ich mit vielen. Die einen wurden gestreichelt, die anderen gerüttelt. Meinen Vater rief ich nur laut; zu berühren wagte ich ihn nicht, denn ich wußte, daß sie ihn zuvor noch schwer verletzt hatten. Aber auch schon mein Ruf genügte offenbar. Er tastete mit der ihm eigenen Handbewegung nach einer nicht vorhandenen Zigarette, ganz wie an seinem letzten Tag. Auch diesmal konnte ich ihm keine Zigarette anbieten. Ich rauche nicht.

Als ich zu Erna trat, fühlte ich mich schon einigermaßen Herr der Lage. Sie schliefen nicht sehr tief, das hatte ich herausgefunden. Ich beugte mich über sie und gab ihr einen Kuß. Sie zog leise meinen Atem ein, dabei wurde sie langsam weniger kalt und spröde. Ich legte mich neben sie auf den zerwühlten Boden, streichelte sie und redete ihr zu. Ich hatte Glück bei ihr, sogar mehr Glück als bei allen anderen. Ihre Brust hob und senkte sich, ihre Arme begannen zu zucken, ich konnte von der Seite her das Beben ihrer langen, schmalen Beine fühlen. Ihre Muskeln spannten sich; mit ungeheurer Anstrengung arbeitete es sich in ihr einem Höhepunkt entgegen, einem Gipfel der Bewegung, der die völlige Erfüllung sein mußte, die endgültige Erlösung von der Starre.

Aber ich konnte nicht länger zusehen. Ich riß sie an mich, unbekümmert um alles um uns her, und bedeckte sie mit allen Küssen, Zärtlichkeiten und Liebesworten aus unserem Nest oben am Berghang, mit allen erinnerten und versparten alten Liebkosungen und mit allen neuen, die Trennung und Ferne, Tage und Nächte der langen Jahre, Sterben und Leben mich gelehrt hatten.

Das nächste, wovon ich wußte, war der Schrei. Es muß Erna gewesen sein, aber ich werde nie wissen, warum sie geschrien hat. Nichts ist mir je so durch Mark und Bein gegangen. Es war ein Todesschrei. Ein Todesschrei, denn nichts sonst konnte so klingen. Und er hörte nicht auf. Er war so laut, daß die Nebel der Dämmerung zerrissen und als kalter Tau auf alles fielen; so laut, daß ich die Schritte und Stimmen der herbeilaufenden Leute nicht hörte, ehe sie mich umzingelt hatten. Dann schwieg Erna. Schlaff hing sie in meinen Armen, mit verzerrtem Gesicht, furchtbar entstellt, als hätte ein Unmensch unter der Erde sie jahrelang gequält. Sie war lebloser als je zuvor.

Dafür aber belebte es sich von allen Seiten. Polizisten machten sich an mich heran, neugierige alte Weiber, Bauern mit Stangen und Mistgabeln, ein paar junge Kerle, die blöde und furchtsam grinsten und sich auf die Hacken traten. Einen Augenblick lang war ich wie zu Stein erstarrt.

Ein furchtbarer Schlag, der sich anfühlte, als müsse mir der eine Arm abfallen, erweckte mich zum Leben. Ich dachte nicht nach. Meine militärische Ausbildung kam mir zum ersten Mal zustatten. Das Gewicht meines Spatens war lebendige Wucht; mochte die eine Hand auch ertaubt und erstorben sein, der Spaten trug sie. Schädel um Schädel spaltete er. Es war, als hätte ich tausend Arme bekommen. Blut floß. Die Zurückweichenden fielen über die Ausgegrabenen oder wurden von den Querstollen verschlungen; die Hartnäckigen, die sich nicht gleich zur Flucht wandten, wurden von den Schwerverletzten an den Füßen gepackt und umgerissen. Da und dort im aufgegrabenen Erdreich winselte es um Gnade, aber der Spaten schlug weiter, bis sie alle tot waren.

Dann legte ich mich müde neben Erna und versprach ihr, geduldiger zu sein, nicht mehr so heftig. Sie ließ es sich gefallen, ohne sich zu bewegen. Die Niedergeschlagenen rundum bedeckten die Ausgegrabenen, so daß man nichts mehr von ihnen sah, und zerfielen vor meinen Augen zu Erde, zu trübem Wasser und Staub. Es konnte im ganzen Ort keiner mehr übrig sein, so still war es. Der Wind kam und brachte Unkrautsamen, die schnell in Halm schossen. Langsam begann sich auch die Vertiefung, die Erna und mich barg, mit Staub und Erde zu füllen. Ganz behaglich war das, wie unser Nest im Gebirge, oder wie als Kind das Geborgensein im Sand am Ufer des Meeres.

Die Ausgrabung trägt einen Bleistiftvermerk ›Nicht autobiographisch, aber viele wahre Mikro-Beobachtungen‹.

Mikro-Beobachtungen nennt der Verfasser die kleinen und kleinsten Beobachtungen, besonders aus der Kinderzeit, die er als Rohmaterial des Schreibens betrachtet.

Auch hier sind Liebe und Tod benachbart, und der Held wird schließlich bei dem Versuch, die Macht des Todes zu besiegen, selbst ein Herbeiführer des Todes, wie der neuseeländische Kulturheros Maui, über den der Verfasser in seiner Soldatenzeit einiges gelesen hat.

Außer diesem Vertauschungsmoment findet sich hier auch wieder die *Umschreibung*. Die Mädchengestalt Erna nannte er ursprünglich *Agleh*, doch ist dieser Name im Manuskript bis auf zwei offenbar übersehene Stellen durchgestrichen und durch Erna ersetzt. Agleh ist natürlich ein Anagramm für Helga. Das wäre eine zweite, noch kompliziertere Vertauschung und Umschreibung gewesen, denn Erna ist ja kein Mensch von der ›anderen Seite‹. Der Soldat sprach selten von Nationalsozialismus, Hitler usw., sondern sagte meistens ›die andere Seite‹. Tatsächlich war Erna der Name eines Emigrantenmädchens, das im ersten Kriegsjahr in New York starb, gerade als er im Begriff stand, sich in sie zu verlieben.

Die Ausgrabung ist in vieler Hinsicht eine typische Emigrantengeschichte. Das Wahnsinnselement dürfte aber mehr den Störungserscheinungen entsprechen, die der Soldat bei Mitpatienten beobachten konnte. Sein eigener Zusammenbruch war nicht mit geistigen Störungserscheinungen verbunden, nur sehnte er sich, wie er mir erzählte, damals häufig nach Wahnsinn oder nach dem Tod.

Ansonsten finden sich deutliche Anklänge an die Begegnung mit Helga, z. B. Haß gegen die störende Umgebung, und die Umkehrung einer Hinrichtungsszene.

Die Entdeckung des steinernen Arms durch einen Gartenarbeiter auf dem ehemaligen Friedhof war ein Kindheitserlebnis des Soldaten.

Die Kugel ist also vorne zum Fenster hereingefahren und durch die dünne Seitenwand wieder hinaus. Wenigstens muß man das annehmen, denn die Scheibe ist rettungslos durchlöchert; das typische Einschußloch. Und auch in der Wand ein Loch. Seitenwände von solchen Dachstübchen sind oft dünn, so daß man durchhören kann. Nun kann man auch durchsehen. Ein Kugelloch. Also ist todsicher ein Schuß gefallen. Gefallen am... Aber das Datum tut nichts zur Sache, und außerdem ist er immer ein wenig peinlich, der Versuch, am Zeitlichen das Ausfallen aus der Zeit zu bestimmen. Drum lieber einfach: der Schuß ist vor der Zeit gefallen, die seither verstrichen ist und weiter verstreicht. Und da kann man nur sagen: vor der Zeit gefallen, im Zimmer gefallen, im Oberstübchen, im Elternhaus.

Man muß also eigentlich wieder aufstehen und die Tränen trocknen, denn dazu ist man doch schon zu groß. Also versuchen: wieder aufstehen! Gefallen und wieder auferstanden im Hause meines Vaters. Gefallen und auferstanden im Elternhaus, wo die Wunder geschehen.

Es geht aber nicht. Nein, es geht nicht. Also wäre es vielleicht besser, sich das Elternhaus überhaupt aus dem Kopf zu schlagen. Nur ist das nicht so leicht, denn dieser Schuß, das war kein Schlag aus dem Kopf heraus, sondern eher in den Kopf hinein. Ein betäubender Schlag, besonders das eine Ohr, ganz taub... und dabei doch wieder ein Schwirren und Gurren und Rucken wie in einem Taubenschlag:

Ruckucku Kröpfchen – Blut ist im Köpfchen!
Blut ist im Schuck – Ruckuckuckuck!

Das war aber doch das alte Aschenbrödellied, als man ein Kind war, und wenn man es auch jetzt vielleicht nicht mehr genau im Kopf hat, wo eigentlich der Schuh drückt, so ist es doch schwer, sich das Elternhaus aus dem Kopf zu schlagen.

Oder ist das Lied eigentlich umgekehrt, und müßte man sich also den Kopf aus dem Elternhaus schlagen. Aber da schlägt man sich blutig. Mit dem Kopf durch die Wand, das geht

nicht, und im Elternhaus schon gar nicht. Und zum Fenster hinausstecken, das geht erst recht nicht, denn das Fenster gibt es nicht mehr. Das ist zerschossen. Also gar nicht? Freilich, wer den Kopf erst gar nicht zum Elternhaus hinaussteckt, sondern einsteckt... wer alles einsteckt... dem kann keiner eins draufgeben. Aber einmal gehen sie doch alle hinaus? Ausgang! So geht es aus. Das also ist der Ausgang? Der Eingang vorn durch die Fensterscheibe und der Ausgang seitwärts durch die Wand. Verflucht sei der Eingang und der Ausgang! So also ist das, wenn man eingeht? Man geht einfach aus... Warum sie vom Eingehen sprechen, wenn sie doch den Ausgang meinen, den letzten, den schwerverletzten? Also es hat einem einer eins draufgegeben, eins aufs Dach. Und was nun? Schwerverletzt? Aufgegeben? Oder nur mehr ein Geist? Und nun auch noch den Geist aufgeben? Oder ist nur etwas im Oberstübchen durcheinander, von dem Schlag aufs Dach? Nun ja: zum Fenster herein und zur Seitenwand hinaus, zur dünnen, wo man alles hören konnte. Hinter der Wand sind sie sicher erschrocken und unter die Decke gekrochen, Deckung suchen. Da kann einem auch wirklich Hören und Sehen vergehn, von so einem Schuß! Schade eigentlich, jetzt könnte man durch das Loch in der Wand zusehen, nicht nur zuhören! So hat das Ohr eigentlich ein Auge bekommen. Guter Gedanke, man ist eben ein offener Kopf. Und man weiß Bescheid, was vorgeht. Man kennt sich aus in dem Haus wie in seinem eigenen Kopf. Nein, das steht schon wieder auf dem Kopf! Denn in seinem eigenen Kopf kennt man sich *nicht* aus, der ist von der Schädelwand verschlossen; außer wenn er offen ist. Ein sonderbares Wort, das: ein offener Kopf. Es ist also besser, es auf den Kopf zu stellen und zu sagen, man kennt sich in seinem Kopf aus wie in seinem Elternhaus. Denn es muß das Elternhaus sein. Zuletzt ist es doch immer das Elternhaus?! Im Hause meines Vaters sind viele Wohnungen, und im Oberstübchen bin ich gefallen. Ein tragischer Fall! Eine Tragödie! Und sie werden alle tun, als wär ich der Held, die Hauptperson, oder gar der, von dem das Stück ist. Als wär's ein Stück von mir... »Als wär's ein Stück von mir...«
Ein Stück von der Seitenwand, wo ich immer mein Ohr dran hatte, und vorne zum Fenster herein. Und im ganzen Oberstübchen steht alles kopf und ist durcheinandergeworfen, ein

wahrer Stall! Eine Riesenarbeit, da wieder Ordnung hineinzubringen; da schwitzt man Blut dabei! Eine Herkulesarbeit, diesen Augiasstall auszumisten. Da muß man es eben fließen lassen, hereinbrechen durch die zerschmetterte Mauer – und ausströmen, immer mehr, den ganzen Augiasstall, sonst weiß man nicht ein noch aus, sonst verliert man völlig den Kopf. Aber so wird es leichter. Man hat eben einen offenen Kopf! Und doch sperrt man Aug und Ohr auf, wie das saust und braust und verströmt. Und das Gebrüll! Das ist der Stier. Und man sperrt die Augen auf und stiert. Zum Augias herein und zum Tore hinaus, Feinsliebchen, das schaute zum Fenster heraus!... Nein, das sind schon wieder die Drei Reiter. Ich hab eben kein Ohr dafür. Zum einen Ohr hinein und zum anderen heraus, hat der Vater immer gesagt, und was ich singe, das ist ohrenzerreißend. Was ich aber singe, das hab ich nicht gemeint. Denn *mein* Feinsliebchen, das schaut zu keinem Fenster mehr heraus. Gehör hab ich nie gehabt und auch nie gefunden; um was ich gebeten hab, das ist zum andern Ohr hinaus! Ich wollte ihr Retter sein, ich wollte ihr Reiter sein mit der Gnadenbotschaft, aber da krächzten die Raben, und ich bin gefallen. Da bin ich jetzt ein ganz anderer Reiter:

> Wenn er fällt, so schreit er.
> Fällt er in den Graben,
> Fressen ihn die Raben.
> Fällt der Kropf vom Rumpf...

Nein! Das ist falsch. Falsch gesungen. Es ist ja nicht der Reiter. Ich bin ja der, der gefallen ist! Ich !!! Im Graben, im Gras! Im Sumpf, wo der ganze Augiasstall geronnen kommt. Hilfe! Sonst fressen mich ja die Raben, sonst muß ich ja ster...
Nein. Das stimmt nicht. Das könnte man gar nicht wissen, ob man – – – Das ist nur eine von diesen Dummheiten, die einem so in den Kopf kommen. Das weiß man doch gar nicht. Erstens kommt die Kugel viel zu schnell, daß man sie weder hört noch sieht. Und nachher erst recht nicht, denn dann ist einem schon Hören und Sehen vergangen! Und überhaupt kann man doch nur aus den Augen schauen, also hinaus, und nicht hinein! Wie bei einem Fenster, wenn es draußen Tag ist und drinnen dunkel... Freilich beim Ein-

gehen, da geht man – heißt es – in sich. Aber wenn man die Augen einwärts dreht, verdreht man sie auch wirklich nach der richtigen Richtung? Und außerdem ist es ganz ungewohnt, als sollte auf einmal die Fensterscheibe selber anfangen sich umzusehen, und als käme es nicht mehr drauf an, blank zu sein und ohne Sprung und Einschußloch, als käme es nicht mehr auf das Aussehen an, sondern auf das Einsehen! Und die Seitenwand, die müßte selbst das Ohr sein und nicht hören, was nebenan auf dem Bett los ist, sondern was los ist im eigenen Oberstübchen. Also eine Wand, die sich gegen sich selbst wendet; und eine Scheibe, die auf sich selber zielt! Das ist ja Unsinn! Das wäre ja zum Totlachen, kugeln könnte man sich vor Lachen, zum Schießen ist das! Eine Fensterscheibe, die in sich selbst ein Loch macht. Ein Loch, das sich selbst schießt. Ein Einschuß, aus dem das Selbst herausschießt! Denn die Flut schießt heraus, der ganze Augiasstall aus dem Loch in der Seitenwand, Hals über Kopf, bis über die Ohren, und in Strömen aus dem Fenster, aus diesem runden Fenster, so einem richtigen Bullauge oder Windauge, wie es zu einem Oberstübchen gehört, und immer mehr aus dem Auge, aus dem Sinn! Denn der Strom ist wie von Sinnen.
Aber Wand und Fenster gehören zum Oberstübchen, und das Oberstübchen gehört zum Haus, und das Haus gehört dem Vater und der Mutter. Ein kleines Haus. Klein, aber mein! Und das bin eigentlich ich. Ich bin klein, aber mein. Was? Das Kind oder das Haus? Das muß man berechnen: sind zwei Größen einer dritten gleich, so sind sie auch unterein ... »Du wirst gleich ganz klein sein!« Klein? aber nein! Nein! »Hilfe, ich bin verloren!« – »Verloren? Wem gehörst du, Kleiner?« – »Vater und Mutter.« – »Und was ist los?« – »Ich bin gefallen, und jetzt bin ich verloren.« – »Und was willst du?« – »Ich will nach Hause. Im Hause meines Vaters ...« – »Kannst du von hier aus das Haus sehen?« – »Nein, das kann ich nicht.« Wozu sollte ich es auch sehen? Wahrscheinlich nur, weil man denkt, zuletzt sieht man immer das Elternhaus. Sonst wäre es etwas ganz anderes. Vielleicht Indianer oder Kannibalen oder Kühe auf der Alm im Gebirge oder Frösche und Kaulquappen im Kleinkinderteich ... Vielleicht bin ich auch schon zu klein für einen Mann und kann es einfach nicht mehr sehen. Es müssen ja ganze Seen sein, der ganze Augiasstall von Blut, da hab ich doch nicht mehr Blut genug für einen Mann. Darum seh ich

auch nicht mehr das ganze Haus, sondern nur das Oberstübchen. Die Kinderstube, die liegt einem eben im Blut. Da kommt sie jetzt auch mit dem Blut heraus, denn das verströmt alles, wenn man in seinem Blut liegt. Das ist so eine Art Ausleeren: alle guten Lehren gehn zum anderen Ohr hinaus! Wenn aber schon mehr von mir draußen ist als drinnen, so muß ich doch außer mir sein. Aus dem Häuschen muß ich sein, weil ich eins aufs Dach bekommen hab und nun im Oberstübchen nicht mehr viel drinnen ist... ich bin also außer mir, und ich will in mich hinein. Da muß ich das Blut wieder trinken. Ganz einfach: ein Ruck, und ich lieg mit dem Mund im Blut. Hoppa, hoppa! Brr! Chrr! Rrch! Da muß man aber achtgeben, daß man sich nicht verschluckt. Sonst ist man zu tief in sich drinnen. Nicht im Oberstübchen, sondern im Keller, in den tieferen Regionen. In meiner Seitenwand ein Leck, da hab ich Blut geleckt. Mahlzeit! Leckere Mahlzeit! Denn ich will nicht den Geist aufgeben; ich will den Geist beherrschen! Da gibt's nur eine Medizin: Blut. Und ich bin mein eigener Medizinmann. Im Trommelfell ein Leck – das war ein schwerer Schlag. Aber jetzt müssen wir die Geister beherrschen und die Trommeln schlagen! bum-Bumm bum-Bumm bum-Bumm-bum! – Ich hab mein Blut getrunken! Ich hab Macht über mich! Ich gebe den Geist nicht auf, er ist uns untergeben! Wir schlagen das große Trommelfell, das hört der Geist im Wald! Wir schreiten ums große Trommelfell, da schreit der Geist im Wald! Wenn er fällt, so schreit er, der Held. Schreit: Medizin! Der Medizinmann hält meinen Geist. Ich bin nicht aufgegeben! Nur die Trommel schlagen, daß sie mich finden im Graben! »Schlage die Trommel und fürchte dich nicht!« Die Trommel schlagen, und die Zähne zusammenbeißen. 1-2-3-4-5-6-7-8-9-Zähne zusammenbeißen. Weiterzählen, wie bei der Narkose, nicht untertauchen! Ich bin meines Geistes mächtig, ich bin noch nicht ausgezählt; ich zähl noch mit! Ich kann noch zählen. Ich kann Blut trinken und die Zähne zusammenbeißen, ins Trommelfell beißen und die Zähne zusammenschlagen und den Grasschurz tragen. Den Grasschurz, daß keiner mich sieht, den Schutz vor dem Schuß. Das Trommelfell schlagen zum Schutz, und ins Gras hineinbeißen. Niederwerfen, Trommelfeuer! Fallen und ins Gras hineinbeißen. Ins Gras beißen... ins Gras beißen...

Ins Gras beißen wie das Vieh. Mut! Du! »Muuuuuht!« In die Blumen beißen, und der Mund ist voll Bluuu! »Uuuuuu! Ouuuu!« Langsam ins Gras beißen, und wenn es hochkommt, hinunterschlucken. Die Wiese ist rot, und das Bluuu ist grün, und die Sonne ist gar nicht, denn da fallen einem die Augen zu. »Zuuuuu!« Da kommt es mir wieder hoch, das Gras; und wenn es hochkommt, hinunterschlucken. Immerzu, auf und zu. Und die Mücken und Bremsen summen und schießen um Hörner und Ohren. Alle Mücken, die stechen ja nicht, aber eine kommt geflogen. Klatsch! Klatsch! Der Augiasstall! Muuuuut! Ich will Ruh, »Ruuuuuuh!«

Also lieg ich da und saufe Blut wie die Kannibalen, und muß doch ins Gras beißen wie ein Stück Vieh! Und das Lebensblut kommt mir hoch, und wenn es hochkommt, so sind es siebenzig Jahre, und wenn es köstlich gewesen ist, so war es Arbeit und Mühe. Und ein Mensch muß das alles hinunterschlucken, und auch die Blumen, nur nicht... »Achtung!« Ja: Achtung vor den Herbstzeitlosen. Die sind giftig, daß man ins Zeitlose kommt. Dann bist du die Zeit los. Achtung! Achtung, fertig, zeitlos! Los! Hoppa!

Hoppa, hoppa! Jetzt bin ich gefallen. Aber ich bin doch zuvor schon gefallen. Gefallen im Graben, fressen die Raben, Fällt er in den Sumpf, macht der Reiter... Was macht er? Macht über die Geister? Plumpe Geister! Gefallen im Feld, was macht da die Welt? Beißt er, so beißt er! Beißt er ins Grabengras, Graben im Feld. »Fällt er in dem Feld, wälzt sich aus der Welt.« Ich bin nur in den Graben gefallen, in den Graben. Und aus der Welt kann man nicht fallen; das hat Grabbe gesagt, nur in den Graben! »Plumpf!«

Vor dem Einschlafen bin ich immer so gefallen, weich, weich. Das hat mir ganz gut gefallen hat mir das. Ich gedenke einen langen Schlaf zu tun gedenke ich. Das hat aber nicht der Graben gesagt. Das Gras schillert mir vor den Augen. Verlangen langen Schlaf verlangen. Schlaf ist der Bruder des Schlafes. Das ist todsicher ist das. Schlaf ist der Bruder des Schlafes. Denn zuletzt ist jeder sein eigener Bruder, wenn keiner mehr keinem... Ich schlafe in einer roten Lache. Wie ein Wickelkind in einer Lache... Das ist zum Schlaflachen! Zum Schlafwachen ist das, auch wenn du den Kopf schüttelst, Herzbruder des Schlafes! Hoppa in den Sumpf, macht der Reiter Plumpf!

»Umpf, umpf, umpf! Mooor-ast! Weg, weg, weg, weg!«
Eine Fliege in meinem Maul; und wenn es hochkommt, hin-
unterschlucken! Die lockt das Blut an. Nur kaltes Blut! Kaltes
Blut, hier im Sumpf. Platsch, platsch, keck, keck, keck, keck!
Was kriecht denn da? »Na, du kleiner Frosch, was willst du
denn hier im Graben?« – »Auf Armen und Beinen kriechen.«
– »Auf dem Bauche sollst du kriechen!« – »Aber, Vater...!« –
»Was quakst du da? Staub sollst du fressen! Und zu Staub
sollst du wieder...« Nein, nein! Ausweichen. Tiefer hinab
ausweichen! Weicher der rote Schlamm. Ganz aufgeweicht.
Auf? Auf Händen und Füßen? Den Kopf in die Hände. Auf
die Hände. Kopf auf die Hände fallen... Nein, nicht auffal-
len! Sonst fall ich ihm wieder in die Hände!
»Auf!« Auf? Wo bin ich? Das kann es doch noch nicht sein?
Ich hab doch noch gar nichts vom Leben gehabt, ich hab noch
nicht alles gesehen! Wo ist die Mutter, die Mutter, wo bist
du? Oder ist sie nur dort das schwarze Loch, das alles frißt?
Die letzte Frist, die schwerverletzte? Und schwarz, weil sie
Trauer trägt? Trauer um... um... um? Nein, um alles in der
Welt nicht! Ich will nicht, laß mir Zeit zur letzten Frist! Noch
Zeit, noch Zeit! Verzeih – Vater, verzeih! Ich habe geglaubt,
der Tod ist der Vater, aber nun seh ich, der Tod ist die
Mutter. Die Mutter steht auf dem Kopf, ein schwarzes Loch
nur! Die Mutter steht auf dem Kopf, ein schwarzes Loch nur!
Die Mutter steht auf dem Kopf und verkehrt sich zum Tod.
Dreht um! Dreht um, die Mutter! »Mutter! – Rettum!«
Rettum... Rett um des Vaters willen! Ein wildes Tier bin ich
gewesen im Feld. Blut hab ich getrunken, und mein Trommelfell hat ein schwarzes Muttermal im Urwald. Losmachen
wollte ich mich und mein Los verschlingen und mich im
Zeitlosen wiederkäuen. Vergib mir! Auf dem Bauche bin ich
gekrochen als ein Frosch im Auge der Schlange, welche den
Baum des Lebens bewacht. Vor der Erkenntnis wollte ich
fliehn, aus dem Oberstübchen ins Erdgeschoß; Schoß der
Mutter, ich hab sie geehrt! Vater, die Mutter ist schwarz, und
ich habe geglaubt, Todvater, du seist der Tod! Vater, vergib
mir, denn sie wissen nicht, was ihre Hände... Vater, in deine
Hände, in deine! Gib du mir Mut! Mut, Vater, Mutt.
MMMM... mmmm...

Heimkehr ist in jener Assoziationstechnik geschrieben, der sich der Verfasser in Augenblicken großer innerer Spannung öfters überläßt, z. B. in seinen beiden Bleistiftmanuskripten über die Nacht und über die Hinrichtung. Der Einfluß der englischen Literatur ist dabei unverkennbar.

Wie in der ursprünglichen Fassung der vorigen Geschichte der Mädchenname Agleh, findet sich auch hier ein Anagramm, das Wort *Rettum,* das nicht nur eine Zusammenziehung aus *rette um* ist, sondern auch eine Umkehrung von *Mutter.* Die umgekehrte Mutter ist eine Todmutter, deren Schoß ein alles verschlingender Grabtrichter wird, eine deutliche Querverbindung zur *Ausgrabung.*

Der Gedanke an den Rückweg in die Kindheit, ins Altertum, zu den Wilden, in die Tierwelt, in den Sumpf und in den Schoß der Erde hat den Soldaten zu jener Zeit als ein Gemisch aus Sehnsucht und Angst oft beschäftigt. Die Spekulation, wie wohl der letzte Augenblick sei, wenn man eine Kugel durch den Kopf bekommen habe, hat ihn gleichfalls beschäftigt. Er will aber ähnliche Gedanken auch von mehreren anderen Soldaten gehört haben. Im Krieg waren derlei Grübeleien weit verbreitet.

Die deutlichste Anspielung auf Helga ist die Stelle von dem mit der Gnadenbotschaft gestürzten Reiter, der der Retter seiner Geliebten sein sollte. Sie knüpft unverkennbar an Clemens Brentanos ›Geschichte vom braven Kasperl und dem schönen Annerl‹ an, in welcher der Verführer des Mädchens durch einen Sturz vom Pferd ihre Hinrichtung nicht mehr verhindern kann und deshalb Selbstmord begeht. So dürfte *Heimkehr* auch Selbstvorwürfe und Selbstmordgedanken enthalten.

Tief im Schoß der Erde hockt das Steinkind. Sein ganzer Leib liegt im Dunkeln, und der schwere Lehm lähmt ihm Arme und Beine. Nur der übergroße Kopf ragt hoch über die bitteren Gräser und toten Bäume, kahl und verwittert, das Gesicht gegen den Abgrund und das lange Tal. An seine Ohren haben die Menschen Leitern gelegt.

Dann und wann kommen sie in Prozession. Sie klettern hinauf, einer nach dem andern, und kauern eine Weile in der grauen Ohrmuschel, die den Schall von fernher sammelt, so daß man das Meer rauschen hört. Oben angekommen, knüpfen sie sich mit ihrem langen Haar aneinander, entzünden an dem mitgebrachten Feuer die Fackeln und machen sich auf den Weg ins finstere Innere des Kopfes.

Dann hallen die feuchten Gänge und engen Stollen von ihren Litaneien. Die ersten stimmen sie beim Eintreten in das schwarze Loch an:

> Wir haben Dein Ohr gefunden,
> Um Dir zu gehorchen.
> Du hast uns Dein Ohr geliehen,
> Dein Ohr steht uns offen!
> Du hörst und erhörst uns
> Auf den Pfaden Deiner Gedanken.

Sie irren mit ihren Fackeln im Inneren des Kopfes hin und her und bezeichnen die verzweigten Gänge mit Rußmalen, als wollten sie sich das Finden des Rückwegs erleichtern. Von Zeit zu Zeit bleiben sie stehen und beten:

> Dunkel sind Deine Gänge,
> Und finster die Wege in Dir,
> Und schwer zu erforschen
> Sind die Bahnen Deiner Gedanken.

> Doch ob wir auch straucheln in Nacht,
> Wir wandeln in Deinem Haupte:
> Du trägst uns geborgen in Dir,

Wo Deine Gedanken wohnen;
Denn eingegangen
Sind wir heut in Dein Ohr.

So kommen sie in eine der beiden großen Höhlungen, die sich im Inneren der Augäpfel befinden. Sie suchen alte Zeichen an den Wänden, küssen sie und stellen sich so auf, daß sie im Inneren des hohlen Augapfels in die gleiche Richtung blicken wie draußen die flechtenbewachsenen Steinaugen. Nur die vordere Wand des hohlen Auges trennt sie von der Aussicht auf den Abgrund und auf das lange Tal. Wenn der letzte die Zeichen an der kalten Wand geküßt und sich nach der überlieferten Ordnung aufgestellt hat, verlöschen sie ihre Fackeln und beten im Dunkeln:

Wer denn vermöchte zu schauen
Aus Deinen Augen?
Der allein, dessen Blick
Die Felsen der Finsternis aufbricht.

Wir aber stehen in Nacht.
Wir sehen nicht klarer
Die Hand vor unseren Augen
Als das Herz in unserer Brust.

Ob wir aber auch blind sind,
Wir stehen in Deinem Auge!
Von uns ist nichts außer dir:
Nicht unsre kleinste Bewegung.

Nicht nur unser Bild,
Nein, uns selber enthält Dein Auge!
Knochen und Haut und Haar,
Unsre Tränen und Stimmen und Kleider.

Dann tappen sie im Dunkel mit ihren Fackeln, wie Blinde mit Stöcken, und steigen und fallen gewundene Wege hinab in den offenen Mund, durch den ihnen Tageslicht entgegenströmt.
Beim Anblick des Lichtes werfen sie ihre Fackeln weg:

Heil uns, denn wir sind in Deinem Munde,
Und nicht im Rachen unserer Feinde!
Dein Mund trinkt Licht,
Und wir sind getränkt und erleuchtet.

Ein Laut sind wir gewesen
In Deiner Kehle,
Und ein Lied sind wir geworden
Auf Deiner Zunge;
Sieh nieder auf uns,
Die wir fallen von Deinen Lippen!

Mit diesen Worten gehen sie, einer hinter dem anderen, über
die zerklüftete Zunge auf die Zähne zu und folgen einem
alten Weg, zwischen zwei Zähnen durch, auf den vorspringenden Wulst der Steinlippe. Sie zücken ihre Messer und
zerschneiden die Haarknoten, mit denen sie sich aneinander
geknüpft haben. Sie stechen aufeinander ein, bis der graue
Lippenstein sich rot färbt. Die Gefallenen werden mit Fußtritten in die Tiefe gestoßen. Dann halten die Überlebenden
Rast. Sie waschen einander die Wunden mit Regenwasser,
das sich in den Vertiefungen des großen Mundes gesammelt
hat, und sie verbinden einander mit Fetzen, die sie aus ihren
Kleidern reißen. Dann springen sie vom Rand der Lippe
wortlos den anderen nach.

Der Weg durch den Kopf entstand unmittelbar nach der Beendigung
der *Heimkehr.*
Auch *Heimkehr* war ja ein Weg durch den Kopf, der Weg einer Kugel
durch den Kopf, und die Heimkehr war eine Heimkehr in den Tod
auf dem Weg über die Kindheit. Hier aber zieht eine ganze Prozession in den Tod. Die Kritik dieser Schilderung an irregeführtem
Kollektivgeist und falschen Riten tirtt deutlich zutage. In einem
Brief schreibt der Soldat dazu:
›Eigentlich kommt es aber gar nicht darauf an, die politischen Sitten
und Gebräuche zu verspotten, denn sie sind doch *unter aller Kritik,*
weil den Menschen jedes Gleichgewicht zwischen Vernunft und
echter Mystik fehlt. Aber als ich diese Geschichte geschrieben habe,
da hab ich das noch nicht gewußt.‹
Merkwürdig finde ich das Wort *Steinkind* im ersten Satz der
Geschichte. Durch dieses Wort wird der gespenstige Steingott als

eine gar nicht geborene, sondern im Mutterleib abgestorbene und verhärtete Frucht (Lithopaedion) bezeichnet. Die Mutter Erde wird dadurch wieder, wie in der vorigen Geschichte, zur Todmutter. Überhaupt findet sich trotz aller Formverschiedenheit der einzelnen Arbeiten bei näherer Betrachtung eine Vielfalt von inneren Querverbindungen. Ob dieses ungeboren abgestorbene Kind mit dem Argument des Soldaten am Morgen der Exekution zusammenhängt, man dürfe Helga nicht hinrichten, weil sie ein Kind erwarte, konnte ich nicht feststellen. Für diese Annahme spricht, daß der Soldat hier an das Manuskript ein Gedicht angeheftet hat, *Die Kinderlosen*.

DIE KINDERLOSEN

Blas, kalter Wind:
Mein Auge hat ein Kind.

Wein wächst im Land,
Das Kind hab ich gekannt.

Lacrimae-Christi-Wein,
Der hält das Kindlein klein,

Sonst läuft es uns davon
Mit seiner salzenen Kron'.

Die Fischlein in dem Bach,
Die laufen alle nach.

Der Bach wird dann wie Augen trüb,
Schenk ein, mein Lieb! Trink Wein, mein Lieb,

Daß uns das Kind nicht find't! –
Wein, kalter Wind.

Der Ritter nimmt Abschied von den Seinen und reitet in den Wald. Bis zum Kreuz bei den ersten Bäumen geben ihm noch die beiden Frauen das Geleit. Seine Mutter segnet ihn und hängt ihm ein Reliquienamulett um den Hals, das Mädchen weint und hält sich nur mühsam aufrecht. Ehrfürchtig küßt der Ritter der Mutter die Hand, der Braut den Saum des Schleiers; und während er klirrend zu Pferde steigt und das Mädchen und die Matrone vor dem Kreuz niederknien, bricht aus geballten Wolken die Sonne hervor, läßt seinen Panzer aufblitzen, sprenkelt den Waldboden mit wehendem Licht- und Schattenspiel, und des Ritters Weg ins Abenteuer ist noch viele Herzschläge lang am Schillern der Rüstung zwischen den bemoosten Baumstämmen zu erkennen.

Das Kind beugt sich vor und vergißt über dem Horchen das Atemholen. Es hat Angst. Es hat unerlaubte, gottlose Angst um den herrlichen Drachen, dessen Schicksal nun so gut wie besiegelt ist; denn unmöglich kann er gegen die Gebete der Frommen, gegen das Reliquienamulett, gegen das gute Schwert und den hohen Sinn des Ritters, gegen das erprobte Streitroß, mit einem Wort gegen die ganze Verschwörung des Irdischen mit dem Überirdischen aufkommen. Was fruchten da noch die Unterweltkünste, die der Drache mühsam erlernt hat, das dürftige Gift und Speifeuer und die verzweifelten Schläge mit dem Schwanz, dessen scheußlicher Anblick ihn vielleicht nur selbst unsicher macht, mitten im Kampf? Was helfen ihm die Wendungen des Kopfes auf dem langen, leichtverletzlichen Schlangenhals und die schwerfälligen Flügelschläge, die ihn zwischen den Waldbäumen mehr gefährden als furchtbar machen? Und sind es nicht überhaupt nur große Fledermausflügel, gerade gut genug zum Niedergleiten vom Drachenfels, aber in ihrer urzeitlichen Einrichtung den gemeinsten Sperlings- oder Entenflügeln weit unterlegen und von Anfang an zum Aussterben verurteilt? – Das Kind kann sich schon denken, wie die Geschichte weitergehen wird. Es seufzt.

Nur, daß das alte Märchenbuch zerlesen ist. Schon nach den ersten Worten geht ein grausamer Riß quer über die Seite, und der Rest der Geschichte fehlt. Das ist wahrscheinlich ein Glück für den Drachen, denn im Märchenbuch muß sein Untergang beschlossene Sache gewesen sein. Es ist bekannt, daß von all den Drachen jenes Buches kein einziger das Inhaltsverzeichnis, ja nicht einmal den Schluß seiner eigenen Geschichte erlebt. Dieser Drache aber steht nun nicht mehr im Buch. Also kann es kommen, wie das Schicksal will, fast als wäre ein neuer Geschichtenerzähler da, der sich an nichts halten muß, was man nur mit den altgewohnten Worten erzählen kann.

Kein Kindermärchen mehr, das Unvorhergesehene geschieht: die beiden Frauen, die alte und die junge, knien noch vor dem Wegkreuz, da ertönt in den Lüften ein fürchterliches Brausen und Schnauben, und das Ungeheuer, das über ihnen seine Kreise zieht, verfinstert die Sonne. Es öffnet den Rachen, triefend von Blut und Geifer, und läßt einen zerfleischten Körper dicht neben den Andächtigen niederfallen. Die Matrone sinkt ohnmächtig zu Boden, das Mädchen erkennt den Bräutigam und bedeckt verzweifelt die blutigen Reste mit Küssen.
Ja, der Bericht geht noch weiter: die Überreste des Ritters sind offenbar vom Drachengift besudelt worden, denn die Unglückliche trägt von ihrer wahnwitzigen Zärtlichkeit Schwären im Gesicht und an den Händen davon, die zeitlebens nicht heilen.

Das Kind wird zu Bett gebracht, nach dem neuen Märchen ganz wie nach den alten. Unter den Hörern Entrüstung, aber da und dort auch hingerissenes Gruseln, zungengerechte Redensarten, ja, so gehe es in der Welt, es gebe keine Gerechtigkeit. Aber die Gefühle der Hörer tun nichts zur Sache, und der Bericht enthält sonst nichts mehr und geht nicht weiter.
Nur die vielen kleinen Fragen und Gedanken, die das geschilderte Unglück heraufbeschworen hat, schweben noch kurze Zeit im Nachhall des Berichtes und wollen erörtert sein. Viele dieser Fragen und Gedanken wären sicherlich im hohen Lied des Sieges über den Drachen zusammengefaßt und

gültig beantwortet worden. Aber der Verlust der Blätter aus dem Märchenbuch hat den Sieg über den Drachen zunichte gemacht, und der Sieg des Drachen über den Ritter hat eine Bresche in die ritterliche Welt geschlagen. Sie ist nun ihrer festen Wehr beraubt und kann keine Fragen und Gedanken zusammenfassen oder gar beantworten. So werden die verstreuten Gedanken und die losen, belanglosen Fragen noch einen Augenblick lang laut, dann zerflattern sie.

Ob die Kröte die Schlange wirklich fragt, weiß keiner. Aber unmöglich ist es nicht, denn die Schlange hat vor der Kröte keine Angst. Aber auch die Kröte mit ihren unverdaulichen Giftwarzen fürchtet den Hunger der Schlange nicht. Außerdem sind auf der Lichtung zwischen Drachenhöhle und Sumpf, wo die beiden wohnen, die Zeiten nicht schlecht. Und – wie immer in fetten Jahren – fühlen sich die beiden einander nahe, unbeirrt von niedrigen Trieben.
»Wie der Drache so etwas nur tun kann?!« entrüstet sich die Kröte.
»Was denn? Was ist's denn?« zischt die Schlange. »Etwas muß er doch schließlich essen.« Sie versucht auf die Kröte einzugehen: »Ein Ritter? Das ist für ihn, wie wenn unsereins eine Fliege zu sich nimmt.«
»Eine Fliege?« meint die Kröte nachdenklich und kommt langsam und leise zitternd zu dem Ergebnis, daß sich der Größe nach ein Ritter zu einer Fliege so ähnlich verhalte wie ein Drache zu einer Kröte. Somit wäre eigentlich alles in Ordnung, und es bestünde kein Grund zur Entrüstung. Dennoch fühlt sich die Kröte von der klugen Schlange überlistet und von ihren gleisnerischen Reden umzingelt. Sie läßt für alle Fälle ein wenig Gift aus ihren Sivispacemdrüsen austreten und blickt versonnen einer schillernden, metallisch gepanzerten, großen Fliege nach, die hin und her schwirrt.
»Und überhaupt« knüpft die Schlange an ihre letzte Wendung an, »es war wohl im Grunde eine Erlösung für den Ritter.« Und als die Kröte erstaunt das Maul aufsperrt, erklärt sich die Schlange bereit, ihr ohne Umschweife ihre Meinung über den Vorfall klarzumachen. Der Ritter sei von dem Drachen verschlungen worden, und das sei auch ganz in Ordnung, weil das Leben nun eben manchmal verschlungene Wege gehe, »richtige Zickzackwege«, meint sie mit einem

Blick auf ihre Windungen und auf die Zeichnung ihrer Schuppen.

Die Erkenntnis, mit der die Schlange vor der Kröte prunkt, stützt sich hauptsächlich auf die Jungfrau, worunter die Schlange aber nicht etwa die Braut des Ritters versteht, sondern die Königstochter, die in der Höhle des Drachen auf Erlösung harrt.

Die Schlange glaubt beobachtet zu haben, daß die Schwerthand des Ritters erst beim Anblick jener Schönen unsicher geworden sei. Wohl wissend, mit welcher Schnelligkeit die Liebe das Herz eines wehrhaften Mannes durchbohren kann, namentlich in Augenblicken gefahrvollen Kampfes, schlingt die Schlange den Knoten, der Kreis schließt sich ihr, und sie erklärt unumwunden, des Ritters Seele sei im entscheidenden Augenblick zum Zankapfel zwischen seiner Braut und der Königstochter geworden. Und dieser Apfel sei, von den heftigen Stößen des plötzlich verwundeten Herzens wie ein Kinderball hin und her geschleudert, schließlich im Rachen des Drachen zur Ruhe gekommen. Der Zwiespalt zwischen der angelobten Pflicht und dem plötzlich winkenden holden Siegespreis, das sei es gewesen, zischt die Schlange der Kröte zu, was des Ritters Schwert schwankend gemacht habe, wie einen Magnetstein aus Cathai, der zwischen den Polen zittert, bis die Klinge schließlich in das aufgesperrte Drachenmaul gewiesen habe, leise bebend, schon nicht mehr Waffe, nur Wegweiser in des Ritters eigenes Geschick. Abgelenkt von ihrem Beruf sei diese Klinge gewesen, erklärte die Schlange, und auch in verhängnisvoller Wollust angezogen von dem Ungeheuer, wie das Erz vom Magnetberg, wie die Nägel und ehernen Platten des Schiffes, das dort in raschem Scheitern den Ausweg aus endloser Irrfahrt finde. Und so habe die zögernde Hand des Ritters recht behalten, so habe die wankelmütige Klinge das wahre Geschick gezeigt, denn der Drache sei dem jählings Ungeschickten wirklich zum Geschick geworden. Die Kröte aber klappt ihr Maul wieder zu, verschluckt die Fliege und meint: »Ja, wenn man es so betrachtet, war es für ihn vielleicht wirklich eine Erlösung.«

»Wie war sie denn?« erkundigt sich die Schlange mit träger Anteilnahme.

»Was meinst du?«

»Die Fliege natürlich.«

»Welche Fliege?«

Die Schlange muß die Kröte erinnern, daß vor wenigen Augenblicken eine grüne Fliege mit metallisch schillerndem Panzer angesummt gekommen sei, im blitzenden Sonnenlicht ein-, zweimal unschlüssig zwischen dem Unrat des Drachen und dem Blut des Ritters hin und her flitzend, bis sie sich schließlich geradewegs ins Maul der Kröte gestürzt habe.

»Ach, ja«, besinnt sich die Kröte. »Manchmal sind sie ganz zahm. Aber es geht nicht immer so leicht.«

»Ich glaube gar nicht, daß sie so besonders zahm war. Sie konnte sich nur nicht schlüssig werden, von welchem der beiden Gerichte sie zuerst kosten sollte. Das hat sie das Leben gekostet, sie hat sich selbst gerichtet... Übrigens«, fährt die Schlange fort, »ohne den Drachen und seine Abfälle, die alles, was da kreucht und fleucht, anlocken, hätten wir hier ein mageres Dasein.« Und sie huscht einer fetten Ratte nach.

Des Ritters gutes Schwert steckt bis an den Knauf im weichen Ackerboden, unweit der Stelle, wo der Drache die Reste des Ritters ausgespien hat. Der Drache hat das Schwert gleich zu Anfang des Kampfes verschluckt, und es hat sich langsam durch seine Eingeweide durchgearbeitet, Knauf voran, die Spitze immer hintennach, dank der bewundernswerten Einrichtung der Natur, die das Eingeweide ihrer Geschöpfe vor Schaden schützt. Zuletzt hat der Drache das Schwert im Flug fallen lassen.

Ein Bauer findet es und trägt es zum Schmied. Der soll ihm eine Pflugschar daraus schmieden. Der schlaue Schmied verspricht das auch, legt aber dann eine Pflugschar aus seinem Vorrat für den Bauern bereit und hängt das gute Schwert in einen dunklen Winkel. Dort mag es warten, bis der neue Geselle kommt.

Das erprobte Streitroß des Ritters hat beim Anblick des Drachen das Weite gesucht und sich in die tiefsten Tiefen des Waldes verirrt. Dort hat sich die Wilde Jagd seiner angenommen, und es dient nun nachts einem neuen Herrn.

Was die verunstaltete Braut des Ritters denkt, danach fragt keiner mehr. Sie ist zu häßlich geworden.

Mittlerweile geht die Sonne zur Rüste. Der Drache ist in seine Höhle heimgekehrt, hat die Schnauze in den Schoß der Jungfrau gebettet und ist eingeschlafen. Die Jungfrau sieht sich nachdenklich um. Keine Fackel brennt, nur vom Schuppenpanzer und besonders vom Kamm ihres schlafenden Drachen geht ein starkes Leuchten aus. Nicht nur das goldene Reliquienamulett, das der Drache ihr heute geschenkt hat, nein, die ganze Höhle mit ihren tausend Kristallen blinkt und sprüht aus allen Winkeln und Ecken. Kein Stäubchen trübt den Glanz. Der Drache selbst fegt ihr die Höhle rein, dreimal am Tag, mit einem einzigen scharfen Schnauben seiner Nüstern.

Eine Schuppe löst sich vom Rücken seiner Schnauze und fällt der Jungfrau in den Schoß wie ein welkes Blatt. Sie beginnt damit zu spielen und zählt die Jahresringe: Ihr Drache wird alt. Seltsam, wie alles eingerichtet ist: sie selbst ist durch den Aufenthalt im Bannkreis der Höhle vor dem Älterwerden bewahrt. Die Zeit steht ihr still. Aber ihr Ungeheuer, das sich um sie sorgt und müht, wird mit jedem Jahrhundert älter. Und doch liegt es wie ein müdes Kind zu ihren Füßen und atmet ruhig, die herrlichen Klauen weit ausgestreckt, so daß sie mit den Krallen spielen kann. Ruhig wie ein Kind, und wie ein Kind vertrauensvoll und schutzlos.

Die Jungfrau wird traurig. Sie liebt ihren Drachen, und sein Sieg heute hat sie vielleicht mehr gefreut als ihn selbst. Und doch kann sie die Gedanken an die Zukunft nicht verscheuchen. Wie, wenn er eines Tages an Altersschwäche stürbe, und sie bliebe allein mitten im Wald zurück? Oder er käme von einem seiner Flüge nicht wieder, und sie erführe nichts von seinem Schicksal? Lieber ihn sterben sehen, vor ihren Augen, rasch, im blutigen Kampf, und dann irgendeinem siegestrunkenen Ritter oder Königssohn folgen müssen, in die Stickluft seiner Burg, weit fort von ihrem Wald, in das kleine Gezänk und Geschmeichel der Kemenate, in die ungepanzerte Menschlichkeit eines winzigen Brautbetts...

Zwar, das muß noch lange nicht geschehen. Und wenn sie einem folgen muß, so soll er wenigstens ein großer Held sein, und sein Ruhm soll die Länder überschwemmen wie ein berauschendes Getränk, das Vergessen schenkt. Seltsam, denkt die Jungfrau, mit jedem neuen Ritter, den ihr Drache noch von ihr abhält und zerfleischt, vermehrt er zugleich auch den Ruhm seines einstigen Überwinders. So sorgt er für sie, noch über den eigenen Tod hinaus.

Und vielleicht weiß er das. Vielleicht ist das alles, was er noch vom Leben hat. Er frißt nur noch wenig, die Beute speit er aus, und er ist einsam. So weit er fliegt, nirgends mehr seinesgleichen. Sein Weib ist vor Jahrtausenden im Sumpf versunken: die Eier sind nicht ausgekrochen, sondern versteint... Vielleicht ist dem alten Tier das Leben längst eine Last, und nur ihretwegen stellt es sich wieder und wieder den frechen Angreifern, statt einfach einzuschlafen oder sich schlafend zu stellen, wenn sie mit ihren verzauberten Waffen und frommen Hoffnungen kommen, statt die riesigen, schuppigen Augendeckel über die müden Augen fallen zu lassen und ihnen gelangweilt Gelegenheit zu ihrer ruhm- und beutegierigen Heldentat zu geben.

Draußen rauschen die Nachtbäume. Plötzlich erschüttert ein schwerer Traum den Leib des Drachen. Er träumt von einer Höhle voll Eisenerz und Stangen, voll schwerer Hämmer um einen mächtigen Amboß. Und ein übermütiger, nackter Geselle lacht tückisch auf, reißt ein Schwert aus einem dunklen Winkel, und mit einem einzigen Hieb spaltet er den Amboß in zwei Stücke.

Große Tränen rollen von den Lidern des schlafenden Tieres. Die Jungfrau erschrickt, beugt sich nieder, rüttelt an seinem Kopf, küßt ihm die Nüstern und blickt den erwachenden Drachen, dessen runde Augen noch sekundenlang von der langsam kleiner werdenden Nickhaut verschleiert bleiben, nachdenklich lächelnd an.

Der Drache trägt einen Bleistiftvermerk des Soldaten: ›Auch dieser Spott war noch eine Methode, *doch* noch nicht das Gruseln lernen zu müssen!‹

Am auffälligsten ist, wie zahlreich die alten mythischen und religiösen, christlichen und heidnischen Elemente sind, denen der Verfasser hier begegnet und deren er sich durch Spott zu erwehren versucht. In einer Briefstelle zu diesem Thema heißt es: ›Schon Heine hat auf diese Weise versucht, sich seine eigene Romantik vom Leibe zu halten, aber er hat sich damit viele seiner besten Gedichte kaputtgemacht.‹

In dieser Geschichte ist fast alles ambivalent gesehen, zwiespältig. Das Mädchen ist sogar in zwei Personen gespalten, Braut und

Drachenjungfrau. Zwiespältig ist die Mutter des Ritters, sein Herz, ja sogar die öffentliche Meinung der Hinterbliebenen und auch der tierischen Zeugen, Kröte und Schlange.

Deutlich ist auch wieder das *Umkippen, der Rollentausch*. Die Tendenz, sich mit der ›anderen Seite‹ zu identifizieren, eine mehr psychologisch als politisch begründete Verhaltensweise, war dem Verfasser selbst unheimlich. Ihr entspricht hier die Sympathie für den Drachen.

Wichtig ist sicher auch, daß die einzig wirklich mitempfundene Frauengestalt, die zeitlose Jungfrau in der Drachenhöhle, eindeutig ›auf der anderen Seite‹ steht.

Die Mythenmotive sind vor allem germanische: das Wilde Heer, die Drachenjungfrau und die Schwertepisoden. In dem guten Schwert, das nicht zur Pflugschar umgeschmiedet wird, sondern in einem dunklen Winkel auf die Ankunft des neuen Gesellen wartet, steckt offenbar ein gut Stück Nachkriegsenttäuschung und Unglücksprophezeiung.

Der Verfasser behauptet auch, durch die warnenden Beispiele des schwankenden Ritters und der unschlüssigen Fliege den Menschen vor der eigenen Zwiespältigkeit warnen zu wollen. Ich weiß aber nicht, ob er diese Behauptung nicht nur sarkastisch gemeint hat.

Auf meine Frage nach den Gründen der Sprunghaftigkeit dieser Geschichte schrieb er mir: ›Aus den gleichen Gründen Stückwerk, wie deine Schilderung der Helgageschichte: wenn man nicht innerlich mit sich selbst im reinen ist, dann hat man nicht die Kraft, alles glatt zusammenzufassen. Aber man tut eben, was man kann.‹

Kampf, Kampf, seit vielen Stunden. Die beiden Heere hatten sich längst in ihre Lager zurückgezogen und die letzte Entscheidung den zweien überlassen, die auf der Wiese klirrend und knirschend rangen, enger verschlungen als Liebende, Helm an Helm, Brust an Brust, miteinander, gegeneinander. So ging die Sonne unter, und die ersten Vögel schliefen singend ein.

Aber endlich hatte er seinen Feind überwunden und ließ ihn für tot im grünen Gras liegen. Zu erschüttert und auch zu leer, um zu den Seinen zurückzukehren, schritt der Sieger langsam dem Waldrand zu. Nun, da er gesiegt hatte, war es *sein* Wald, so wie die Wiese *seine* Wiese und der dunkelnde Abend *sein* Abend war. Anders als je zuvor sah er die hohen Bäume an, und zum ersten Mal bemerkte er, daß drüben am Steilhang ein alter Turm stand.

Den Näherkommenden begrüßten vor der offenen Pforte die drei Mädchen, und er war nicht ohne Scheu bei diesem Gruß. Er mußte die Ahnung, schon einmal hier gewesen zu sein, mit Gewalt zurückdrängen, und auch das andere Gefühl, daß die drei auf eine geheimnisvolle Art gegen ihn verschworen seien, wies er von sich. Was vermochten schon Frauen! So nahm der Sieger ihre Huldigungen entgegen.

Es schickte sich so, daß die drei in den drei Gemächern des Turmes wohnten, eine über der anderen.

In der untersten Kammer war es feucht, und die Steine des Turmes schienen schwer auf den Balken der niedrigen Decke zu lasten. Manchmal knarrte etwas im schwarzen Holz oder im alten Gemäuer, und wenn man auffuhr, stieß man sich fast den Schädel ein, denn in dieser untersten Turmkammer hätte man eigentlich um einen Kopf kürzer sein müssen.

Dem Sieger aber verging in den Armen der leidenschaftlichen Bewohnerin Scheu und Müdigkeit. Er fühlte sich wie ein Gigant, der sich über einen tiefen Brunnen beugt, nasse Erde schöpft und zugleich ißt und trinkt. Das unheimliche Knarren und Ticken hörte er erst, als er nach dem Verebben der Leidenschaft mit ihr zu sprechen versuchte und nur törichte und bedeutungslose Antworten erhielt. Zweifelnd ruhte sein Blick auf ihrer etwas niedrigen und fliehenden

Stirn. Seine Begierde war gestillt, und undankbar, wie ein Sieger in solcher Lage ist, wurde er ihres kopflosen Geredes müde und verließ sie.

Im Zimmer der zweiten Turmbewohnerin gewann er sein inneres Gleichgewicht wieder. Mit ihren wohlproportionierten Zügen schien sie ihm ansprechender als die breithüftige Bewohnerin der untersten Kammer, die ihm nun nachträglich fast tierisch vorkam. Aber nicht nur diese zweite Frau selbst war erfreulich, sondern auch ihr Zimmer war schön, nicht zu niedrig und nicht zu hoch, nicht zu eng und nicht zu breit. Die Fenster waren nicht schmale Schlitze wie unten, und die Decke verlor sich weder in unsicheres Nachtdunkel, noch bedrohte sie den Kopf des Gastes. Das schöne Ebenmaß, das in der Einrichtung herrschte, mußte genau berechnet sein, und einen Augenblick lang fragte er sich, ob diese Schönheit nicht zuviel der Berechnung verdanke. Wohlausgewogen war auch das Temperament der Herrin dieses Zimmers. Schon nach den ersten, klargefügten Sätzen erkannte der Sieger, daß zwischen Kopf und Schoß dieser Frau ein sorgfältig bewahrtes Gleichgewicht herrschte.

Eine kurze Weile war er völlig glücklich. Alles schien mit rechten Dingen zuzugehen. Dann aber kam ihm die Lust, dieses Gleichgewicht durch Zärtlichkeiten zu erschüttern und ihr Herz hin und her zu werfen, wie ein mutwilliger, siegreicher Mann das tut. Als ihm dies aber nicht und nicht gelingen wollte und er nachdenklich den Kopf an die Brust seiner unerschütterlichen Geliebten legte, um vielleicht doch ein schnelleres Klopfen ihres Herzens zu hören, bemerkte er mit wachsendem Entsetzen, daß in ihrer Brust kein Herz schlug. »Wozu auch?« fragte sie ruhig. Da lief er aus dem Zimmer.

Im hohen Turmgemach oben erwartete ihn das dritte Mädchen. Sie nahm seine Hand und führte sie zum Willkommen an ihr laut schlagendes Herz, als wisse sie, was er bei ihrer Vorgängerin vermißt hatte. Dann ging sie mit ihm von einem großen Fenster zum anderen und erklärte ihm den Ausblick: »Dieses geht auf den Wald hinaus, und das auf die Wiese, und jenes auf die Felsen des Steilhanges.« Zu jeder Aussicht wußte sie etwas Kluges zu sagen. Sie hatte Kopf und Herz, daran war nicht zu zweifeln.

Die Sterne begannen schon zu erbleichen, als seine Liebkosungen dringlicher wurden. Anfangs erwiderte sie sie von ganzem Herzen, aber dann hörte etwas auf, oder es ging etwas nicht weiter. Das Stehenbleiben einer bis dahin unbeachteten Uhr bemerkt man manchmal so. Den Sieger fröstelte. Einen Atemzug lang fiel ihm die tierische Wärme des Weibes der untersten Kammer ein. Dem feuchten Dunst jenes halben Kellers war etwas beigemengt gewesen, was ihm nun fehlte. Schließlich erfuhr er es. Seine Schöne teilte ihm mit, daß sie keinen Schoß habe. Es fehle ihr weder an Kopf noch an Herz, aber er würde nie in ihrem Schoß liegen und sie nie ein Kind von ihm empfangen können.

In diesem Augenblick muß in ihm die Raserei des überstandenen Krieges ausgebrochen sein. Er schrie etwas Unverständliches und stürzte sich aus dem zerklirrenden Turmfenster auf die Steine des Steilhangs hinab. Von seinem Schrei erzitterte die Luft, und vom Aufprall des Körpers erbebte die Landschaft im tiefsten Grund.

Auf der Wiese, wo der Tau im steigenden Morgenlicht blinkte, erwachte sein niedergeworfener Gegner aus todesähnlicher Betäubung. Etwas wie ein fernes Dröhnen schien ihm in allen Gliedern nachzuschwingen, und in seinen Ohren sauste es.

Langsam erhob er sich. Die ersten Vögel fingen zu singen an. Nirgends ein Feind. Nur Wald und Wiese dehnten sich um ihn, und es wurde Tag.

Die drei Frauen sind vor allem ein Stück Mythologie, obwohl sie daneben auch noch eine der gewohnten ›Vertauschungen‹ des Soldaten enthalten, nämlich die Vertauschung der Rollen von Sieger und Besiegtem.

Diese Arbeit ist die erste Geschichte seit seiner Einlieferung ins amerikanische Armeehospital, in der es keinen Sarkasmus, keine Bitterkeit, keine versteckten persönlichen Andeutungen mehr gibt. Daß er das alles nicht mehr nötig hatte, bezeugt die Besserung seines Zustandes zu jener Zeit.

Seinen wichtigsten Symbolen kann sich der Verfasser aber auch hier nicht entziehen. Auch hier sind Liebe und Tod im Lauf einer einzigen Nacht vereint. Die drei Frauen, die in Wahrheit offenbar eine dreifaltige Frauengestalt sind, treten zuletzt als Todesgöttin auf. Die Querverbindungen zu den früheren Arbeiten sind zu zahlreich, um hier einzeln angeführt zu werden.

Übrigens scheitert der Held nicht an der Frau oder an den drei Frauen, sondern an seiner eigenen Unzulänglichkeit, die daher rührt, daß er selbst nur ein *halber* Mann ist. Seine andere Hälfte ist der scheintote Gegner auf der Wiese.

Die Nacht im Turm ist wahrscheinlich nicht eine Allegorie auf die Zeit im Armeehospital, sondern steht für die Nacht in Helgas Zelle. Dementsprechend ist sie als die Erfahrung dargestellt, die den ›Sieger‹ zu Fall gebracht hat, und dieser Fall selbst wird vom Zerbrechen eines Fensters begleitet.

Es gibt eine Stelle in mir, die tut manchmal weh. Nicht von selbst, auch nicht ohne Grund, sondern nur, wenn ich bestimmte Bewegungen mache. Wenn man ›Aah‹ sagt, richtet sich das Zäpfchen auf, und man kann in den Hals hineinsehen. So ähnlich muß es auch mit diesem Schmerz sein.

Er ist so heftig, daß er mir nie die Kraft läßt, festzustellen, wo er eigentlich sitzt. Vielleicht sitzt er nirgends mehr. Man kennt das von Gliedern, die noch weh tun, wenn sie schon amputiert sind. Man verwechselt den Nervenstrang mit seinem Ende, den Weg mit dem Ziel oder mit dem Anfang. So kann ich nicht einmal sicher sagen, ob mich etwas quält, was wirklich in mir ist, oder etwas, was ich gar nicht mehr habe, sondern was mir verlorengegangen ist, vielleicht schon vor längerer Zeit, wahrscheinlich sogar ohne mein Wissen.

Der Schmerz ist ein Brennen, nicht wie eine Wunde brennt, sondern wie eine Flamme. Es könnte eine Stichflamme sein, oder, noch genauer, scharfes, schmelzglühendes Glas. Ich nehme also an, daß irgendwo in mir eine sehr heiße Stelle sein muß, vielleicht ein ganzes Nest solcher Stellen. Jedenfalls brennt dort etwas.

Der Schmerz tritt offenbar dann ein, wenn ich mich durch eine falsche innere Bewegung gerade dort berührt habe, wenn ich irgendwo in mir angekommen bin. Das gibt es ja; es ist vielleicht ähnlich dem Pochen der Herzspitze gegen die Brust.

Ob diese schmerzhafte Bewegung eine seelische oder eine körperliche ist, weiß ich nicht. Hätte ich eine Ahnung, wo der Schmerz eigentlich sitzt, so könnte ich darüber mehr sagen. Aber davon fehlt mir jede Vorstellung. Ich kann es auch nachträglich niemals bestimmen, denn ist der Schmerz einmal da, so verläßt er mich erst ganz zuletzt, wenn mir die Sinne vergehen.

Natürlich müßte ich versuchen, etwas dagegen zu tun. Aber das ist nicht leicht. Im Anfang, als ich mir darüber noch allenthalben Rat holen wollte, wurde mir erklärt, mit meinen Beschreibungen lasse sich nicht viel anfangen. Woher wisse ich denn überhaupt, daß es sich um eine heiße Stelle handle?

Das Brennen könne ebenso von übermäßiger Kälte herrühren, von inneren Erfrierungen.

Das mußte ich zugeben. Vielleicht trage ich in mir keine brennend-heiße, sondern eine unerträglich kalte Stelle herum. Diese Kälte könnte zum Beispiel dadurch entstanden sein, daß ich dort etwas verloren habe, dessen Wärme mir nötig war.

Wenn das wirklich so ist, dann versteht sich von selbst, daß mich ein Mittel gegen Hitze auf der Stelle töten könnte, ebenso wie im umgekehrten Fall ein Mittel gegen Kälte. Deshalb läßt sich beim heutigen Stand der Wissenschaft nichts gegen diesen Schmerz tun.

Ohne jede Behandlung wird er natürlich nach und nach größer. Vermutlich dehnt sich die schmerzhafte Stelle aus, der Brand – oder die Erstarrung – ergreift auch benachbarte Organe und Gewebe. Vielleicht verzehrt mich das mit der Zeit von innen her, oder es wird schließlich in Brandwunden da und dort durch die Haut austreten.

Das alles ist nicht nur schmerzhaft, sondern auch sehr peinlich und ein wenig würdelos und lächerlich. Es gibt eine Geschichte von einem uralten Wappen, das einen Löwen, ein Lamm und eine Lilie enthielt. Eines Tages wurde das Lamm ungeduldig und fraß die Lilie. Der Löwe konnte sich nicht länger bezähmen und verschlang das Lamm. Wild geworden vom Blut, begann er sich darauf einen Weg durch das verschlungene Rankenwerk seines Wappens zu beißen und zu reißen.

Ich habe diese Geschichte vor langer Zeit gehört. Ich war fast noch ein Kind, aber ich habe sie mir gut gemerkt. Falls wirklich ich der Ort ihrer Handlung bin, so ist der Löwe jetzt wahrscheinlich schon am äußersten Rand der Wappenverzierungen angelangt, bei den Palmzweigen.

Manchmal fühle ich auch wirklich schon einen Zahn, vorn in der Stirne unter der einen Schläfe, oder tief im Auge die Spitze einer Kralle, die sich von innen her ungeduldig vorstreckt.

Der Schmerzensmann entstand gegen Ende des Aufenthaltes im amerikanischen Armeehospital. Diese Arbeit enthält zwei Anzeichen der Besserung des Gesundheitszustandes des Soldaten, die einander scheinbar widersprechen. Erstens kehrt er langsam aus der Sphäre des Persönlichen zu allgemeineren Betrachtungen zurück. Diese Entwicklung hat sich schon im *Weg durch den Kopf* angebahnt, wurde im *Drachen* fortgesetzt und wird hier trotz der Ich-Form zu Ende geführt.

Zweitens trägt diese Arbeit einen Bleistiftvermerk: ›Keine Umschreibung mehr.‹ Und tatsächlich stellt sich der Soldat hier zum ersten Mal wieder seinem eigenen Schmerz. Er gesteht ihn ein. Die Form ist zwar sichtlich von Kafka beeinflußt, aber, wie er mir einmal in einem anderen Zusammenhang geschrieben hat: ›In jedem neuen Stadium der künstlerischen Entwicklung ist man genau wie ein Einsiedlerkrebs, dem sein altes Schneckenhaus zu klein geworden ist und der jetzt mit seinem weichen Hinterleib verzweifelt Deckung sucht, ganz gleich, wo.‹

Eigentlich müßte diese Geschichte den Titel *Der Fingerdeuter* tragen, denn nach Angabe des Soldaten wurde sie von der Erinnerung an Albrecht Dürers berühmte Zeichnung des Fingerdeuters angeregt, in der der kranke Meister kurz vor seinem Tod die Stelle, wo er Schmerzen hatte, angegeben hat. Da aber im amerikanischen Armeehospital eine Reproduktion nicht aufzutreiben war, glaubte der Soldat, der Name dieser Zeichnung sei *Der Schmerzensmann*. Als er den Irrtum später entdeckte, hatte er sich an den Namen seiner Geschichte schon gewöhnt.

Auf Wunsch des Soldaten hier noch zwei Hinweise: Der kalte oder brennende Schmerz als Folge eines irreparablen Verlustes wird verständlicher, wenn man sich erinnert, daß knapp vor dieser Arbeit die beiden kurzen Skizzen *Sein wirkliches Herz* und *Die Geschichte vom Mann mit dem starken Willen* entstanden, die vom Herzherausreißen berichten und in der ersten Gruppe, *Fünf Umschreibungen einer Begegnung,* abgedruckt sind.

Zweitens, erst in dieser Arbeit *Der Schmerzensmann,* also gegen Ende des Aufenthalts im Hospital, wird die Angst vor dem Wahnsinn zum ersten Mal klar ausgesprochen, im Schlußsatz. Zuvor wurde sie nur umschrieben.

I. Don Quijote

Natürlich hat sich das alles ganz anders zugetragen, als es berichtet wird. Aber es hat sich auch nicht einfach irgendein Schreiber die Taten des Herrn von La Mancha aus dem Ärmel geschüttelt.

Die Wahrheit ist vielmehr, daß Don Quijote, ein Junker in den besten Jahren, der allerdings ungewöhnlich lang und hager war und eine Stute von entsprechender Statur zu reiten pflegte, eines Tages, als er über Land ritt, im Licht der Nachmittagssonne seinen Schatten – und den seines Pferdes – störend empfand. Ob dieser Empfindung, die sich des öfteren wiederholte, ging er mit sich zu Rate, und es wurde ihm klar, daß ihn der Schatten absonderlicherweise an einen der Reiter aus der Offenbarung des Johannes erinnerte.

Nun war Don Quijote ein belesener und aufgeklärter Herr, allen absonderlichen Vorstellungen abhold, und – im ganzen – ruhigen und heiteren Sinnes. Er hielt dafür daß ein herzhaftes Gelächter alle Schatten zu bannen vermöge. Also begab er sich zu seinem Freund, dem Gefängnisgouverneur von Argamasilla. Dieser Gefängnisgouverneur beherbergte nämlich unter seinen unfreiwilligen Gästen einen armen Teufel, der aber – obwohl, wie es hieß, nur noch ein Schatten seiner selbst – weithin als einer der einfallreichsten Gesellen bekannt war. Diesen Mann, einen gewissen Don Miguel de Cervantes Saavedra, beauftragte nun der Herr von La Mancha, ihn selbst und seine närrischen Vorstellungen nach Kräften ins Lächerliche zu ziehen, und zwar in einem richtigen Buch. Es solle sein Schaden nicht sein. Dies scheint dem Gefangenen auch ganz vortrefflich gelungen zu sein.

Eine alte Quelle allerdings behauptet, Don Quijote habe bei wiederholter Lektüre des Don Quijote dessen Lustigkeit nach und nach so entsetzlich gefunden, daß es ihn mehr und mehr drängte, sich lieber doch in eigener Person zu Pferd und auf freiem Feld im Schein der untergehenden Sonne den langen Schatten zu widersetzen.

Das unausgesetzte Lesen seiner eigenen Geschichten soll einen immer tieferen Schatten auf sein Dasein geworfen

haben, bis er es nicht mehr ertrug und schließlich, in vorge-
rücktem Alter, nur von einem seiner Bauern begleitet, eines
Abends nach Sonnenuntergang finster blickend hoch zu Roß
in die Nacht hinauszog.

II. Der Ungetreue Hirte

Hast du jemals ein Menschenkind nicht gerettet, das seine
Hoffnung in dich gesetzt hatte? Dann fühlst du dich betroffen, wenn vom Ungetreuen Hirten die Rede ist.
Der Ungetreue Hirte läßt seine Schafe im Stich. Soviel
wissen wir, den Rest müssen wir erraten. Nun belehrt uns
jedes Wörterbuch für Redensarten, daß mit dem Stich
unsprünglich der Lanzenstich im ritterlichen Kampf gemeint
ist. Wer aber sticht mit Lanzen nach Schafen? Doch nur unser
Herr von La Mancha. Verhält es sich aber so, dann dürfen wir
über den Hirten nicht vorschnell den Stab brechen, sondern
wir müssen vielmehr eine Lanze für ihn brechen, für ihn und
für Recht und gute Sitte, denen er hier Rechnung trägt. Der
Hirte ist doch entweder einer von den Leuten des Herrn von
La Mancha selbst oder ein Untergebener eines seiner ritterlichen Kumpane. In beiden Fällen hindert ihn der schuldige
Respekt, die Absichten eines Herren von Stand zu durch-
kreuzen, selbst wenn diese seinem Schäferverstand wahnwit-
zig erscheinen. Der Hirte wird also der Bescheidenheit seines
Standes und allen Satzungen der schuldigen Ehrerbietung
untreu, wenn er dem Herren nicht gibt, was des Herren ist.
Der wahrhaft gute Hirte aber ist treu und ergeben und läßt
deshalb angesichts der höheren Gewalt seine Schafe demütig
im Stich.

Die Wahrheit über Don Quijote und den Ungetreuen Hirten trug
ursprünglich den Untertitel ›eine Antwort an K.‹ Damit war Franz
Kafka gemeint, dessen Skizze ‹*Die Wahrheit über Sancho Pansa*› der
Soldat kurz nach dem Krieg in einer von den Engländern begründe-
ten deutschen Zeitschrift las. Es war die erste Arbeit Kafkas, die er
kennenlernte. Erst viel später, in Amerika, las er dessen Werke
systematisch.
Die vorliegende Arbeit ist gewissermaßen eine Betrachtung dar-

über, wie wenig zuweilen tiefe Einsicht in das eigene Schicksal nützt. Don Quijote ist hier kein törichter, altmodischer Wirrkopf, sondern ein kluger Mann, der mit allen Mitteln der Aufklärung gegen seine absonderlichen Vorstellungen ankämpft. Sein Los wird dadurch aber zuletzt nur schlimmer als die romantische Verwirrung des alten Ritters von der Traurigen Gestalt.

Hier eine Stelle aus einem Brief des Verfassers: ›Cervantes wird mir schon verzeihen! Ich verfälsche gar nicht so arg. So ein Ritter der Aufklärung ohne Furcht und Tadel ist ja in Wirklichkeit erst recht ein Don Quijote. Das Schicksal ist immer viel besser beritten als wir auf unseren heu- und benzinfressenden verschiedenartigen Rosinanten. So muß es nur einen Bogen mehr reiten; dann kann es wieder von hinten kommen und hat uns trotz unserer Gegenzüge nach wie vor am Kragen. Aber bitte, halte mich wegen dieser Ketzerei ja nicht für einen Feind der Aufklärung! Im Gegenteil: wer gegen die ratio kämpft, wird immer ein Obskurantist. Nur bin ich für ,aufgeklärte Aufklärung‘, wie ich das nenne, die darüber Bescheid weiß, wie klein der Anteil der Vernunft an unseren Trieben, Gedanken und Entscheidungen ist. – Die ,unaufgeklärte Aufklärung‘ öffnet nämlich durch ihre dogmatische Selbstüberschätzung zuletzt den Feinden der Vernunft Tür und Tor; siehe Deutschland 1933!‹

Der zweite Teil dieser Fabel. *Der Ungetreue Hirte;* setzt sich offenbar mit den Selbstvorwürfen des Soldaten auseinander, Helga nicht gerettet zu haben. Sonderbar ist, daß seine Verteidigung, es sei höhere Gewalt gewesen, durchaus annehmbar erscheint, von ihm aber damals nur als Selbstverspottung gemeint war.

IV. Vom Weiterleben

SPRUCH

Ich bin der Sieg
mein Vater war der Krieg
der Friede ist mein lieber Sohn
der gleicht meinem Vater schon
[aus den Gedichten des Soldaten]

Nach der Entlassung aus dem amerikanischen Militärhospital wurde der Soldat nach New York zurückgeschickt und demobilisiert. Die hier folgenden Geschichten und Betrachtungen enthalten Spuren seiner Versuche, einen neuen *modus vivendi* zu finden, sich einzuordnen oder resignieren zu lernen.

Das Blut lag still und hüllte die Klippen in seinen rosa Widerschein. Gedämpft schlug es an den Strand, nicht lauter als vielleicht ein Herzschlag; dort, wo es Herzen gibt, die innen an Leiber schlagen.

Aber dann erhob sich ein Winken an der Küste, und ein Geflüster ging um. Die schönen, blassen Inselbewohner kamen zum Ufer hinab. Sie gingen ein wenig schneller als sonst.

Ratlos umstanden sie die Stelle am äußersten Rand, wo seit jeher der Kahn vertäut gelegen hatte, ein klobiges, breites Ruderboot, längst rostbraun verfärbt vom eingefressenen Blut.

Das Boot war verschwunden, und die weißen Uferknochen unten an der Blutlinie waren durcheinandergeworfen, von Spritzern befleckt, oder zu Staub und morschen Splittern zertreten.

Sie standen und schwiegen. Nach einer Weile kam das verlorene Boot wieder in Sicht. Langsam glitt es den Horizont herauf und trieb mit nachstreifenden Rudern der Küste zu, leer, von niemandem gefahren oder gesteuert. Leise knirschten die Knochen, es war aufgelaufen.

Zwei oder drei Inselbewohner beugten sich über die Bootswand. Sie spürten fremdartigen Geruch und sahen auf der Ruderbank durchsichtige farblose Tropfen. »Tränen.« – »Und Schweiß.«

Sie machten das Tau wieder fest, an seinem alten Ort, dem knollig verdickten Ende eines gigantischen Vorzeitknochens, der aus dem Ufergebein aufragte.

»Ein *Mensch* war hier. Er hat das Boot losgemacht und ist fortgefahren.«

Betreten gingen die Bewohner auseinander. Auch die wenigen Inselkinder waren mitgekommen, aber nun liefen sie erschrocken davon und verschwammen weißlich zwischen den weißgrauen Steinen.

»Einer mit Schweiß in den Poren, einer mit Tränen in den Augen«, sagten die Frauen mit leisem Ekel und schienen fast rascher zu atmen, »einer mit Blut innen in den Adern.«

In ihrer Unsicherheit hielten sie kaum noch den Abstand ein. Sie hätten nur den Arm ausstrecken müssen, um ihre Begleiter mit den Fingerspitzen berühren zu können.

Am Ufer ist wenige Wochen nach der Entlassung aus dem amerikanischen Armeehospital geschrieben. Stilistisch erinnert es ein wenig an *Die drei Frauen.*

Ein Kranker, der in einer Heilanstalt der Genesung entgegengeht, fühlt sich oft wohler als nach seiner Entlassung, wenn er sich wieder im Leben zurechtfinden muß. Das zeigt sich auch in dieser Arbeit. Grauen und Bitterkeit, die in *Die drei Frauen* schon fast überwunden waren, treten hier sehr deutlich zutage. Außerdem aber ist diese Arbeit offenbar die ›Umschreibung‹ der Seefahrt des Verfassers, die ihn aus dem Nachkriegseuropa, das er hier als Reich der Schatten und des Blutes empfindet, nach Amerika zurückbrachte. Bei allem Grauen steht zwischen den Zeilen doch der Entschluß weiterzuleben, vielleicht sogar unbekümmert um das, was er hinter sich zurückläßt.

Daß damit auch seine eigenen Erlebnisse und Bindungen gemeint sind, ist mehr als wahrscheinlich.

Vor dem Schwert, das über ihren Köpfen hing, hatten sie keine Angst, denn es war an einem starken Strick verläßlich festgemacht, der von einem gewaltigen Haken oben im Gebälk niederhing.

So war es ihnen eine liebe Gewohnheit geworden, zu der blinkenden Schwertspitze aufzuschauen und die langsamen Drehungen der alten Waffe um ihre eigene Achse zu beobachten. Ähnlich einem Stern schien sie immer genau über dem Kopf des Beobachters zu hängen, wo er auch stand, so daß es kein Entrinnen gab.

Seit wann das Schwert so aufgehängt war, wußten sie nicht, aber sie hatten mit ihren Feldstechern festgestellt, daß der Knoten oben am Haken und die Schlinge unten um den Schwertknauf kunstreich geknüpft waren, nach einer längst vergessenen uralten Methode. Die scharfen Gläser hatten noch etwas entdeckt, was man mit freiem Auge nicht feststellen konnte: Um den Knauf des Schwertes war auch ein langer purpurner Faden gebunden, der lose niederhing und offenbar zu nichts gut war.

Eines Tages, als man eben beriet, ob man diesen störenden und wohl nur zufällig dahin geratenen Faden nicht von Handwerkern entfernen lassen solle, verstummte das laute Gespräch. Keiner hatte gerufen oder mit dem Finger gezeigt, aber alle sahen hinauf.

Stille. Jeder einzelne in der schreckensstarren Menge sah, wie hoch oben, genau über seinem Kopf, der Strick zu reißen begann und sich, Strähne um plötzlich befreite Strähne, in Schlangenbewegungen in der Luft wand, zu schlenkerndem Leben erwacht. An Ausweichen war in der dichtgedrängten Menge nicht zu denken, außerdem konnte sich keiner dem Bann der Schwertspitze entziehen.

Als die letzte Strähne riß, tauchte das Schwert einen Augenblick lang lotrecht nieder. Dann aber blieb es mitten in der Luft schweben, durch ein Wunder in seinem Fall gehemmt. Der rote Faden hatte sich in einem zähen, uralten Spinnennetz verfangen, das von Balken zu Balken gespannt war.

Seither sind Jahre vergangen. Im Anfang wurde viel davon gesprochen, einen neuen Strick anzubinden oder das Schwert an einen sicheren Ort zu bringen. Aber man konnte sich nicht einigen, so blieb schließlich alles beim alten. Nur die Stimmung der Leute ist nicht mehr ganz dieselbe wie vor dem Reißen des Stricks.

Ein Wunder trägt den Bleistiftvermerk: ›Angeregt vom Uhrbann in Alfred Kubins *„Die andere Seite‘.*‹ Aber der Soldat konnte sich nicht mehr erinnern, wieso ihn diese Stelle aus Kubins Buch zu seiner Fabel angeregt hat, und auch ich konnte es beim Lesen Kubins nicht herausfinden.

Daß diese Geschichte vom Weiterleben nach Eintritt einer Katastrophe handelt, ist freilich eindeutig. Die Katastrophe besteht offenbar darin, daß etwas, was sicher schien, vernichtet wurde. Andererseits sind die erwarteten tödlichen Folgen nicht eingetreten.

Trotz allem Spott ist das wesentlich Wunder, daß das Schwert nicht gefallen ist, ernst genommen. Die Erklärungen dafür sind freilich sehr deutlich *ad hoc* dazufabuliert, gehören also eigentlich mit zum Spott. Es ist ein Spott, der sich auch in anderen Arbeiten findet, zum Beispiel in *Der Weg durch den Kopf* und *Der Brand*.

Nur einmal zuvor hatte ich auf einem Pferd gesessen, als Kind, auf einem alten Grauschimmel, der sich nicht gerührt hatte. Mich aber mußten sie damals weinend aus dem Sattel heben. Doch nun war auch dieses Maß voll, und es hieß Reiten!

Ich war in den Wildpark am äußersten Westrand der Stadt hinausgefahren, denn es hieß, man könne dort Pferde mieten, geduldige, längst zugerittene Tiere. Ich nahm eines, saß unbeholfen auf ... und auf und davon! Als ich erst im Sattel saß, ging es ganz von selbst.

Der eine Baum trug dunkelgrünes glattes Laub, der andere war abgestorben. Wir ritten zwischen den beiden durch und kamen auf einen schmalen steilen Weg. Er stieg ganz plötzlich an, überraschend, ohne daß eine Hebung des umliegenden Geländes den Näherkommenden vorbereitet hätte. Mein Pferd griff aus, und ich – im ersten wippenden, wohlig trägen Gefühl des Getragenseins – hatte die Zügel locker gelassen. Ich kam erst wieder zur Besinnung, als wir auf unserem Weg schon berghoch über dem Wildpark waren.

Es wehte ein scharfer Wind. Vögel kamen vorbei und umkreisten uns auf sonderbare Art, indem sie rechts oder links aufflogen, über unsere Köpfe segelten, sich auf der anderen Seite fallen ließen und dann, auf ausgebreiteten Schwingen unter unserem Weg hindurchkreuzend, nahe der Stelle ihres ersten Hochfliegens wieder auftauchten.

Um uns starke, reine Höhenluft, so rein, daß sie schwer zu ertragen war. Weil der Weg einsam dahinlief, ohne Höhenlandschaften mit Alpenblumen oder Nadelwäldern, war diese Luft sozusagen nackt, frei von gefälligen, abschwächenden Alm- und Waldaromen.

An Umkehr war auf dem schmalen Pfad nicht zu denken, auch war ich nicht ausgeritten, um einen einmal beschrittenen Weg nicht bis zu seinem Ende zu verfolgen. An einer offenen Stelle zwischen zwei Wolken fielen rauschend und in allen Regenbogenfarben aufblinkend die Sonnenstrahlen in die Tiefe. Ob das Licht selbst diesen dunklen, fast unhörbaren Ton hervorbrachte, etwas wie ein volles, beruhigendes Summen, oder ob nur die erhitzten Dämpfe der weißleuchtenden

Wolkenränder in den heißen Strahlen aufbrausten, das ließ sich im Vorüberreiten nicht sagen.

Als der Weg abbrach, konnte das Pferd nicht mehr stehenbleiben, denn es war rasch getrabt, und das Ende kam plötzlich. Außerdem hatte ich ihm im letzten Augenblick noch die Sporen gegeben. So verließ es das äußerste Wegende mit allen vieren zugleich und brach tief in die durchsichtige Luft ein, die bisher kaum wahrnehmbar gewesen war, nun aber spürbar über uns zusammenschlug. Hätte diese Luft nicht vor aufatmender Wärme da und dort gezittert, Wellen geschlagen oder sich zu Schlieren und Locken gedreht, so hätte ich sie gar nicht bemerkt und hätte geglaubt, im Leeren zu reiten.

Trotz meiner Sporen verfiel das Pferd in eine langsamere Gangart. Geräuschlos stapften die Hufe, der Rhythmus des Pferderückens hatte sich verändert, und mir unerfahrenem Reiter wurde es schwer, meine Haltung zu bewahren. Es war, als sei nun der eigentliche Träger meines Gewichtes der Pferdeleib selbst, nicht mehr die Beine und Hufe, die ebenso federnd nach unten zu hüpfen schienen, wie ich selbst im Sattel bei jeder Bewegung nach oben wippte. Eher hatte ich noch das Gefühl, selbst mein Pferd zu tragen, als daß diese wippenden Hufe das Tier oder mich trugen.

Zu guter Letzt ertrug ich es nicht mehr. Vielleicht wollte ich auch der Luft keine zu große Last an einer einzigen Stelle zumuten. Ich saß ab und ging neben dem Pferd her. Die eine Hand lag im Nacken des Tieres um einen Lederriemen.

Nun empfand ich selbst, was es hieß, so zu gehen. Gewiß, es war ein unmöglicher, ein unmenschlicher Weg und Gang. Aber es ging, es ging sogar weiter in der vorbestimmten Richtung. Nicht schnell, denn ich sank bei jedem Schritt ein, und von den gewohnten und sonst gar nicht mehr wahrgenommenen Empfindungen des Gehens war nichts mehr gültig. Diese Empfindungen selbst wurden jetzt stark, aber nur in mir, nicht im Gehen, an dem sie keinen Anteil mehr hatten. Es war wie der regelmäßige Schritt einer Uhr, deren Ticken durch ihr Stehenbleiben hörbar wird.

Der Weg durch die Luft war nicht weich, wie das vielleicht denkbar wäre, etwa weicher als eine verschneite Straße, sondern er war überhaupt nicht, und das war eine ganz andere Empfindung. Die harten Fußsohlen ertrugen es leicht, vielleicht weil die Reitstiefel sie schützten, wenigstens nach außen. Doch aus dem Inneren der Füße drängte Fleisch und Blut abwärts, verbrannte von innen die Haut und bohrte und stach unerträglich. Früher hatte der Boden diesen Druck erwidert, beständig, mit gleichstarkem Gegendruck, und ihn gestillt. In den Boden hatte mein Fleisch und Blut vielleicht auch nicht versinken wollen. Aber das Bodenlose nun, das zog und sog.

Kein Schwindelgefühl, keine Angst vor dem Sturz, doch das brennende Nagen innen in meinen Sohlen war nicht mehr zu ertragen. Wenigstens das Pferd, das nicht einmal mir gehörte, wollte ich nicht unnötig gefährden. Mit etwas Glück würde es vielleicht noch von selbst in seinen Stall zurückfinden. So gab ich ihm zum Abschied einen leichten Schlag auf den Nacken und ließ es los.

Kaum aber berührte ich es nicht mehr, da stürzte es lotrecht ins Bodenlose, als hätte nur meine Berührung es gehalten. Dabei wieherte es laut, und dieses Wiehern – es war mehr ein Schrei – wurde immer schwächer und schwächer, je tiefer es fiel, hörte aber nicht mehr auf. Wie man aus einer Schiffsmaschine oder aus rollenden Eisenbahnrädern alles hören kann, so schrie es aus diesem Wiehern: »Warum? Warum? Warum?«

Ich aber wußte selbst nicht mehr, was mich in den Wildpark geführt und zu dem ungewohnten Abenteuer eines Sonntagsrittes getrieben hatte.

So ging ich nachdenklich weiter, schuldiger geworden um mein Pferd. Es ist uns nicht gegeben, auf irgendeinem Weg fortzuschreiten, ohne uns zu vergehen. Und im Weglosen, wo die Schritte unvergänglich sind, gilt das noch mehr ... Das Gehen selbst aber war nun wieder anders geworden. Das Zerren nach unten war nicht mehr so stark, vielleicht hatte nur das Tier in seiner schweren Angst so an mir gerissen. Nun begann sogar das Wippen wieder, ganz von selbst, wie zuvor im Reiten. Vielleicht ritt ich wirklich wieder, denn nun führte ich mein Pferd ja nicht mehr neben mir an der Hand, sondern ich hatte es irgendwo unter mir, wo das Wiehern noch nachzitterte. Vielleicht wurde ich wieder getragen, jedenfalls ging ich nicht mehr. Es wäre nur nötig gewesen, meine Arme auszustrecken und mit gespreizten Fingern nach unten zu schlagen, und ich wäre geflogen, wie ich als Kind im Traum treppauf, treppab schweben konnte, dicht über die Kanten der Stufen hin.

Als der Weg mit einem Mal wieder anfing, wäre ich fast durch den plötzlichen Ruck hintüber aus dem Sattel ins Bodenlose gefallen. Das Pferd war magerer und älter geworden, sonst aber schien es wohlauf; ich wunderte mich, daß ich es nicht gleich unten im Wildpark wiedererkannt hatte.

Der Weg führte nun durch eine Ebene, und die dunklen Vögel zogen ihre Kreise nur noch um unsere Köpfe, nicht wie zuvor unter uns durch. An sich war das beruhigend.

Es kam mir in den Sinn, daß diese ziemlich trostlose Ebene das unzugängliche Gebiet sein mußte, in dem die Armee ihre neuen Geschosse erprobt. Wirklich waren da und dort Trichter und zersplitterte Bäume zu sehen, und auch ein sonderbarer, feiner, roter Staub, an dem Fliegen und allerlei Käfer gierig fraßen. Ich tätschelte meinem alten Pferd den Nacken: »Wird nicht so schlimm sein, Grauer«, meinte ich, laut, um die Stille zu unterbrechen, »nach dem, was wir überstanden haben, ist das ein Kinderspiel!«

Das letzte, dessen ich mich entsinnen kann, war ein Gefühl großer Ruhe. Es war ja auch nicht wirklich Krieg, und so mußte es doch ein Warnungszeichen geben, ehe sie etwas taten. Und wir hatten endlich wieder festen Boden unter den Füßen.

Ein Ritt enthält ein ähnliches Wunder des Weiterlebens wie die vorige Arbeit. Wurde dort das Schwert mehr oder minder im Leeren getragen, ohne zu fallen, so widerfährt das hier der Ich-Person selbst.

Interessant ist eine merkwürdige Wirkung der Geschichte: den wundersamen Ritt durch das Leere kann man verstehen. Erst gegen Ende, wenn der Reiter sich an vernünftelnde Erwägungen klammert und wieder festen Boden unter den Füßen zu haben glaubt, hat man das Gefühl, er werde im nächsten Augenblick von einer Katastrophe überwältigt werden.

Diese Arbeit, die erst geraume Zeit nach der Rückkehr des Soldaten nach Amerika entstanden ist, beschreibt, oder besser gesagt ›umschreibt‹ auch schon das erste Heraufziehen der Angst vor einem neuen Krieg.

Eine Bleistiftanmerkung zum Manuskript lautet: ›Ein ganz schön unglückliches *happy-end.*‹

Am Nachmittag kamen die Wolken, und es begann zu regnen. Die Stubenmädchen in den Häusern der Oberen Straße eilten von Zimmer zu Zimmer und machten die Flügelfenster zu. In der Unteren Straße zogen Frauen schimpfend die Wäsche von den Leinen, die von Haus zu Haus gespannt waren. Es fielen aber nur wenige Tropfen.

Die Fenster wurden wieder geöffnet. Sie blinkten in der sinkenden Sonne. Im unteren Viertel hängte man die bunte Wäsche wieder auf. Durch enge Haustore wurde wackliges Möbelwerk hervorgezerrt; die Alten und die ganz Kleinen verbrachten den Abend vor den Häusern.

Später wurden die Kinder ins Bett gejagt; auch die Alten standen auf, trugen ächzend ihre Stühle und Schemel in die Häuser zurück und gingen schlafen.

Die Wirtshäuser waren noch laut; spät in der Nacht, um die Sperrstunde, kamen schwatzende, lachende Paare und Gruppen aus den Schanktüren; die meisten blieben noch stehen oder gingen auf und ab. Einige Angeheiterte zogen singend los und kamen bis ins obere Viertel. Dort wurden sie von Polizisten gutmütig zur Ruhe gemahnt und nach Hause geschickt.

Die Nacht war friedlich. Nur ein paar kleine Kinder schrien in der Unteren Straße. Oben – jenseits des Krummen Platzes, in den Vorgärten der besseren Häuser – mauzten verliebte Katzen ihr eigenes Kindergeschrei.

In einer Mietwohnung auf dem Krummen Platz starb in dieser Nacht ein alter Beamter. Er hatte einen raschen, ruhigen Tod, allein, kurz nach Mitternacht. Das Herz setzte aus.

Gegen Morgen wurde es kühl. Der Wind wehte die Straße hinab und trug den Geruch der blühenden Vorgärten in die flatternde Wäsche an den Leinen. Er berührte die Leitungsdrähte, und sie summten mit tiefem, traurigem Ton, und wo im unteren Viertel eine Fensterscheibe fehlte, dort drang kühle Nachtluft in die vollen Schlafkammern. Meistens aber waren die kleinen Fenster verrammelt.

Vor Tagesanbruch wurden die Leute in der Oberen Straße durch ein Geräusch gestört. Einige wachten auf, glaubten

Preßluftbohrer zu hören und murrten über die Straßenarbeiten zu nachtschlafender Zeit. Andere erwachten nicht sofort, hatten aber schwere Träume; mehr als einer fand sich beim Zahnarzt, fühlte das rasende Beben des Bohrers in seinem Mund und fuhr mit einem Schrei auf. Hunde wurden unruhig, spitzten die Ohren, zogen den Schwanz ein, legten sich flach hin und knurrten leise. Dann wurde das Rattern stärker.

Es konnte von keinem Preßluftbohrer kommen, denn es setzte nie aus. Es vibrierte in den Häuserwänden, erklirrte leise in Fensterscheiben und schwoll an, sehr langsam, aber ständig. Bald zitterte es durch die ganze Gegend.

In den Schlafkammern des unteren Viertels tappte der eine oder andere nach seiner Weckuhr, um das Läutwerk abzustellen. Als der Lärm sich nicht hemmen ließ, richteten sich manche im Bett auf und rieben sich den Schlaf aus den Augen, andere drehten sich brummend zur Wand. Es war aber schwer, noch Ruhe zu finden.

In der Oberen Straße ratterte es schon so laut, daß kein Mensch mehr schlief. Damen schellten um Kopfwehpulver, denn das Rattern zerrte an ihren Nerven. Manche hatten sich Bettücher und Decken um den Kopf gewunden und erstickten fast, aber das Rattern blieb um sie und drang in sie ein. Gedämpft zu dumpfem, durchdringendem Pulsen erschütterte es sie in seinem gleichmäßigen Rhythmus. Die Hunde und Katzen kratzten an den Zimmertüren um Einlaß. Diener und Stubenmädchen wurden auf die Straße geschickt, um etwas gegen den Lärm zu tun oder wenigstens seinen Ursprung festzustellen. Als sie ins Freie traten, fühlten sie ein Stechen in den Ohren, das sie zwang, den Mund aufzusperren. Weit und breit war nichts zu sehen. Anrufe bei der Polizei blieben schon unbeantwortet.

Gegen sieben Uhr morgens kam es in einer kurzen Sackgasse schon fast am Ende der Unteren Straße zu einer Versammlung. Aufgeregte Reden wurden gehalten, verwirrten sich aber durch den Lärm schon nach den ersten Worten und brachen mit ungewissen Drohungen und wilden Handbewegungen ab. Die meisten Frauen gingen zu ihren Kindern zurück, aber viele Männer blieben beisammen und zogen mit trotzigem Gesang die Straße hinauf, dem Lärm entgegen. Kaum hatten sie sich in Bewegung gesetzt, so begannen sie in den Takt des Ratterns zu verfallen. Das Rattern hob und senkte ihre Beine und zerhackte ihre Lieder. Aber die Marschierenden waren zornig und bemerkten das nicht.

Aus dem Dienstbotenflügel eines Hauses der Oberen Straße lief der kleine Junge des Gärtners und legte sein Ohr an das Pflaster, vielleicht durch irgendeine Wildwestgeschichte belehrt. Sofort verzerrte sich sein Gesicht, und er war nicht mehr vom Fleck zu bewegen. Er lag am Rand des Gehsteigs, das Ohr auf einem Quaderstein, schlug mit seinen dünnen, kleinen Armen den Takt des Ratterns aufs Pflaster und zeterte, wenn ihn jemand aufheben wollte.

Einige Diener und Chauffeure aus benachbarten Häusern folgten seinem Beispiel und horchten am Boden. Wirklich war das Rattern in der Erde noch gewaltiger als in der Luft. Sie gingen in die Häuser zurück und erstatteten ihrer Herrschaft Bericht. Der kleine Junge blieb liegen und schlug unermüdlich den Takt.

Die Arbeiter, die dem Lärm entgegengezogen waren, kamen nicht einmal bis zu dem Kind. Als das Rattern stärker wurde und mehr und mehr Fenster zu beiden Seiten der Straße zerbrachen, blieben sie stehen und steckten die Köpfe zusammen. Sie blickten die Straße hinauf und sahen nichts. Nur das Glas der zerbrochenen Fenster schlug scharf aufs Pflaster und bedeckte es mit Scherben und weißem Staub. Da machten sie kehrt. Die Alten und die Väter großer Familien, die als letzte im Zug marschiert waren, wurden nun, auf dem Rückweg, die ersten. Mit dem Rattern wuchs ihre Besorgnis, mit ihrer Angst ihr Marschtempo, zuletzt liefen sie. Einige verloren sogar im Laufen die Schuhe.

Hinter den Vorhängen der Oberen Straße hatte man das alles mißtrauisch beobachtet. Der Aufmarsch hatte den Bewohnern der besseren Häuser Unbehagen verursacht, der ungeordnete Rückzug aber erfüllte sie mit Entsetzen. Die Entschlossensten übergaben die Häuser der Obhut ihrer Bedienten, riefen ihre Chauffeure und fuhren mit Frauen und Kindern, Schmuck und Wertpapieren davon. Das Geräusch ihrer Autos war schon vom Rattern ausgelöscht.

Es gelang aber nur zehn oder zwölf Familien, auf diese Weise zu fliehen. Dann versagten die Motoren. Das heftige Zittern der Luft mußte etwas in Unordnung gebracht haben. Die Chauffeure waren nervös und konnten mit ihrem Reparaturwerkzeug nicht zurechtkommen. Zwei oder drei wurden auf der Stelle entlassen.

Die Telephonverbindungen innerhalb der Straße funktionierten noch. Zwar gab es wenig unmittelbaren Verkehr zwischen dem oberen und unteren Viertel, aber die Angestellten vieler Bewohner der besseren Häuser lebten auf dem Krummen Platz, der eigentlich kein Platz war, sondern ein Straßenabschnitt, der die Obere und die Untere Straße verband. So wurden zwischen dem oberen Viertel und dem Krummen Platz ängstliche Telephongespräche geführt. In der Unteren Straße wieder gab es billige Kramläden, deren Inhaber auch auf dem Krummen Platz wohnten. In diesen Läden versammelten sich die Arbeiterfrauen und lauschten aufmerksam den telephonierenden Ladeninhabern. Gelegentlich brachten sie auch ihre eigenen Neuigkeiten mit in den Laden.

So erstreckte sich das Nachrichtensystem über den Krummen Platz hin von einem Ende der Straße zum anderen. Solange der Lärm das Telephonieren noch nicht unmöglich machte, hörte man allerlei. Man erfuhr vom Zersplittern der ersten Fenster in der Oberen Straße, von der Zusammenrottung der Demonstranten im unteren Viertel und von einer seltsamen religiösen Frauenkundgebung auf dem Krummen Platz.

Diese Kundgebung hatte mit einer Laienpredigt über den bevorstehenden Anbruch des Jüngsten Gerichtes begonnen und entwickelte sich zu einer Art Bittgang. Hunderte Bewohnerinnen des Krummen Platzes, meist ältere Frauen, zogen langsam, laut betend, die Obere Straße hinauf. Sie kamen an dem taktschlagenden Gärtnerkind vorbei. Schließlich, als der Lärm ihre Litaneien übertönte, warfen sie sich nieder und rutschten auf den Knien weiter, mitten auf der Straße, dem Rattern entgegen.

In den Häusern am oberen Straßenende hatte man schon zu telephonieren aufgehört, weil man sich nicht mehr verständlich machen konnte. Die meisten Bewohner hatten sich in die Keller verkrochen, aber die Mutigsten standen, Watte in den Ohren, an ihren zersplitterten Fenstern.

Sie sahen die Frauenprozession, von der sie schon am Telephon gehört hatten, die Straße hinaufrutschen, geführt von einer großen, dürren Alten, deren graues Haar sich gelöst hatte und unordentlich von ihrem Kopf niederhing, wie Flechten von einem Waldbaum. Die Frauen rutschten über die Scherben der zerbrochenen Fenster hin, zerschnitten sich die Knie und hinterließen da und dort dünne Blutgerinnsel auf dem Pflaster. Die Kräftigeren hatten die Hände noch im Gebet gefaltet, die Gebrechlicheren aber stützten sich auf beide Arme, und ihre Bewegung in der Prozession war mehr ein Kriechen auf allen vieren als ein Rutschen auf den Knien.

Sonst war die Straße leer. Nur Vögel, denen vielleicht das Fliegen in der zitternden Luft verleidet war, hockten in Büschen und Zaunecken der Vorgärten. Ab und zu löste die Bewegung der Luft ein krankes Blatt von einem der alten Gartenbäume. Es fiel aber nicht geradewegs oder in tiefer-werdenden Kreisen, sondern in einer merkwürdigen Zickzackbewegung, deren scharfe Wendungen dem Beben entsprachen. Und dann sah man von den Fenstern und Balkonen den Punkt am oberen Straßenende, den Punkt, von dem das Rattern ausging und der rasch größer wurde und grau.

Bei seinem Anblick liefen einige der bisher Standhaften in die Kellerverstecke. Andere beugten sich weit vor und schienen unfähig, sich vom Fleck zu rühren. Wieder andere versuchten die Frauenprozession zu warnen, die nun mitten auf der Fahrbahn dem oberen Straßenende entgegenrutschte. Aber die Frauen setzten ihren Weg unbeirrt fort, obwohl wenigstens die Führerinnen der Prozession den Wagen nun schon deutlich sehen mußten.

Der Wagen fuhr trotz seines ungeheuren Getöses nur langsam und brauchte einige Minuten, um von den zwei winkenden Kindern zur Frauenprozession zu kommen.

Die Kinder hatten ihre Schulferien in einem der ersten Häuser der Oberen Straße verbringen dürfen. Sie gehörten entfernten Verwandten des Besitzers, der sie in der Eile seiner Flucht vergessen hatte. Nun standen sie Hand in Hand am Gartentor. Als der Wagen nahe kam, zogen sie ihre nicht mehr ganz reinen Taschentücher hervor und winkten.

Der Wagen war bis zu halber Höhe grau und undurchsichtig, darüber aus einer glasartigen Masse. Er fuhr auf Raupenketten. Er war nicht so groß, wie sein Lärm vermuten ließ, nahm aber doch die ganze Breite der Fahrbahn ein. Als die Kinder winkten, wendeten sich ihnen alle Mann auf dem Wagen mit einem Ruck zu, starrten sie ausdruckslos an und wendeten sich wieder ab. Keiner drohte oder machte sonst eine Bewegung. Dennoch erschraken die Kinder und begannen zu weinen.

Die Frauenprozession fand ein Ende, als der Wagen nur mehr wenige Schritte entfernt war. Die meisten Frauen standen auf und schwankten den Seiten der Straße zu. Einige, die schon zu erschöpft oder vom Blutverlust aus ihren Schnittwunden geschwächt waren, schleppten sich auf allen vieren auf den Gehsteig. Nur die knochige Alte rutschte auf den Knien geradeaus weiter, beide Hände zum Himmel erhoben.

Als der Wagen sie erfaßte, warf er sie um, riß ihr dann den Kopf ab, der sich mit seinem langen, grauen Haar in der Raupenkette verfing, in den nächsten Sekunden mehrmals auf das Pflaster schlug und schließlich in Stücke ging. Dann hielt der Wagen.

Der Lenker war kreideweiß geworden. Er stieg ab, neigte den Kopf leicht vor, preßte seine Hand gegen die Stirne und erbrach sich. Dann trat er dicht zur Leiche der Alten, beugte sich nieder und führte den Saum ihres Rockes, der vom Rutschen auf den Knien staubig und zerfetzt war, langsam an die Lippen. Die Frauen aus der Prozession, die zu seiten der Straße hockten, weinten laut; sie glaubten, er küsse das Kleid der Toten. Er benutzte es aber nur, um sich den Mund reinzuwischen. Dann stieg er wieder auf den Führersitz; der Wagen fuhr weiter.

Als der Wagen stehengeblieben war, hatten alle, die außer Sichtweite waren, aufgeatmet. Das Gärtnerkind, dessen Glieder vom Taktschlagen schmerzten, richtete sich auf, dehnte und streckte sich und begann ein wenig zu lächeln. Die Vögel in den Vorgärten stießen piepsende oder kreischende Rufe aus und flogen fort. Als der Wagen wieder weiterfuhr, griffen sich die Menschen ans Herz. Das Kind legte sein Ohr wieder an den Stein und schlug den Takt wie zuvor; nur die Vögel blieben verschwunden.

Der Wagen fuhr durch die leere Straße. Die eine Raupenkette zog eine deutliche Blutspur über die Fahrbahn, aber bald hinterließen nur mehr die Ränder ihrer Glieder blutige Male, und dann sah man überhaupt nichts mehr. Der Rhythmus des Ratterns war der gleiche wie zuvor.

Das Gärtnerkind hatte sich an diesen Rhythmus schon gewöhnt und paßte ihm seine Bewegungen mühelos an.

Seine Arme gerieten erst aus dem Takt, als der Wagen knapp vor ihm kreischend und schwerfällig schwenkte und mit der einen Raupenkette den Gehsteig erklomm, um es zu überfahren.

Der Wagen hatte aber zu stark geschwenkt und fuhr über das Kind weg. Es lag zwischen den Raupenbändern, ohne Schaden zu leiden. Der Lenker wußte das nicht; diesmal wurde ihm aber nicht mehr übel, sondern er fuhr sich nur mit der Hand über die Stirne und strich sein langes, rotes Haar zurück.

Die Fahrt ging weiter.

In der zitternden Luft lösten sich mehr und mehr Blätter von den Bäumen. Von Häuserfronten bröckelte Verputz ab. Durch die Schornsteine rieselte der Ruß in die Kamine zurück, aus denen er gekommen war, und überzog in den Zimmern die Teppiche mit einer dünnen, schwarzen Kruste. Der Wagen zermalmte die Glasscherben, über die er fuhr, zu feinem, weißem Staub. Fast alle Fensterscheiben, die zuvor der bewegten Luft noch standgehalten hatten, zerbrachen nun durch die Erschütterung des Erdbodens.

Nur in einem Haus einige hundert Meter unterhalb der Stelle, an der das Gärtnerkind lag, waren alle Fenster heil geblieben.

Als der Wagen vorfuhr, zitterten die Mauern, auf dem Dach kritzten die Schieferplatten, aber kein Fenster fiel. Der Wagen hielt, und der Lenker betrachtete das Haus. Es war ein moderner Bau mit glatter Fassade, dicht an die Straße gestellt, um mehr Raum für den Hintergarten zu gewinnen.

Drei Mann sprangen vom Wagen. Sie brachen das Haustor auf. Einer ging in den Keller und holte die Versteckten heraus. Der andere durchsuchte alle Zimmer und fand noch zwei Bewohner, die auf die Straße hinabgeblickt hatten. Der dritte öffnete die straßenseitigen Fenster des obersten Stockwerks. Dann wurden die Leute aus dem Keller und den Zimmern hinaufgeführt und aus den offenen Fenstern auf die Straße geworfen. Im Fallen streifte eine alte Frau einen Fensterflügel, so daß er ächzend hin und her schwang.

Die drei Mann verließen das Haus, der Wagen fuhr weiter und zermalmte die von den Hinabgestürzten, die sich noch bewegten.

So wurde vor allen Häusern verfahren, deren Fenster heil

geblieben waren. Als sich der Wagen vom Oberende der Straße entfernte, dauerte das Zusammentreiben und Hinauswerfen länger, denn je bescheidener die Häuser wurden, desto mehr Menschen wohnten darin.

In einem dieser Häuser an der Grenze zwischen der Oberen Straße und dem Krummen Platz kam es zu einem merkwürdigen Zwischenfall. Es war ein Altersheim für Bemittelte; die alten Leute warteten schon an den Fenstern. Einige weinten, einige beteten und einige schrieben zittrige Abschiedsworte an ihre Angehörigen, aber sie machten den drei Mann vom Wagen keine Schwierigkeiten, sondern warteten geduldig. Die ersten waren schon hinabgeworfen, da fiel ein lächerlich kleiner Spitz, der zum Haus gehörte, wütend die drei Mann an und fügte zweien von ihnen Bißwunden zu.

Sofort wurde mit dem Hinunterwerfen eingehalten, und die alten Leute verbanden die zwei Verletzten sorglich. Sie labten sie mit Kognak, sprachen den Stöhnenden gut zu und huschten in greisenhaft umständlicher Geschäftigkeit hin und her. Dann führten sie sie langsam zum Wagen hinab, entschuldigten sich beim Lenker für den Zwischenfall und wünschten den Gebissenen baldige Genesung. Der Hund habe schon seine Tracht Prügel erhalten, aber sie verstünden gar nicht, wie er so etwas habe tun können, und er werde sich ganz bestimmt nichts mehr zuschulden kommen lassen.

Der Lenker nickte; er schüttelte dem Ältesten die Hand, bedankte sich für die seinen Leuten erwiesene Freundlichkeit und schickte statt der Verletzten mit dem Alten zwei Freiwillige hinauf. Oben fingen die Freiwilligen den Hund, legten ihm einen Strick um den Hals und hängten ihn am Türstock auf. Dann erst warfen sie die übrigen Alten hinab.

Der Älteste sprach noch mit einem der Freiwilligen, erzählte ihm, daß er einen Enkelsohn seines Alters habe, an den er ihn erinnere, und holte schließlich eine abgegriffene Photographie aus der Tasche. »Da, junger Mann, sehen Sie selbst.« Der Freiwillige lächelte verlegen und zuckte die Achseln. Der alte Mann bat ihn, die Blumentöpfe vor seinem Fenster nicht zu beschädigen, wenn er ihn hinunterwerfen werde. Bereitwillig hob der Freiwillige das schwere

Blumenbrett ins Zimmer und setzte es auf den Boden. Der Alte nickte. Der Freiwillige ergriff ihn und warf ihn hinunter. Dann brach er eine Blume und steckte sie sich ins Knopfloch. Er zerschlug einige von den Töpfen aneinander und warf dem Alten drei Handvoll schwarzer Blumenerde nach.

Der Lenker unten war sichtlich ungeduldig geworden. Als ein noch rüstiger Greis auf einen hohen Haufen seiner Gefährten stürzte und nicht ernstlich verletzt war, vergaß er, ihn zu überfahren. Erst als der Alte laut lachend dem Wagen nachlief, hielt er an, ließ ihn vor die Kettenräder taumeln und tötete ihn.

Als der Wagen stillstand, war das Lachen des Alten weithin hörbar. Die Leute schüttelten sich, schlugen ein Kreuz oder fluchten. In der Straße erzählte man sich später, daß an jenem Tag nur zweimal gelacht worden sei. Das andere Mal aber hatten Leute vom Wagen gelacht.

Das war, als sie in einer Wohnung auf dem Krummen Platz den alten Beamten fanden, der in der Nacht gestorben war. Seine Fenster waren nicht zerbrochen, und so kamen auch zu ihm die drei Männer. Sie schlugen die Tür ein, sahen sich im Zimmer um, entdeckten ihn, glaubten ihn schlafend, räusperten sich, um ihn nicht zu unsanft zu wecken, riefen ihn, suchten ihn wachzurütteln und begriffen dann erst langsam, daß er tot war. Um sicherzugehen, schlug ihn einer noch mit seinem Stemmeisen zwischen die Beine. Als er reglos blieb, begannen die drei zu lachen. Das war das zweite Lachen. Es war aber kein lustiges Lachen, eher ein Lachen aus Verlegenheit.

Dann ging einer zum Wagen hinunter. Der Lenker nahm den Bericht entgegen und entblößte den Kopf. Er stieg langsam vom Führersitz und sah sich um.

Die Sonne stand schon hoch, aber ein leichter Wind wehte durch die Straße. Der Tag versprach schön zu werden. In einem Torweg in einiger Entfernung standen Frauen und sahen den Wagen unverwandt an.

Später erzählten diese Frauen von der seltsamen Schönheit der Augen des Lenkers, von seiner Traurigkeit und von der würdigen Art, wie er Befehle erteilte.

Er hieß alle Mann absteigen und vom Haustor zum Wagen Spalier stehen. Zwei mußten aus dem Wagen eine Bahre holen und den Toten auf die Straße tragen. Die zwei, die oben bei der Leiche gewartet hatten, öffneten vor der Bahre die Flügel des Haustors. Dann winkte der Lenker, die Träger setzten ihre Last unter freiem Himmel ab, und alle Mann knieten.

Der tote Beamte sah aus wie eine alte Frau mit scharfen Zügen. Sein Gesicht glänzte weißlich im hellen Licht.

Der Lenker trat schweren Schrittes an die Bahre, warf einen verträumten Blick auf die Frauen im Torweg, beugte sich über den Toten und küßte ihn auf die Stirne. Der jüngste seiner Leute schluchzte laut auf und hielt sich beschämt die Hand vors Gesicht. Es war ein kurzsichtiger Mensch mit blinzelnden Augen, sommersprossig und rötlichblond. Der Lenker trat auf ihn zu, strich ihm sacht übers Haar, faßte ihn an den Schultern, richtete ihn auf und hieß ihn den Toten vorn auf den Wagen binden. Er selbst half mit.

Dann stieg er wieder auf den Führersitz. Die Leiche quer vor sich, fuhr er dröhnend ganz langsam die Straße hinab. Seine Leute zogen barhaupt rechts und links mit.

Die Frauen verließen ihren Torweg und schlossen sich hinten an. Dann kamen auch einige Schuljungen mit und bemühten sich, Marschtempo und Schritt der Wagenmannschaft genau nachzuahmen. Die Zahl der Mitläufer wuchs rasch, und bald zogen sorgfältig gekleidete Verkäufer und Beamte, Hausbesorgerehepaare, Dirnen und ältliche Lehrerinnen hinter dem Wagen her, vielleicht ein Zehntel aller Einwohner der Straße. Weil aber alle, die nicht mitzogen, in ihren Verstecken blieben, weil der Wagen laut ratterte und die Mitläufer den wuchtigen Schritt seiner Mannschaft nachahmten, war es, als folge die ganze Stadt dem Wagen nach. Dazu kam, daß der Lärm nur jene zerrüttete, die sich fernhielten. Die Mitmarschierenden störte er nicht mehr.

Mittlerweile war der Wagen schon über den Krummen Platz in die Untere Straße gekommen. Alle Fenster zerbrachen, denn der Kitt, der die Scheiben hielt, war in den alten, verzogenen Rahmen rissig und brüchig geworden und bröckelte leicht ab. Es schien, als werde die Durchfahrt ungestört sein.

Da aber machte der Lenker halt, so plötzlich, daß die ersten in der nachdrängenden Menge hinten gegen den Wagen gedrückt und noch die nächsten fast niedergeworfen wurden.

Durch die Stille konnte man das Zerbrechen von Fenstern hören. Die Mannschaft des Wagens und die Frauen aus dem Torweg, die an der Spitze der Menge mitzogen, sahen neugierig auf ein Haus rechts vom Wagen. Sie konnten deutlich bemerken, daß in halber Höhe die Fenster, die dem Rattern standgehalten hatten, Scheibe um Scheibe von innen heraus mit einem Besen eingeschlagen wurden.

Der Lenker schickte den kurzsichtigen jungen Menschen ins Haus, der die Leiche des Beamten auf den Wagen gebunden hatte. Nach wenigen Sekunden brachte der den einzigen Bewohner heraus, einen buckligen Mann mit scharfem, schlauem Gesicht. Der Mann hielt seinen Besen noch immer in der Hand und lächelte unsicher.

Während der kurzen Untersuchung, die auf der Straße stattfand, gab der Mann zu, seine Fenster absichtlich zerbrochen zu haben. Er habe ein Gerücht gehört, es gehe allen ans Leben, deren Fenster heil blieben. Er persönlich habe dagegen nicht das geringste einzuwenden und sei gerne bereit, seine Fenster zu opfern; daran scheine ja den Herren vom Wagen so viel zu liegen. Nach diesen Worten verneigte er sich zweimal, gegen den Lenker und gegen die Mannschaft. Der Lenker klopfte ihm auf die Schulter und nannte ihn einen Schlaukopf. Alle Mann vom Wagen lächelten, auch aus der Menge wurde Applaus laut, und man sah viele schmunzelnde Gesichter. Fast wäre hier zum dritten Mal gelacht worden.

Aber noch ehe der Mann Zeit fand, sich zu bedanken oder sonst etwas zu sagen, setzte der Lenker seine Rede fort. Er richtete sich stramm auf und erklärte, es handle sich diesmal aber nicht um Schlauheit, sondern um ein höheres Prinzip; er als Beauftragter dieses Prinzips könne und wolle keine Ausnahmen machen. Dann wies er auf die Menge, aus der die ersten Schreie kamen: »Recht so!« – »Gleiches Recht für alle!« – »Zum Fenster hinunter wie die andern!«

Der Lenker forderte den Mann auf, sich selbst von der Ansicht seiner Mitbürger zu überzeugen. Zitternd auf seinen Besen gestützt, sah der Bucklige in die teilnahmslosen, neugierigen Gesichter, mußte sich nach einigen Sekunden ducken, um einem großen Stück Fensterglas zu entgehen, das jemand aus der Menge geschleudert hatte, preßte sich schließlich eng an den Wagen und sah zum Lenker auf. Der bestimmte drei Mann, die ihn nach der gewohnten Weise ins Haus hinaufführten und hinabstürzten.

Der Bucklige schlug auf, erhob sich noch einmal ein wenig durch seine eigene Wucht, zuckte aber auch noch nach seinem zweiten Auffall und warf sich hin und her.

Noch ehe der Wagen Zeit fand, ihn zu überfahren, hatten zwei Frauen aus dem Torweg seinen Besen ergriffen und ihm damit den Schädel eingeschlagen; dann sahen sie den Lenker und die Mannschaft erwartungsvoll an. Aber die Mannschaft nickte ihnen nur gleichgültig zu, und der Lenker setzte unbewegt, mit feierlichem Gesicht, seine Fahrt fort.

Die Menge zog noch ein Stück weit hinter dem Wagen drein. Als aber die Fahrt rascher wurde, zerstreuten sich die Leute in Haustore und Seitengassen. Viele trieb es, von dem Gesehenen zu erzählen, andere wollten sich nach einer Mahlzeit umtun, denn die Erregung und das ungewohnte Marschieren in frischer Luft hatten sie hungrig gemacht. Nur die Frauen aus dem Torweg hatten sich hinten aufs Trittbrett des Wagens gesetzt und kamen bis zum Puppenladen mit.

Der Puppenladen befand sich in der Unteren Straße, schräg gegenüber der Sackgasse, von der am Morgen die Demonstranten aufgebrochen waren. Viele der Zurückgekehrten und ihrer Angehörigen hatten sich um diese Zeit wieder in der Sackgasse versammelt; von einem Mauervorsprung herab wurden die neuesten Nachrichten über den Wagen ausgerufen, und auch der alte Puppenmacher hatte seinen Laden zugesperrt und war hinausgegangen, um die schrecklichen Gerüchte selbst zu hören.

Das schien sein Glück zu sein, denn das Schaufenster des Puppenladens war das einzige Fenster in der ganzen Nachbarschaft, das nicht in Scherben lag. Als die drei Mann den Laden menschenleer fanden, erteilte ihnen der Lenker genaue Weisungen. Sie gingen in den Laden zurück, nahmen die Puppen, große und kleine, aus ihren Schachteln und von den Regalen und legten zunächst alle auf einen Haufen. Dann vernichteten sie sie, Stück um Stück.

Die kleineren Puppen zertraten sie oder packten sie an den Beinen und schmetterten ihre Köpfe gegen die Wand, bis der Laden voll Gipsstaub und bröckelnder Kunstmasse war. Größere Puppen faßten sie zu zweit oder zu dritt an und zerrissen sie in der Luft. Dabei johlten sie, stießen kleine

Schreie aus, keuchten und entblößten ihre Oberkörper, als ihnen im engen Laden heiß wurde.

Den großen Puppen mit Schlafaugen rissen sie die Kleider herunter, ehe sie sie gliedweise zerpflückten. Die Stoffpuppen zerfetzten sie entweder mit den Zähnen, oder sie stießen ihre Dolchmesser wieder und wieder in die weichen Leiber. Sprechende Puppen stießen sonderbare letzte Schreie aus, wenn ihr Mechanismus durch Fußtritte oder durch Aneinanderschlagen mehrerer Puppenkörper zerstört wurde. Aus den klaffenden Bäuchen ragten Drähte und quoll Sägemehl. Mit scharfem, kleinem Knacken brachen die Gelenke, und die Puppenwäsche der feineren Weihnachtsausstattungen zerriß mit pfeifendem Geräusch. Zuletzt fand einer im Hinterraum des Ladens die Farben zum Bemalen der Puppen, und die drei Mann nahmen einen Topf mit roter Farbe und verschütteten langsam seinen ganzen Inhalt über die Puppenreste, bis sie da und dort feucht waren und rot tropften und sich kleine, dickliche Lachen bildeten.

Als sie ihre Arbeit beendet hatten und sich mit bunten Puppenkleidern den Schweiß trockneten, kam von der Straße ein kleines Mädchen in den Laden.

Im Arm trug sie eine große Puppe, die, wie sie selbst, einen blauen Rock anhatte und eine gelbe Bluse mit buntem Blumenmuster. Der Puppe fehlte ein Fuß; das Kind wollte ihn ersetzen lassen.

Einen Augenblick lang stand sie verdutzt inmitten der Scherben und sah die drei Mann groß an. Dann stieß sie einen Schrei aus, preßte die Puppe fest an ihre Brust und begann mit der freien Hand zornig auf die Männer loszuschlagen. Dabei sprang sie von einem zum andern und stieß ihnen die kleine Faust in die Magengrube. Höher reichte sie nicht. Das dauerte einige Sekunden. Die drei erholten sich schnell von ihrem Staunen, und einer faßte mit seiner rotbesudelten Hand nach dem Nacken des Kindes. Das aber entwischte laut weinend und schlüpfte mit seiner Puppe zur Tür hinaus.

Ein Kommandowort des Lenkers unterbrach die Verfolgung und rief die drei auf ihre Plätze im Wagen. Gleich darauf ratterte der Wagen mit seiner ganzen Besatzung dem Kind nach.

Das lief mit der Puppe über das holprige Pflaster voll splitternder Scherben und bog in die Sackgasse ein, wo es die

Versammelten atemlos auf den verfolgten Wagen aufmerksam machte. Die Männer sprangen vor dem Kind zur Seite, ließen es durch, und Kind und Puppe verschwanden in der Menge.

Als der Wagen kam, wurde verzweifelt geschrien, auch geflucht, und über den Köpfen der Männer drohten Fäuste. Aber das Dröhnen des Wagens war zu laut, man hörte weder Schreie noch Flüche. Die Stimmen wurden erst vernehmlich, als die Leiber der ersten Überfahrenen den Wagenlärm dämpften.

Aus den Häusern zu beiden Seiten der Sackgasse prasselte allerlei Hausrat auf den Wagen nieder, Blumentöpfe, Hämmer, Flaschen, Nachtgeschirre, Pfannen, Kohle, Feuerhaken und Stühle, aber die Glasmasse des Wagendachs blieb unbeschädigt. Der Wagen fuhr in die gestaute Menge hinein, konnte aber nicht einmal schrittweise vorwärts kommen, weil seine Raupenketten, glitschig von Überfahrenen, leerliefen. Das Kind mit der Puppe war inzwischen von einem riesenhaften einäugigen Arbeiter hochgehoben und rasch von Hand zu Hand über die Köpfe der Menge weg aus dem Bereich des Wagens entfernt worden. Nun stand es mit seiner Puppe auf dem Mauervorsprung, von dem herab die Redner gesprochen hatten.

Es hatte zu weinen aufgehört und starrte den Wagen an, den toten Beamten quer vor dem Führersitz, das Gemetzel der Raupenketten und den roten Haarschopf des Lenkers. Als es dem Lenker in die Augen sah, lockerte dieser nervös seinen Kragen, sah auf seine Armbanduhr, auf die undurchdringliche Menge vor seinen Raupenbändern, dann schüttelte er den Kopf und lenkte den Wagen rückwärts aus der Sackgasse auf die Straße.

Das Blut, das eine große Pfütze gebildet hatte, wurde von den Raupenbändern aufgepflügt. Wellen zogen sich lang und spitzwinkelig dahin, wie das Kielwasser entgleitender Schiffe. Die Körper der Toten und die Pfützenränder warfen sie zurück, verschränkten und überkreuzten sie nach strengen Regeln und ließen sie verebben. Der Wind war unbeständig geworden und blies in kleinen Stößen. Er rührte die Pfütze ein wenig auf. Eine große weiße Blüte fiel auf die Blutfläche, schaukelte leise und kippte dann nach der einen Seite um.

Indessen fuhr der Wagen die Straße hinab, so schnell er

konnte. Obwohl aber das Rattern mit dem rascheren Umlauf der Raupenketten noch zugenommen hatte und lauter war als je, wurden, zum ersten Mal, über dem Lärm Stimmen hörbar. Sie kamen aus der Sackgasse. Dort mengte sich das Schreien der Sterbenden mit dem Triumphgebrüll der Überlebenden zu einem Dröhnen und Brausen, das nach und nach Rhythmus gewann und schließlich in eines der ungefügen Lieder ausklang, die die Aufmarschierenden am Morgen gesungen hatten.

Als der Wagen an den letzten zerfallenen Häusern der Unteren Straße vorbeigefahren war, blieb er stehen. Der Lenker stieg ab, zündete sich eine Zigarette an und zerschnitt mit seinem Dolch die Stricke, die den toten Beamten vorn auf dem Wagen gehalten hatten. Steif wie ein Brett fiel der Leichnam in eine Pfütze, gerade vor die Raupenketten.

Die Mannschaft sah zu. Einige gähnten. Einer erzählte dem anderen einen Witz und mußte selbst darüber lachen, noch ehe er zu Ende war. Der Kurzsichtige, der den Toten auf den Wagen gebunden hatte, sprang auf, fiel aber wieder auf seinen Sitz zurück. Er zitterte. Der Lenker winkte ihn vom Wagen, klopfte ihm freundschaftlich auf die Schulter und lud ihn ein, mit ihm einige Schritte auf und ab zu gehen. Nach einem Blick auf die Leiche setzte sich der Kurzsichtige gehorsam in Bewegung.

Der Lenker hielt sich an seiner Seite, immer einen halben Schritt hinter ihm. Seine Stimme klang voll und beruhigend: »Laß dir keine grauen Haare wachsen um diesen Toten. Wir alle müssen sterben. Sieh dir den Himmel an. Und hier das freie Land vor unseren Augen. Wie groß das alles ist! Vergiß den Toten: alles lebt. Und das Leben ist grausam!«

Der Kurzsichtige blinzelte in die Sonne. Die Straße hatte den Wagen ans äußerste Ende der Stadt gebracht. Nun lag das freie Land vor ihnen. Der Wind hatte sich gedreht und trug ihm den Geruch von Erde und Heu zu. Ein kleiner Vogel flog vorbei. Seitwärts wölbte sich ein hoher Düngerhaufen. Der Kurzsichtige drehte sich halb um.

In diesem Augenblick stieß ihn der Lenker von hinten ins Herz. Dann stach er in die weiche Erde, um die Klinge vom Blut zu reinigen. Zwei Mann mußten absteigen und die beiden Leichen im Düngerhaufen verscharren.

Um die Mittagszeit hörte man selbst am äußersten Ende der

Unteren Straße nur noch fernes Geräusch. Es war kein Rattern mehr, nur ein leises Beben der Luft oder ein Nachklingen im Ohr. Auch das verging. Bald ließ nur noch die Hitze eines wolkenlosen Sommertages die Luft zucken und aufsteigen.

Einige Minuten lang war es sehr still in der Straße.

Dann schrillten die kleinen Alarmpfeifen der Polizisten. Die Patrouillen deckten die Leichen mit braunem Packpapier zu und nahmen Protokolle auf. Die Sackgasse wurde mit Tauen abgesperrt. Ein Doppelposten wehrte Neugierige ab.

Von einem zum anderen Ende der Straße hörte man das Klirren und Kritzen der Scherben, die mit Besen und Brettern weggefegt wurden.

In der Unteren Straße liefen Frauen zusammen und klagten. Man hatte den alten Puppenmacher erhängt in seinem verwüsteten Laden gefunden. Es war aber nur Selbstmord. Sonst gab es wenig lautes Weinen und Schreien. Die Angehörigen der Toten hielten sich in ihren Häusern. Aus den Dachluken wurden lange Stangen hervorgesteckt, und bald wehten schwarze Fahnen.

Zahllose Pläne wurden geschmiedet, wie man eine Wiederkehr des Wagens verhindern könne. Die Bewohner der Straße beruhigten sich erst ein wenig, als die Polizei die Verdächtigen festnahm. Eine Augenzeugin – es war eine der Frauen aus dem Torweg – hatte Anzeige erstattet, daß der Lenker des Wagens und auch ein Mann der Besatzung, ein junger, blinzelnder Mensch mit einer Brille, auffallend rotes Haar gehabt hätten.

Sofort verhaftete die Polizei alle Rothaarigen, die in der Straße lebten, und brachte sie auf den Krummen Platz. Dort wurde ihnen der Prozeß gemacht, und obwohl eine Anzahl der Bürger Gleiches mit Gleichem vergelten und sie mit den Spritzenwagen der Feuerwehr überfahren wollte, wurden sie schließlich nur gehängt. Nicht einmal geistlichen Beistand verweigerte man ihnen.

Obwohl von dieser Maßnahme kaum mehr als zwanzig Menschen betroffen waren, darunter der einäugige Arbeiter, der das Kind mit der Puppe aus dem Bereich des Wagens gebracht hatte, fühlte sich doch die ganze Stadt nach den Hinrichtungen von einer großen Furcht befreit.

In den nächsten Tagen fuhren die Möbelwagen hin und her.

Wenn sie beladen waren, ratterten sie beim Anfahren, und viele Leute zuckten zusammen. Von den Einwohnern der Oberen Straße zogen manche fort. Auch auf dem Krummen Platz änderten sich die Adressen. Dort hatte Wohnungsknappheit geherrscht, und es gab Mieter, die schon lange auf das Freiwerden einer geräumigeren Wohnung gewartet hatten. Außerdem waren die leergewordenen Häuser die einzigen, deren Fenster heil waren. Manche Hausbesorger allerdings verkauften die Fensterscheiben zu hohen Preisen, denn monatelang war sonst nirgends Fensterglas zu haben.

In der ganzen Straße waren nicht viel mehr als hundert Menschen getötet worden. Nur die Toten aus der Sackgasse waren dabei nicht mitgezählt. Ihre Zahl konnte nie genau ermittelt werden; sie hatten ein Massengrab erhalten. Nicht mitgerechnet waren auch die hingerichteten Rothaarigen.

Alles in allem waren durch den Wagen weniger Menschen umgekommen als durch ein großes Eisenbahnunglück. Deshalb war es eigentlich bemerkenswert, wieviel Aufhebens noch lange Zeit davon gemacht wurde. Besonders die Leute in der Unteren Straße sprachen noch nach Jahren über den Wagen. Auch sonst bewahrte die Untere Straße peinliche Erinnerungen: zahlreiche Fensterscheiben wurden nicht ersetzt, sondern die Lücken wurden nur mit Lappen verkleidet oder mit Brettern oder Kartonpapier verschlagen.

Die Obere Straße und der Krumme Platz sahen wieder fast so aus wie zuvor. Das obere Viertel war vielleicht nicht mehr ganz so gepflegt, aber das merkte man nicht sofort auf den ersten Blick. Dort standen viele Häuser leer und fanden weder Käufer noch gute Pächter. In einigen hatten sich schließlich Dirnen einquartiert, die willens waren, hohe Mieten zu zahlen. Zum Leidwesen der Grundbesitzer hatte der Wert aller Anwesen in der Straße seit der Durchfahrt des Wagens erheblich abgenommen.

Sie hofften, daß man den Wagen nach und nach vergessen werde. Sie bezahlten sogar einige Fensterreparaturen in der Unteren Straße, um das Vergessen zu beschleunigen.

In den Jahren, die seit seinem ersten Auftauchen vergangen sind, ist der Wagen nicht wieder gesehen worden.

Der Wagen fährt durch die Straße ist ebenso wie *Ein Ritt* ein Bericht vom Erleben und Überleben rätselhafter Ereignisse. Nur sind es hier keine Wunder, sondern von Menschen einander zugefügte Scheußlichkeiten. Dem entspricht es, daß der Stil der Erzählung mehr an den Chronisten als an den Dichter erinnert.

Die bittere Randbemerkung zur vorigen Geschichte, ›Ein ganz schön unglückliches happy-end‹, könnte auch für diese gelten.

Interessant ist, was der Verfasser selbst von seiner Arbeit sagt. Er wollte in der Schilderung der Fahrt des Wagens durch die Straße nur den Zusammenstoß einer Gesellschaft mit einem in sich geschlossenen Terrorsystem darstellen, ohne darauf einzugehen, von welcher Seite dieser Terror kommt. Dennoch zeigte sich nach Vollendung der Erzählung, daß sie vor allem den Terror faschistischen Schlages kennzeichnet. Das gilt allerdings nicht von der Liquidierung der Rothaarigen, die als bittere allgemeingültige Kritik an den verfehlten ›Notmaßnahmen‹ der Menschen zu betrachten sein dürfte.

Bemerkenswert ist auch die tiefe Sympathie mit den Arbeitern, obwohl diese nicht idealisiert, sondern als ziemlich hilflos dargestellt werden und sogar von ihnen behauptet wird, daß sie schon nach wenigen Schritten selbst in den Takt des Ratterns verfielen, gegen das sie demonstrieren wollten. Der Verfasser sagte dazu in einem Gespräch: ›Immerhin sind sie dagegen marschiert, und nicht mitmarschiert. Das ist auch noch ein Unterschied! Nur die Nachläufer haben dem Wagen Beifall geklatscht. – Und wenn du willst, ist diese Geschichte, wie übrigens auch *Die Ausgrabung,* doch auch eine sehr eindeutige Antwort an die, die sich wirklich einbilden, daß ich ein halber Nazi bin. Nein, mein Lieber, für den einzelnen Menschen, der Nazi war, habe ich oft große Nachsicht, das gebe ich gern zu. Aber nicht, weil ich für die Nazis bin, sondern weil ich auch ihn noch in Wirklichkeit als ein Opfer der Nazis betrachte, nämlich als einen, der ihnen auf den Leim gegangen ist.‹

Die Frauen in der Toreinfahrt erinnern an die Hausbesorgerin in ihrem Tor in *der Brand,* aber darüber hinaus an die Bedeutsamkeit der Tore, wo immer sie in diesen Arbeiten vorkommen.

Das Zerbrechen der Fenster spielt hier eine entscheidende Rolle, aber den Zusammenhang mit dem zerbrochenen Fenster am Morgen von Helgas Hinrichtung empfindet man eigentlich nur, weil das Zerbrechen von Fenstern in den Schriften des Soldaten so oft vorkommt. Er selbst sagte dazu in einem Brief: »Ein Gleichnis ist wie ein Schatten: Je weiter er vom Gegenstand entfernt ist, der ihn geworfen hat, desto größer wird er, aber auch desto unbestimmter.«

Nicht mehr als andere weiß ich zu berichten. Unter uns ist keiner, der Ähnliches nicht selbst erfahren hätte. Aber vielleicht muß jeder mit seinen eigenen Worten Zeugnis ablegen. Noch keiner hat alles gesagt, denn das kann keiner. Auch ich will nicht versuchen, alles zu sagen. Ich will nur von einigem berichten, was mir selbst dort im Halbdunkel begegnet ist und was Angst und Erschöpfung noch nicht aus meiner Erinnerung getilgt haben.

Die Beschreibung der Stadt erspare ich mir; sie war zerstört. Aus dem Nachthimmel fiel immer noch das Feuer, in Flammenspielen stürzten Wände, und das Wimmern war noch nicht verstummt. Aber allenthalben lag schon Schutt, und über rauchende, röchelnde Halden bahnten sich die Fliehenden neue Wege. Mit ihnen stolperte ich durch die verwandelte Landschaft, längst getrennt von den Meinen, mühsam atmend in der Brandluft, schwer bepackt mit hastig zusammengeraffter Habe, erschöpft, halb ohnmächtig, immer wieder zögernd, immer wieder in tückische Gruben stürzend. Weiter taumelte ich, immer weiter, und kam endlich, mehr tot als lebendig, an den Fluß.

Ich weiß nicht mehr, an welcher Stelle ich das Ufer erreichte. Die Merkzeichen, in deren Mitte ich aufgewachsen war, konnte ich nicht mit Sicherheit erkennen. Zu sehr hatte der Untergang das Stadtbild verzerrt. Auch beschränkten Rauchvorhänge die Sicht, so daß ich, wie vom Nebel umstrickt oder verschreckt von riesenhaften Schleiertänzern, stehenblieb. Die Flucht durch die sengende Flammenluft hatte in mir eine kalte, teilnahmslose Besinnlichkeit hinterlassen und den Zeitsinn angegriffen: ein Ballen meiner Faust war mir nun ein sehr langsamer, nachschwingender Vorgang, eine Sekunde des Atemschöpfens war mir wie eine Reihe vergrübelter Stunden.

Diese Gefühle waren vielleicht die natürliche Nachwirkung der verzweifelten Haut, und sie wurden sicher dadurch begünstigt, daß hier am Ufer Stille herrschte. Nach dem Prasseln der Flammen und Niederkrachen der Wände, nach all dem Klirren, Wimmern und Fluchen war diese Stille ein einschläferndes Wiegen, und ich schwankte, und mein Kinn fiel mir immer wieder auf die Brust.

Vom Hauptstrom der Fliehenden mußte ich abgekommen sein, denn nur wenige Gestalten waren am Ufer zu sehen, und auch sie blieben unkenntlich unter ihren Bündeln, von denen Tücher und Bettlaken weißlich niederhingen.

Der Fluß floß dunkel dahin. Vielleicht wegen der Kälte des Wassers schlug sich der Rauch wie schwerer, zäher Dampf auf die Wellen nieder und schien sie zu zerdrücken. So spiegelte das Wasser weder die brennenden Ruinen noch den Flammenhimmel. Schwarz rollte es vorbei, und der Brandgeruch konnte einen glauben machen, was da den Weg sperrte und zur Rast zwang, sei ein Strom von trägem Teer.

Flußauf, flußab keine Brücke. Entweder war ich zu weit vom Weg abgeirrt, oder auch sie war der Zerstörungsnacht anheimgefallen, die sich erst jetzt allmählich mit einem matten Dämmerschein durchwirkte. Nur ungewisse Formen konnte ich im Wasser sehen, die ich zuerst für Reste von Brückenpfeilern hielt. Ich bemerkte aber bald meinen Irrtum. Die rätselhaften Gebilde waren näher und kleiner, als ich gedacht hatte, und ragten nicht aus dem Flußbett auf, sondern trieben mit der schwachen Strömung langsam dahin. Waren es Ertrunkene, oder hatten die Wellen Tote ergriffen? Oder war es bloß mancherlei Treibgut? Ich hatte nicht mehr den Mut, das zu ergründen.

Ein großes, schwerfälliges Boot, wie sie in stilleren Zeiten am Ufer vertäut den Kindern zu verbotenen Piratenspielen dienen, kam näher und fuhr knirschend auf den Ufersand. Der stämmige Patron hatte es sicher auf eigene Faust flottgemacht und setzte nun die Flüchtlinge über, die sich von Zeit zu Zeit am Ufer einfanden. Nicht aus Herzensgüte handhabte er Ruder und Stange; das wurde mir klar, als ich die ersten einsteigen sah: ich hörte Geld klimpern. Schwer bepackt, wie ich war, wollte ich mir etwas von meinem Geld zurechtlegen, um dann im Augenblick des Einsteigens nicht lange suchen zu müssen. Aber die Furcht vor dem Zurückgelassenwerden trieb mich vorwärts, dem Boot zu, noch während ich in meinem Beutel herumfingerte, und eben als ich in meiner Not eine größere Münze in den Mund genommen hatte und mit den Zähnen festhielt, um eine Hand freizubekommen, entfiel mir das glatte Leder mit dem übrigen Geld und verschwand aufklatschend im Wasser. Der Mann nahm mir mein einzig übriggebliebenes Geldstück ohne weitere Umstände ab und drängte mich ins Boot.

Von meinem klammen Sitz aus konnte ich sehen, wie er den Einsteigenden seinen Fährlohn abnahm, ohne Dank, und ohne Wechselgeld herauszugeben. Wenn es nicht reichte, gab es lautes Jammern und Wehklagen, denn er war unerbittlich. Ein Kind stieß er ins Boot, und die Mutter blieb am Ufer zurück. Gern hätte ich den Armen von meinem Geld gegeben, doch das lag auf dem Grund des schwarzen Flusses.

Nun wurde das Boot mit langer Stange abgestoßen, und gleich darauf trieben wir zwischen den Schwaden durch das graue Halblicht. Wachsam stand der Lenker am Ruder. Zähe Schläge teilten die Flut und machten die dicken Dunstknäuel tanzen; das Wasser gluckste an der Bootswand, der Rauch war einem eiskalten Flußnebel gewichen. Dann und wann klammerten sich Schwimmer ans Boot, aber da hieb das Ruder oder trat des Ruderers klobiger Schuh auf ihre Finger, daß sie losließen. Einer hatte sich hinter mir an dem nassen Holz halb hochgezogen und hielt sich an dem Brett fest, auf dem mein Bündel lag. Ich suchte ihn mit meinem Leib zu verstecken, aber der Patron sah ihn und stieß ihn samt meinem Bündel ins Wasser zurück. Bei alldem empfand ich nichts mehr. Ich war zu erschöpft. Auch vollzog sich alles fast lautlos und schien gar nicht Wirklichkeit zu werden.

Lange dauerte die Überfahrt. Endlich legten wir an. Der Bootshaken umfingerte schweres, rostiges Gitterwerk, das unten vom Wasser bespült wurde. Spaltweit glitt es auseinander, und wir traten an Land. Die Nacht war um, aber aus dem Dämmerlicht stieg kein Tag auf. Vielleicht verdunkelte der Rauch die Sonne, vielleicht ballte sich um die zahllosen Rußstäubchen immer neuer Nebel. Die Schwaden hoben sich nicht.

Nicht, daß man gar nicht gesehen hätte; im Gegenteil, man sah doppelt und dreifach, als könne der Nebel gleich einer Wand Schatten tragen oder gleich einem bewegten Gefüge von blinden Spiegeln Schatten vervielfachen. Aber was man sah, blieb ungewiß.

Da geisterte ein Hund, ein verwilderter, dunkler Köter, am Ufer umher; vielleicht hatte er seinen Herrn verloren und war halbtoll vor Angst und Schrecken. Es gab keinen, an dem er nicht hochsprang und schnüffelte. Bald aber schlich er wieder davon, winselnd und mit eingezogenem Schwanz. Dabei tauchte er bald hier, bald dort auf, und seine suchende Schnauze stieß wieder und wieder durch den Nebel, so daß man hätte glauben mögen, er habe nicht einen, sondern drei Köpfe, um das Ufer überall zugleich abzusuchen. Und immer, wenn er hoffnungsvoll gesprungen kam, kreiste seine lange Rute und peitschte den Nebel wie ein Bündel Schlangen.

Bald aber entzog mir der Nebel auch dieses Bild. Ich ging weiter, mehr um etwas zu tun und nicht in der durchdringenden Kälte zu erstarren, als um meine Flucht fortzusetzen. Denn zunächst ließ sich bei dem Mangel an Aussicht schwer sagen, ob die allgemeine Zerstörung auch dieses Ufer heimgesucht hatte. Wenigstens das Feuer schien der Fluß abgehalten zu haben.

Zwar gaben die Schwaden zuweilen auch hier einen Blick auf Rauch und Flammen frei. Einmal schien etwas wie ein brennendes Rad mit einem Menschen durch die Luft zu wirbeln, vielleicht ein Teil einer abstürzenden Maschine; dann wieder war es, als durchschneide ein ganzer Feuerfluß die Nebellandschaft. Dieses Phänomen mochte mit dem Flammenrad zusammenhängen, denn irgendwo mußte es auch an diesem Ufer Vorräte von Ölen und Treibstoffen geben, die ein Funke oder eine in Flammen abstürzende Maschine leicht entzünden konnte. Im großen und ganzen aber waren für dieses Ufer Nebel und Frost bezeichnender als Rauch und Flammen.

Manchmal huschten Schatten durch den Nebel vorbei, kamen dicht heran, als vermuteten sie einen Angehörigen, und verschwanden dann wieder. Mehrmals täuschte mich eine verschwimmende Ähnlichkeit mit meinen verlorenen Leuten, aber das war nur ein Spiel meiner Müdigkeit und des Nebels. Ich fand keinen von den Meinen, und mehr als einmal glaubte ich die Umrisse einer wohlbekannten Gestalt zu erkennen, wo dann bloß ein Baumstumpf aufragte, oder ein Mauerrest. In einigem Abstand trotteten zuweilen lange Züge von Gefangenen vorbei, gefesselt, vielleicht unterwegs zu irgendeiner Arbeit.

Was ich aber selbst an Arbeiten gesehen habe, das wurde von einzelnen getan oder von kleinen Gruppen, ohne Aufsicht und oft auch ohne erkennbaren Sinn, ohne Werkzeuge oder doch nur mit den allerunzulänglichsten Behelfen, so daß ihre Mühe eine Tat des Wahnsinns schien.

Nicht ohne Zögern berichte ich von diesen Arbeiten, denn ihre offenkundige Vergeblichkeit kann leicht zum Spott reizen, und doch habe ich nie Ernsteres gesehen als diese Mühen. Schon wegen ihrer qualvollen Härte müssen sie allem Spott entrückt bleiben, und auch die Trostlosigkeit der Umgebung macht es dem, der sie gesehen hat, unmöglich, anders an sie zu denken als mit einem Gefühl der Niedergeschlagenheit.

Denn mit jedem Schritt wurde es deutlicher, daß die Zerstörung auch an diesem Ufer grenzenlos war. Nur blieb das Gesichtsfeld immer vom Dunst so eng umzogen, daß die einzelnen Verheerungen sich nicht zum Ganzen fügten. Sie wirkten dadurch doppelt sinnlos und willkürlich, jede für sich einem engen Bereich böswillig zugefügt, zu Qual und Mühe derer, die sich zwischen den Trümmern abmarterten.

In einer Wegsenkung, in der die Nebel quirlten und brauten, klaffte ein Trichter, angefüllt mit lehmigem Grundwasser. Eine Schar Frauen mit wirrem, glanzlosem Haar plagte sich damit ab, den Trichter leerzuschöpfen. Dazu dienten ihnen ungefüge alte Gefäße, die sie wahrscheinlich im Schutt aufgelesen hatten. Einst hätten diese Gefäße, Eimer, Becken, Krüge und kleine Fässer, zu solcher Arbeit getaugt, aber das Alter oder allerlei Schäden, von Menschenhand oder durch die Zerstörungen der Nacht, hatten sie völlig unbrauchbar gemacht. Denn so vielfältig die Gefäße auch waren, in einem glichen sie einander: aus zahllosen kleinen und größeren Löchern und Rissen spritzte, troff und sickerte das Wasser. So lagen die Bottiche und Kannen zwar nach dem Herausheben aus dem Trichter als schwere Last auf Köpfen und Schultern der Frauen, aber unterwegs wurden sie leichter und leichter, obwohl die Frauen versuchten, die Löcher mit dem Lehm des glitschigen Bodens zu verstopfen oder während des Tragens mit ihrem eigenen langen Haar notdürftig abzudichten. Dazu kam, daß der wassergefüllte Trichter am tiefsten Punkt des Weges lag, und ich zweifle, ob es den Frauen glückte, viel von dem Wasser so weit zu tragen, daß es nicht wieder zurückfloß, woher sie es geschöpft hatten. Wenn sie auf dem

Rückweg mit den leeren Gefäßen wieder aus dem Dunst auftauchten, verrieten ihre Gesichter nichts von der Befriedigung, die eine geglückte Arbeit oft so sichtbar verleiht.

Solche schwere Plage läßt aber sehr bald allen Sinn für Ursache, Zeit und Ziel einer Arbeit schwinden und erzeugt in Arbeitenden und Zuschauern ein hohles Gefühl grenzenlosen Taumels. Ich konnte mich kaum der Vorstellung erwehren, daß diese Frauen ihr Tun von Ewigkeit zu Ewigkeit fortsetzten, begabt mit einer kalten, leblosen Unsterblichkeit, die zugleich mit dem Zweck auch die Frage nach der Tauglichkeit der Mittel vergißt.

Meine Fragen, die ich wohl nicht laut und sicher genug gestellt hatte, erstarben im Nebel oder verschwammen im unaufhörlichen Niederrieseln des Wassers aus den Gefäßen. So wurde mir keine Antwort gegeben, und keine Erklärung als eine bald anflutende, bald verebbende monotone Litanei von Schuld und Mord und Blut und Wasser. Diese Worte bezogen sich vielleicht auf das allgemeine Verschulden der Menschen an Mord und Verwüstung; vielleicht auch waren die Frauen durch ein besonders schreckliches Erlebnis verstört und des Verstandes beraubt und fabulierten nun von ihrer Schuld, um so der Katastrophe wenigstens nachträglich einen Sinn zu geben. Ich weiß nur, daß mich das undeutliche Gemurmel jener triefenden Gestalten länger verfolgt hat, als es der dürftige und lückenhafte Sinn ihrer Worte rechtfertigen könnte.

Vernehmlicher und in ihrer Bitterkeit bestimmter war die Klage eines Mannes, der an einer anderen Wegstelle aus dem Nebel auftauchte. Auch er stand im Wasser, das dort offenbar einer uralten Leitung entströmte, deren Aquädukt zerstört, mit halb losgelösten, sturzbereiten Steinmassen hoch über seinem Kopf drohte.

Was seine Arbeit war, das konnte ich nicht sehen, denn ich hielt mich fern. Das Wasser mußte eine alte Senkgrube aufgeschwemmt haben, und es war ein stinkender Jaucheteich entstanden, der dem Mann bis über die Brust reichte. Ekel vor den fauligen Gasen und Furcht vor dem Sturz der Steinblöcke ließen mich nicht nähertreten. Der Mann aber rief mir zu, ob ich nicht Brot oder Wasser habe. Seit der Zerstörung der Wasserleitung sei er von bitterem Durst geplagt. Er erklärte mir, daß seine Aufgabe, die ihn bis nahe an den Mund im Wasser zu stehen zwinge, und der Angstschweiß, den ihm die tödlichen Steinmassen über ihm aus allen Poren trieben, den Durst noch unerträglicher machten. Mehrmals, so sagte er, habe er sich schon auf den Spiegel des Abwassers niedergebeugt, aber der Ekel habe ihn immer wieder hochgeschnellt, wenn seine Lippen es berührten.

Ich hatte weder Trank noch Speise bei mir; so konnte ich seinen Durst nicht stillen, und auch nicht seinen Hunger. Denn auch Hunger peinigte ihn, obgleich die Proviantwagen mit Früchten und anderen Nahrungsmitteln, die zur Linderung der Not in die betroffene Gegend entsandt worden waren, dicht an seinem üblen Teich vorüberrollten. Ehe er herausgewatet komme und sich notdürftig gereinigt habe, so klagte er, seien die Wagen immer schon im Nebel verschwunden, oder die hungrigen Schattengestalten, die sich von allen Seiten hinzudrängten, hätten alles unter sich geteilt und seien schon wieder zerstoben.

Zögernd ging ich weiter. Noch aus einiger Entfernung konnte ich die Stelle erkennen, an der er so vom Hohn der Umstände umringt war. Ihn selbst hatten die Schwaden schon verschlungen, aber der Umriß des zerstörten Aquädukts ragte grau in den Dunsthimmel, und die halbgelösten kyklopischen Steinblöcke kauerten als dunkle Wolken weithin sichtbar über der Stelle.

Im Weitergehen glaubte ich die Proviantwagen heranrollen zu hören. Ich hatte mich geschämt, nicht helfen zu können, und nun kam mir der Gedanke, mir Früchte geben zu lassen, die ja Hunger und Durst zugleich stillen konnten, und sie ihm zu bringen. Auch ich begann den Mangel an Speise und Trank zu empfinden und schritt eifrig auf das Rollen zu. Als aber das Rollen sein Gleichmaß verlor und in ein gewaltiges Gepolter überging, suchte ich Schutz hinter einem Mauerrest. Da sah ich, daß nicht Frucht und Brot angerollt kamen, sondern Stein. Ein schwerer Block donnerte nieder, mitten auf den Weg, an dessen einer Seite sich ein gigantischer Schutthaufen erhob. Ich blickte besorgt hangauf, ob nicht weiterer Steinschlag drohe, aber es blieb still. Nach einer Weile, eben als ich den Schutz meiner Mauer verließ, hörte ich wieder ein Geräusch vom Hang und sprang zurück. Aber es war kein Stein, sondern ein Mann, ein gewaltiger, schweißtriefender Mensch, der da zu Tal sprang. Bei dem

Block angelangt, verschnaufte er, fuhr sich erst mit dem einen, dann mit dem anderen Arm über die nasse Stirn, wobei ich seine großen, zerschundenen Hände sehen konnte. Er sah bald die Hände, bald den Stein gedankenverloren an und begann dann den Stein, der ihm entschlüpft sein mußte, mit äußerster Mühe hinaufzurollen, woher er gekommen war. Dabei strafften sich ihm die Muskeln und standen unter der Haut hervor, wie ich das noch nie gesehen hatte. Es war mehr einem Krampf vergleichbar als einer menschlichen Anstrengung. Das Bild des Mannes, der da mit seinem Stein einen wahren Ringkampf vollführte und jedem Entrollen der tückischen Last auf dem holprigen Geröllboden mit kunstgerechtem Griff zuvorkam, gebot Ehrfurcht. Als er in der Nähe meiner Mauer war, konnte ich mich nicht enthalten, ihm einige freundliche Worte zuzurufen. Auch dem Gewandtesten könne ein solches Ungeschick einmal zustoßen – das ungefähr war der Inhalt meiner Rede –, und er werde diesmal um so sicherer ans Ziel gelangen.

Es tat mir wohl, so zu ihm zu sprechen. Ich empfand, daß dadurch etwas von seiner Kraft auf mich übergehen müsse; auch waren es die ersten freundlichen Worte, die ich seit vielen Stunden gesprochen oder gehört hatte. Aber den Worten folgte eine Pause, in der ich fröstelte.

Er wandte sich mir halb zu, Knie und Schulter gegen den Block gestemmt. Sein schweißnasses Gesicht war das einzige, was in dem trüben Dunst glänzte. Es scheint mir jetzt, daß ich den Ausdruck jenes Gesichtes, den Ton jener Stimme verstanden haben muß, noch ehe ich die Worte selbst verstand. Denn in seinen Mienen und Gebärden und im Tonfall seiner Rede lag der gleiche Zug ins Zeitlose wie in Ton und Tun der Wasserschöpferinnen.

Vielleicht aber kommt mir das alles nur jetzt so vor. Es kann sein, daß ich von den Anstrengungen der Flucht und den fremdartigen Bildern so überreizt war, daß ich mich mit dem wirklichen Sinn seiner Worte nicht begnügte, sondern nach einer absonderlichen Deutung der Gesamtstimmung verlangte und allenthalben Verbindungen zwischen dem Nebel, der vom Tod gezeichneten Landschaft und den einzelnen Gestalten und Gruppen am Weg zu knüpfen suchte.

Ich glaube mich noch gut zu erinnern, daß mir der Mann versichert hat, er wisse nicht mehr, wie oft ihm sein Steinblock schon entrollt sei. Mir ist sogar, als klinge mir noch seine unmutige Antwort im Ohr, zu der ihn meine zweite Frage gereizt hatte, wie lange er denn seine Bemühungen fortsetzen werde. Ob er aber einen bestimmten Menschen gemeint hat mit seiner Erwiderung, er müsse fortfahren, bis ihm ein anderer zu Hilfe käme, das kann ich nicht sagen. Ich glaube, er hat dabei in die Höhe geblickt, dann aber wieder mich angesehen, als müsse ich vortreten und mit Hand anlegen. Vielleicht hat er sogar weitergesprochen oder wollte weitersprechen, aber da wurde schon alles vom Singen übertönt.

Ich will nicht versuchen, dieses Singen zu schildern. Ich will mich damit begnügen, von den Gedanken zu sprechen, die ich mir über seine Natur gemacht habe, und auch von den Wirkungen des Gesanges, die ich beobachtet zu haben glaube. Allerdings ist es ratsam, zu bedenken, daß vielleicht das alles nur ein Ohnmachtstraum gewesen ist, wie ich ja auch nicht sicher weiß, wieviel von den zuvor geschilderten Erlebnissen jener Flucht nur Ausgeburt meiner überreizten Phantasie war.

Es ist nicht unmöglich, daß ich das Bewußtsein verloren hatte und daß mir das Rauschen des eigenen Blutes in meinen Ohren wie übermenschlicher Gesang klang. Vielleicht ist auch ein Streben in uns, dem Übermaß des Grauens und der Vernichtung ein inneres Gegengewicht zu setzen, dessen Schönheit sich mit unserem Jammer mehrt und mit ihm ein Ganzes bildet, einen in sich geschlossenen Widerspruch, vergleichbar am ehesten dem Zusammenhang von Überirdischem mit Unterirdischem in den Vorstellungen gläubiger Menschen.

Wirklichkeit oder Traum – mir wurde damals jenes Singen zu einem erlösenden Wunder. Der Nebel schien sich zu ballen und strenge Formen zu gewinnen, und Tag und Grauen teilten sich wie in einem Schöpfungsakt. Vielleicht hatte das Singen diese ordnende Kraft, ähnlich der, die auf einer schwingenden Platte den Sand zu Klangfiguren sammelt. In der erhellten Landschaft ließen die Gestalten der Mühseligen und mit Stein oder Wasser Beladenen von ihrer trostlosen Arbeit ab, sogar der tolle Hund stand lauschend irgendwo am Rande des sichtbaren Bereiches am Ufer. Auf dem Fluß ruhte das Boot, über einem nahen Felsenmassiv schwebte auf unbewegten Schwingen ein großer Raubvogel und stieß nicht nieder – ja sogar der Stein schien auf halber Höhe des Schutthanges von selbst im Gleichgewicht zu verharren. Dann war mir, als zöge mich das Singen mit, auf einer jener unvorstellbaren Ebenen, die sich zwischen Sinn und Melodie des Liedes quer durch unseren dreifachen Raum spannen. Ich kann diese Bewegung, die mich ergriff, nicht beschreiben; ich bewegte mich nach innen oder nach außen oder tanzte durch mich hindurch, unendlich weit hinaus aus der Landschaft, die ich auf der Flucht durchirrt hatte. Noch schienen mir kniende wilde Tiere und Herden von Lämmerwolken einem gewaltigen Sänger zu lauschen, der traurige Lieder sang; aber da brach aus einer Talschlucht unten in mir eine wilde Jagd von nackten Gestalten mit züngelnden Stäben und wehendem Haar. Sie überrannten Sänger und Lied. Ein dunkler, weher Ton verlöschte alles.

Mit kalter Schnauze stieß es mich wach. Ein zottiger Schäferhund stand und bellte. Hirten fanden mich. Ich wusch mich und wurde mit warmer Milch gestärkt. Dann schlief ich. Erst am Abend erfuhr ich vom Ende der Kämpfe. Das weitere wißt ihr.

Schilderung der Flucht ist fast gleichzeitig mit der Geschichte *Der Wagen fährt durch die Straße* begonnen, aber erst später beendet worden. Der Verfasser hat darunter geschrieben: ›Zeigt, wie wenig Modernisierung wir brauchen, um den alten Hades noch aktuell zu empfinden. Wenn er nicht so schauerlich wäre, könnte man dazu sagen: ‚Herrlich wie am ersten Tag.‘‹

Über das bloße Nachziehen der Konturen klassischer Mythen wächst die Schilderung der Flucht dort hinaus, wo der Flüchtende durch den Gesang des Orpheus aus der Schattenwelt errettet wird, denn das ist offenbar der Versuch des Soldaten, sich durch die künstlerische Gestaltung seiner Seeleninhalte ›freizuschreiben‹.

Das Singen des Orpheus ist vielleicht auch der Gegensatz zum Rollen, das der Flüchtende für das Geräusch des hilfebringenden Wagens hält, das aber vom immer wieder niederrollenden Felsblock des Sisyphos herrührt. Dieses Rollen erinnert auch an das Rollen des Wagens in *Der Wagen fährt durch die Straße.*

Der Hund, von dem vermutet wird, er habe seinen Herrn verloren, ist nicht nur Kerberos, sondern zugleich auch *Sein wirkliches Herz.* An das Damoklesschwert in der Skizze *Ein Wunder* erinnern die

Steinmassen, die hier Tantalos bedrohen. Der Kahn des Charon kam schon in der Skizze *Am Ufer* vor. Dort wurde er den Schatten von einem Lebenden entführt.

Wo die Beobachtungen im Hades ›um jeden Preis vernünftig erklärt‹ werden sollen, entsteht ein ähnlich verklausulierter, zaghafter Stil wie bei dem Versuch des Amtsrats in der *Falle,* das allmähliche Anwachsen der Schrecken, von denen er sich umgeben sieht, vernünftig zu erklären.

Der Umstand, daß die eigentlichen Schrecken erst mit Anbruch des Morgengrauens beginnen, erinnert vielleicht an die Begegnung mit Helga, denn die geistige Irrfahrt durch das Totenreich begann für den Soldaten am Morgen der Hinrichtung Helgas.

Zur Schule gehörte auch ein Spielplatz und ein bescheidener Garten. An Garten, Spielplatz und Schulhaus war nichts auffällig, und auch die Spiele der Kinder, ihre Unterhaltung, ihr Benehmen, ihre Streiche und ihre Sorgen waren ganz so, wie man es von Kindern gewohnt ist.

Von dem Urteil wußten sie, aber ein unbefangener Beobachter hätte das sicher nicht geglaubt. Es kam so gut wie nie vor, daß ein Kind davon sprach. Sie schienen nie, oder doch fast nie, daran zu denken, und wenn in einer Schulstunde oder in einem Gespräch der Eltern davon die Rede war, hörten sie höchstens flüchtig hin und unterbrachen kaum ihr Spiel.

Ob es eine Art Stumpfsinn war, ein sonderbarer, gemeinsamer Heldenmut, oder beides, das ist schwer zu sagen. Jedenfalls gelang es den Kindern, über die Tatsache ihrer Verurteilung so selbstsicher hinwegzulachen, zu hüpfen und zu singen, daß nicht einmal mehr ihre Eltern daran dachten. Es ist kaum zu bezweifeln, daß auch die Allgemeingültigkeit dieses Schicksals das alles viel leichter gemacht hat. Alle Kinder mußten sterben, und das war lange nicht so arg, als wäre etwa jedes zehnte Kind verschont geblieben.

Damit soll nicht gesagt sein, daß nicht jedes Kind tiefernst oder verzweifelt war, als es zum ersten Mal von seinem Todesurteil erfuhr. Einige hatten sogar geweint. Aber man hatte jedes einzelne Kind damit getröstet, daß es den andern nicht besser ergehen werde, und daß es außerdem noch lange nicht soweit sei. Übrigens war es fast jedem Kind auf andere Art beigebracht worden. Ein Kind hatte es aus Gesprächen der Erwachsenen nach und nach erraten und schließlich allen Mut zusammengenommen und gefragt. Das andere hatte es erst in der Schule gehört, und einem dritten hatte vielleicht jemand beim Anblick eines toten Vogels oder eines abgefallenen Blattes fast nebenbei gesagt: »Auch du mußt sterben.«

Die verurteilten Kinder hatten das keineswegs alle gleich von Anfang an verstanden. Viele hatten es ein um das andere Mal vergessen, wie man unangenehme Nachrichten vergißt. Aber mit der Zeit hatten sie es sich doch gemerkt, mindestens die Tatsache des allgemeinen Todesurteils, wenn auch das Vorstellungsvermögen der meisten nicht ausreiche, sich gerade am eigenen Ich die Urteilsvollstreckung vorzustellen. Es gab da allerlei heimliche Hoffnungen, die zwar jedes Kind geleugnet hätte, die aber doch niemals völlig erstarben, sondern meist nur ihre Gestalt änderten.

Es wäre interessant, Nachforschungen darüber anzustellen, welchen Einfluß das Urteil auf den Seelenzustand der Kinder hatte. Wirklich gültige Aussagen darüber hätten sich nur machen lassen, wenn eine Kontrollgruppe von nicht verurteilten, sonst aber völlig gleichen Bedingungen unterworfenen Kindern verfügbar gewesen wäre. Eine solche Kontrollgruppe aber gab es natürlich nicht, und so bleibt man auf Vermutungen angewiesen. Immerhin entbehrt eines nicht einer gewissen grimmigen Komik: über seelische Schädigung des Kindes durch allerlei Erziehungsfehler wurden ganze Bände gelehrter Betrachtungen geschrieben, aber das Wissen der Kinder von ihrem unentrinnbaren Schicksal wurde nicht einmal erwähnt. Die modernen Fachleute machten sich dieser Unterlassungssünde noch weit häufiger schuldig als die altmodischen, oft tief religiösen Autoren.

Gelegentlich kam es vor, daß ein Lehrer zusammenbrach und sich weigerte, weiter zu unterrichten, weil die Kinder ja früher oder später doch alle sterben müßten und seine Bemühungen daher sinnlos seien. Manchmal lehnte es auch ein Kind mit der gleichen Begründung ab, zu lernen, zu spielen, sich zu waschen oder sonst etwas zu tun, was von ihm verlangt wurde. Solche Fälle aber blieben ganz vereinzelt und wurden sofort ärztlicher Behandlung zugeführt. Auch Kinder, die erschraken, wenn man sie unerwartet auf die Schulter schlug oder anrief, sowie Kinder, die vor dem Einschlafen unters Bett sahen oder Speisen erst mißtrauisch kosteten, ehe sie sich zum Essen entschließen konnten, galten als gestört, und es gab verschiedene Theorien über die Ursachen dieser Zustände.

Dabei war das, was man von Zeit und Art der Urteilsvollstreckung wußte, ganz dazu angetan, in jedem Kind ein Gefühl dauernder Unsicherheit zu vertiefen. Fest stand nur, daß man nicht mit dem Leben davonkam. Manchen Kindern ging es ans Leben, ehe sie richtig sprechen konnten, anderen zur Zeit ihrer ersten Schreib- und Malversuche. Es gab Kinder, die zwischen ihrem zwölften und fünfzehnten Jahr getötet wurden, und auch solche, die übergangen wurden, die heranwuchsen, heirateten, selbst Kinder zeugten und sogar alterten, ehe das Urteil vollstreckt wurde. Man kann in diesen Fällen eigentlich nur deshalb von verurteilten Kindern sprechen, weil erstens das Urteil auch hier in jedem Fall von Anfang an feststand, und weil die Urteils*verkündung* ausnahmslos schon in der Kindheit erfolgte, so daß das ganze Leben mehr oder minder bewußt im Schatten des Urteils stand. Und vielleicht spricht man auch deshalb von Kindern, weil Menschen dort, wo sie an eine äußerste Grenze gekommen sind, stehenbleiben, erstarren und nicht mehr weiterwachsen können. Das Große, Mächtige, vor dem sie stehen, übernimmt ganz von selbst Vaterrolle. Und so waren sie alle ›Kinder des Todes‹.

Verschieden wie die Zeit der Urteilsvollstreckung waren auch die Todesarten. Nur die wenigsten starben durch Hängen oder Köpfen, wie man sich das vielleicht vorgestellt hätte. Einige wurden im Schlaf überfallen, andere wurden ertränkt. Oft gab man den Kindern auch Waffen in die Hand und befahl ihnen, sich gegenseitig zu töten. Gift und Mord waren am Werk, viele wurden auf der Straße getötet. Neue Kriegswaffen wurden an den Kindern der verschiedensten Altersstufen ausprobiert, und alterprobte Bakterien in tödlichen Mengen heischten ihre Opfer. Viele ließ man auch einfach verhungern oder ernährte ihre Opfer. Viele ließ man auch einfach verhungern oder ernährte sie schlecht und falsch, so daß sie Krankheiten erlagen, die sonst vielleicht harmlos gewesen wären. Manche nahmen sich selbst das Leben, »noch vor der Zeit«, wie es hieß. Über diese aber schüttelte man den Kopf und hielt sie für wahnsinnig.

Die noch Zeit gefunden hatten, Kinder zu zeugen, vererbten das Todesurteil auf diese Kinder. Der ganze Vorgang, Urteilsverkündung, Heranwachsen und Urteilsvollstreckung an allen Altersstufen, ist daher immer noch in vollem Gang und liefert reichen Stoff zu Beobachtungen.

Die verurteilten Kinder, die letzte Arbeit in der Mappe des Soldaten, bedürfen keiner Erklärung. Die persönlichen Gedanken sind so allgemein gestaltet, daß es unwesentlich wird, ob dem Verfasser das allgemeine Todesurteil durch Helgas Schicksal in den Sinn gekommen ist, oder ob er sich durch die Betrachtung des allgemeinen

Todesurteils, das über den Menschen schwebt, über Helgas Tod zu trösten oder doch zu beruhigen versucht hat. Mich erinnern allerdings die verurteilten Kinder an den Vers des Soldaten vom Rattenfänger und vielen verlorenen Kindern.

Auch diese letzte Arbeit seiner Manuskriptsammlung ist noch eine Aussage vom Weiterleben, um das er sich bemüht, aber vom Weiterleben unter einer zur Gewißheit gesteigerten Todesdrohung. Eine Stelle zu dieser Arbeit, aus einem Brief, den er mir – viel später, erst Jahre, nachdem er mir diese Manuskripte gegeben hatte – aus Amerika schrieb, lautet:

›Verurteilte Kinder? Ganz einfach: hast Du noch nie gemerkt, daß Du immer ein Spezialist für die Angelegenheiten Deiner Lieben wirst? (Wenn Du ein Mädchen hast, so weißt Du auf ja und nein haargenau, was für Blumen sie mag. Als frischgebackener Vater bist Du im Nu Fachmann für Kinderwagen und kennst die Vor- und Nachteile der verschiedenen Konstruktionen.) Na, und in meinem Fall wird man eben Sachverständiger für Todesurteile – im Halsumdrehen, wie Wedekind so schön gesagt hat.‹

An das Ende der Schriften des Soldaten stelle ich auf seinen Wunsch – und ohne erklärende Glossen – sein Gedicht *Klage*.

KLAGE

1

Weil Mitleid unteilbar ist, weil Haß sich fortpflanzt
aus jedem Winkel, in dem er noch treibt, wie ein Spaltpilz,
dessen Nährboden keimfrei ist bis auf einen Fleck...
Der Fleck war klein,
und dein Herz ist so groß und so rein?
Wohnt wirklich niemand drinnen als Gott allein?

2

Oder hältst du's mit jenen Seligen, von denen es hieß:
ihre höchste himmlische Lust ist, hinabzuschauen
vom Himmel hoch auf die Höllenqual der Verdammten?
Dann laß dir dein gereinigtes Zuschauerherz verbinden
im Krankenhaus, gleich nachher, und nimm den Verband
                                                    nicht ab!
Wenn sie ihn abnehmen, stinkt es: der eine winzige Fleck
hat heimlich als Reinkultur das ganze Herz überwuchert.

3

Den rechten Glauben, nach dem Tod meiner Liebe und
                                                    Hoffnung,
such ich bei Apostaten oder in dunklen Winkeln.
Drum gebt mir Origenes, den Kirchenvater Ketzer,
der nur seinen Körper verschnitt, nicht seinen Geist,
und dem kein Gott ein Gott war, solange nur eine
einzige Seele den ewigen Qualen blieb!
Und wenn der letzte Sünder von der Verdammnis erlöst ist,
lehrt Origenes, dann wird auch der Teufel eingehn
zur ewigen Seligkeit, die keine Seele mehr kennt
und kein erstandenes Fleisch,
nur den Geist, der der einige Geist ist.

4

Weil Mitleid unteilbar ist, und weil geteiltes Leid
halbes Leid ist, ist das geteilte Mitleid
nur halbes Mitleid. Und wenn man das halbe Mitleid

anlegt zu guten Zinsen in fetterwerdenden Jahren,
paart es sich mit sich selbst und erhebt sich so zum Quadrat
und steht vierschrötig da, genau so lang, wie es breit ist.
Und weil einhalb mal einhalb ein Viertel ist,
wird es nach Jahren und Tagen zum Viertelmitleid
und dann zum Sechzehntelmitleid, und dann wieder nach
Jahren
und Tagen zum Zweihundertsechsundfünfzigstelmitleid,
das heißt:
ein Teil ist noch Mitleid, und zweihundertfünfundfünfzig
Teile
sind mitleidlos geworden im keimfreien Herzen, bereit
für jede Kultur, die gedeiht, wo das Mitleid schwindet.

5

Ich bin schlecht im Kopfrechnen. Nein, so rechnet kein Kopf,
so rechnet das Mitleid mit dem Mangel an Mitleid;
so rechnet das Herz;
und ein Herz, das ein Herz ist, ist schlecht im Rechnen,
und der Kopf schüttelt den Kopf und beginnt von vorne:

6

Mitleid ist Sache der Anlage. Eine Anlage kann man
berechnen
nach einer Formel: Kapital mal Prozent mal Jahre,
gebrochen durch Hundert... Und dann schreibt man
einfach:
ist gleich...
Dann ist alles gleich, dann sieht man auch gleich den Gewinn.
Der geht aus dem Bruch hervor...
Nicht vergessen: erst hundertfach brechen!
Da heißt es nicht mehr kläglich »einhalb mal einhalb«,
sondern das halbe Mitleid, als Anlage, wird sich verdoppeln:
Zwei halbe Mitleide und mit der Zeit vier halbe,
acht, sechzehn, zweiunddreißig – halbe Mitleide alle.

7

Das Mitleid stand gegen das Leid. Und als es noch ganz war,
stand das ganze Mitleid gegen das ganze Leid.

Doch leider leben wir in einer leidigen Welt,
und wenn wir sie halbwegs leidlich bewahren wollen,
müssen wir unsere Einkünfte weise verteilen:
Viele halbe Mitleide lindern die vielzuviel halben Leiden...
die Stiftungen blühen, die Wohltaten schießen ins Kraut,
es wachsen die höheren Ziele mit ihren Menschen!

8

Auch dieser Versuch ist gemacht worden, wenn sie wie
                                  Wachs sind,
die Teile zusammenzufügen zu einer Puppe:
Zwei halbe Menschen nebeneinander gelegt,
in ein Stück Kleidung gehüllt, gekühlt, geschminkt und
                                  gepudert,
sehn besser aus und oft heiterer und gepflegter
als ehemals der eine Mensch; das weiß jeder Leichenbesorger,
der bessere Leute nach größeren Unfällen schön macht.
Schöner als je zuvor, zu entgegenkommenden Preisen,
daß man sich sterblich verlieben kann in seine Lieben.

9

Vorsicht! Denn wenn eurem Mitleid ein Unfall zustößt,
wird es schöner als je zuvor und wird euch zurechtgelegt
                                  werden,
und ihr werdet bezahlen für seine Unsterblichkeit.

10

Weil Mitleid unteilbar ist, darf der Mensch nicht zerrissen
                                  werden.
Wenn der Mensch zerrissen wird nach allen vier Winden,
wird auch das Mitleid geviertelt nach oben und unten,
nach rechts und nach links, als wär es genagelt worden
auf ein wachsendes Kreuz und zerrissen von allen vier
                                  Balken...
Wer hat noch gleichviel Mitleid nach oben und unten,
nach rechts und nach links, den vier Weltrichtungen des
                                  Menschen?

Wie anders kann ich mein Weiterleben berechnen,
das nach einer Hinrichtung eine Richtung sucht,
zwischen der letzten Nacht und dem ersten Morgen,
zwischen eingeschlagenen Fenstern und ausgeschlagenen
                                              Bitten,
zwischen der Zeit, die vorausging, und der Zeit, die
                                              zurückbleibt,
zwischen den abgebrochenen Tausend Jahren
und den nicht angebrochenen Tausend Jahren,
zwischen den Lebenden, die überwuchert sind und sich
                                              vermindern,
und den Toten, die wuchern und sich vermehren,
zwischen dem Ende des Krieges und Anfang des Friedens,
zwischen der fremden Heimat und heimlichen Fremde,
zwischen den armen Reichen und reichen Armen,
zwischen rechts und links und zwischen oben und unten,
zwischen der Freude der Seligen und der Qual der
                                              Verdammten –
zwischen Mitschuld und Mitleid in Mitleidenschaft gezogen?

Leben ohne Liebe ist nichts als Berechnung,
beleidigt vom Leid – und von der Lust nicht belustigt.
Liebe ohne Berechnung ist immer nur Leid,
die Toten bleiben stehen auf ihren verlorenen Posten
und sind näher als das weitere Leben
und ziehen die Summe aus Mitleid und Leidenschaft.

DRITTER TEIL

SCHLUSS DES BERICHTS

Mir bleibt hier nur noch die Aufgabe, meinen eigenen Bericht von meinem Zusammentreffen mit dem Soldaten und von dem, was er mir gesagt hat, abzuschließen. Über das Armeehospital hat er mir so gut wie gar nichts gesagt, außer daß man freundlich zu ihm war und daß er viel geschrieben hat. In seinen Manuskripten aber zeigen sich die Erinnerungen an den ›Mental Ward‹ deutlich. Er hat zwar nie eigentliche Krankheitsgeschichten geschrieben, befaßt sich aber doch immer wieder mit verschiedenen Formen geistiger und seelischer Störungen, mit den einsamen Expeditionen, sprühenden Vorstößen und endlosen Rückzügen dieser Kranken.

Etwa zwei Monate später hatte sich sein Zustand gebessert, und er wurde nach Amerika zurückgeschickt. Sein Gedicht über die Hinrichtungen in Hameln, das er mir bei unserem ersten Zusammentreffen zeigte, ist auf der Überfahrt entstanden. In Amerika hat er nicht viel geschrieben. Er arbeitete in der Firma eines alten, gleich ihm emigrierten Schulfreundes mit, aber ohne besonderen Erfolg. »Um Geschäfte zu machen«, sagte er mir einmal, »muß man wirklich überzeugt davon sein. Und das ist leicht oder unmöglich, je nachdem, wie man dazu steht.« Er konnte es nicht. Er hatte auch das Gefühl, er werde im Leben kein Glück mehr haben. Eine psychoanalytische Behandlung, zu der er sich auf Drängen seiner Bekannten entschloß, fand nach wenigen Wochen ein Ende, weil der Arzt starb.

»Vielleicht hätt' ich nämlich auch sterben sollen, gleich damals in Deutschland, statt zusammenzukrachen und mich pflegen zu lassen.« Er lachte. »Und jetzt ist alles ein bissel aus dem Leim gegangen. Oder hätte ich damals selber Schluß machen sollen? Aber es kommt eigentlich gar nicht darauf an.«

Seine Hilflosigkeit gegenüber seinem Schicksal war von jener sonderbaren Art, die man bei jüdischen Intellektuellen gar nicht selten findet. Er war durchaus nicht naiv, sondern wußte sehr viel von sich und hatte sogar mehrere scharfsinnige Theorien über die tieferen Ursachen und Bedeutungen seiner Erlebnisse. Man sieht das auch aus seinen Arbeiten. Aber die verschiedenen Erklärungen wogen einander auf, und so war er im Grund ärmer dran als ein völlig naiver Mensch, den noch der Schreck über jedes Bruchstück einer Einsicht, jeden Schimmer von Erkenntnis erschüttern kann. Denn solche Erschütterungen machen einen neuen Anfang zumindest möglich.

Auch seine Selbstkritik half ihm nicht viel. »Nur keine großen ethischen Theorien, bitte!« sagte er. »Sogar wenn Helga im Konzentrationslager wirklich ein paar Frauen umgebracht hätte; wer weiß, ob ich ihr nicht auch das noch eher verziehen hätte als zum Beispiel einen schlechten Teint. Auch von dieser Seite läßt sich das nämlich anschaun, als kleine Episode. – Ich hab ja schließlich nicht mit ihr leben müssen, nicht einmal mit ihr sterben!...«

Mich berührte das peinlich, und er merkte es und weidete sich daran, mit jener plötzlichen Feindseligkeit, die man einem Menschen entgegenbringt, dem man zuviel erzählt zu haben glaubt. Dann sprach er weiter: »Nur denk ich mir irgendwie: eben weil sie einen guten Teint gehabt hat, hat sie es nicht nötig gehabt, andere Frauen umzubringen.« Er lachte: »Und vielleicht hat auch mein Partner recht, mein alter Schulkollege, mit dem ich arbeite, und ich bin jetzt wirklich sowas wie ein halber Nazi!?«

»Ja?« Ich fragte mehr aus Verlegenheit, wie man den Monolog eines in Fahrt gekommenen Gesprächspartners mit einsilbigen Worten unterbricht, um ihm zu bestätigen, daß man noch da ist und ihm zuhört. Er sah mich scharf an, bösartig heiter oder gutmütig wütend: »Nein. Mit so was spaßt man nicht. Nazi bin ich keiner. Schade eigentlich! Denn wenn *ich* einer wäre, dann wären sie erst richtig untendurch, ein für allemal! Erstens bringe ich niemandem mehr Glück, wirklich nicht. Und zweitens glaube ich, meine Einstellung, die würde ihnen noch mehr zu schaffen machen als alle die wohlanständigen, naserümpfenden Tugendschafe oder Umsattler, die nichts zugelernt haben und die das eine Mal, nämlich wenn sie freundlich sein wollen, sagen, man muß die alten Geschichten vergessen – oder nennen sie es Vernarbenlassen der alten Wunden? –, aber wenn ihnen dann wieder vielleicht etwas nicht paßt, dann drohen sie, man könne ja auch andere Töne anschlagen und den ganzen Kram aus der Mottenkiste holen!

Jawohl, mein Lieber. So wird das noch viele Jahre lang hin- und hergehen – einmal ›neues Leben aus den Ruinen‹ und das andere Mal ›alte untilgbare Schuld‹. Und immer schön hin- und herbaumeln lassen wie einen Gehängten am Strick, bis man zuletzt keinen Hund mehr hinter dem Ofen hervorlockt, nicht auf die gute Tour, und auf die böse auch nicht. Denn Schuld, mein Lieber, Schuld hat es schon gegeben, mehr als genug, mehr als ein Mensch sich vorstellen kann! Und was auf den einzelnen kommt, wenn man es schön verteilt, das reicht immer noch aus. Und weißt du: Helga, die hat das nämlich eingesehen. Sie hat es immer wieder gesagt: ›Eine große Schuld.‹ Sie hätte sie schon getragen, ihren Anteil, ihre Schuld, sie schon! – Und vielleicht sogar abgetragen, wenn man sich sowas überhaupt vorstellen kann. Aber nein! Aufgehängt haben sie sie… Stell dir vor: da ist die Schuld, und da war auch der Mensch, der sie trägt. Aber was tut diese Schuld weiter, wenn der Mensch, der sie tragen will, tot ist? Stell dir einmal vor, du bist selber diese Schuld! Nicht wahr, das ist, wie wenn man dir dein Pferd unter dir erschießt? Also, was tut die Schuld? Ganz einfach: sie sucht sich ein neues Pferd zum Reiten. ›Ein Pferd! ein Pferd! Ein König- reich für ein Pferd!‹ Und dieses neue Pferd, das bin jetzt ich. Manchmal fühl ich mich wirklich verhext. In den Staaten – fast hätte ich jetzt gesagt: ›Daheim in den Staaten‹, als ob's für mich sowas noch gäbe… also in den Staaten nennen sie das hoodoo. Ich sag dir, manchmal glaub' ich wirklich, ich hab' einen richtigen hoodoo auf dem Buckel.«

Einmal verglich er dieses Gefühl mit einem alten, traurigen, jüdischen Stück, das er als Kind gesehen hatte, *Dibuk*. Der Dibuk sei der Geist eines jungen Talmudstudenten gewesen, den man um sein Leben betrogen habe. Ein Mädchen, dessen Hand ihm zugeschworen gewesen sei, habe man ihm vorent- halten; bei dem Versuch, gegen dieses Unrecht durch kabba- listische Magie anzukämpfen, sei er dann gestorben. Nun sei der Dibuk in sie gefahren. Die Rabbis hätten ihn zwar wieder ausgetrieben – »Verstehst du: das waren bei mir die Ärzte im amerikanischen Mental Ward!« – aber der Haken sei gewe- sen, daß das Mädchen den Dibuk geliebt habe…« Und kaum konnt' sie aufstehn, ist sie zu den Gräbern hinausgegangen und hat gerufen ›Dibuk mein! Komm!‹ Und da war es natürlich aus.«

Ein andermal sprach er von Faust, der Gretchen zu retten versuchte, aber vergeblich, weil er den Sinn der ganzen Geschichte nicht verstanden habe: »Trüber Tag. Feld. Faust, Mephistopheles... Nein, wirklich: an dem Morgen damals war mir alles ganz egal, wenn sie nur leben geblieben wäre! Dabei weiß ich gar nicht, ob ihr das recht gewesen wäre. Und weißt du, ich glaube: weil ich nichts sonst wollte, als daß sie leben bleibt, nur deshalb ist kein Wunder geschehen, und man hat sie nicht doch noch begnadigt, und sie hat sterben müssen! Wie ich es dreh' und wende, zuletzt hab' ich immer das Gefühl, es ist meine Schuld.«

Die Tage in London vergingen. Etwa zwei Wochen nach unserem ersten Zusammentreffen wurde es Zeit für ihn, nach New York zurückzufahren. Nach England geflogen war er nur, weil seine in London verheiratete Schwester, das einzige überlebende Mitglied seiner Familie, die zum größten Teil in Auschwitz vernichtet worden war, einen schweren Autounfall erlitten hatte. Aber sie war einige Stunden vor seiner Ankunft gestorben. »Das geht schon einmal so«, meinte er mit einer Handbewegung, als wolle er etwas streicheln, »ich war gar nicht überrascht. Wir stehen alle noch mit einem Fuß im Toten Winkel, mein Lieber. Wenn wir da eines Tages herauskommen, du meine Güte!«... Er zuckte die Achseln: »Das Komische daran ist, daß mich jetzt endlich keiner mehr fragt, warum ich die schwarze Armbinde hab'. Dabei hab' ich sie schon vorher die ganze Zeit getragen.«

Wenn der Soldat einem gegenübersaß, konnte man spüren, daß er mehr war als nur der Träger seines Erlebnisses. Gewiß, dieses Erlebnis, sein ›Liebesabenteuer‹ (wie er es zu meinem Entsetzen manchmal nannte, vielleicht um mich für seine Mitteilsamkeit büßen zu lassen), war zu schwer für ihn gewesen und hatte ihn überwältigt. Aber ich glaube nicht, daß man das für ein Zeichen von Schwäche halten darf. »Wenn man am eigenen Leib erfährt, wie wenig das Leben zu den Vorstellungen paßt, die wir uns von ihm gemacht haben«, heißt es in einer seiner Notizen, »und wenn man keinen festen, haltbaren Glauben mehr hat, dann hat man als anständiger Mensch die verdammte Pflicht und Schuldigkeit, nicht einfach weiterzumachen, als ob nichts geschehen wäre.«

Gelegentlich habe ich ihm natürlich trotzdem gewünscht, daß er über sein Erlebnis hinwegkommen möge. Aber dieser Wunsch fällt mir vielleicht nur deshalb so leicht, weil es ja nicht mein eigenes Erlebnis ist. Nur aus seinen Erzählungen habe ich Helga gekannt, und ich weiß sonst nichts mehr von ihr zu berichten, nicht einmal, wo sie begraben ist.

Ob der Soldat es je verwinden wird, und ob das wirklich wünschenswert wäre, das weiß ich nicht. Auch nicht, ob man alles verwinden soll.

An diesem Buch habe ich seit 1946 geschrieben. Eine erste Fassung mit dem Titel Das Letzte *stellte ich 1952 fertig. Bis zum Mai 1960 habe ich vieles gründlich verändert und etliches ganz neu geschrieben. Zwei Texte aus diesem Buch sind vor Jahren erschienen,* Der Brand *in ›Blick in die Welt‹, Hamburg 1948, und* Der Wagen fährt durch die Straße *im Jahrbuch ›Stimmen der Gegenwart‹, Wien 1956; andere habe ich in Berlin und London öffentlich vorgelesen.*

Wenn so lange Zeit zwischen erstem Entstehen und Drucklegung einer Arbeit verstreicht, kann es leicht geschehen, daß Eigenheiten, die in Wirklichkeit gewisse Entwicklungen in der neuesten deutschen Literatur vorweggenommen haben, umgekehrt von diesen Entwicklungen beeinflußt scheinen. Zur Verhütung dieses Mißverständnisses möchte ich hier noch erwähnen, daß ich das Kunstmittel der Aussage durch Montage von Wortklangassoziationen ganz ähnlich wie in diesem Buch schon in zwei Zyklen entwickelt hatte, die 1947 veröffentlicht wurden. Wanderung *erschien in der ›Schweizer Rundschau‹,* Die Genügung *(die ursprünglich ein Teil dieses Buches werden sollte) in ›Plan‹, Wien.*

Noch wichtiger als die Vermeidung literarischer Fehlschlüsse ist mir der Versuch, menschliche und weltanschauliche Mißverständnisse zu verhüten. Dieses Buch ist weder ein Schlüsselroman noch eine getarnte Selbstbiographie. Das kann es auch gar nicht sein, denn die biographischen Angaben, die ich im Text über mich gemacht habe, stimmen. Ich bin im August 1938 als jüdischer Emigrant nach London gekommen, wo ich immer noch wohne, und habe deutschen Boden erst wieder Anfang 1953 betreten. Auch die Angaben über den Tod meines Vaters und über die sonderbare Abstimmung der Arbeiter in einer Londoner Glasknopffabrik sind wahr, nur der Name des Mädchens ist verändert.

In all den Jahren hat mir dieses Buch mehr als irgendeine andere Arbeit bedeutet, ausgenommen einzelne Gedichte. Dennoch kostete es mich fast immer große Überwindung, daran zu arbeiten. Die hier gestellten Fragen schienen und scheinen mir immer noch sehr wichtig, und mein eigener Widerstand, mich diesen Fragen zu stellen und etwas Verbindliches dazu zu sagen, war dementsprechend groß.

Dazu kam noch das Unterfangen, in einer Zeit guter Reportageromane und Augenzeugenberichte von einem Milieu schreiben zu wollen – oder zu müssen –, das man nicht selbst kennt. Dies war einer der Gründe für die Einführung einer Ich-Person, des Erzählers.

Daß mir wenig am Erzählen einer erfundenen Geschichte lag, wird man schon aus der Beschränkung der Fabel auf ein Mindestmaß ersehen haben. Daß ich dennoch Figuren skizziert, ja sogar im Namen und sozusagen im Auftrag einer dieser Figuren, des Soldaten, Geschichten und Gedichte geschrieben habe, glaube ich verantworten zu können. Denn wenn wir überhaupt mitfühlen und mitdenken wollen, müssen wir uns – auch weit abseits aller verschlüsselten Selbstbiographie – mit Fremden und mit Feinden identifizieren.

Wofür und wogegen ich mit diesem Buch Zeugnis ablegen wollte, das kann ich hier nicht einmal aufzählen. Natürlich gegen die Todesstrafe, gegen billigen, leichtfertigen Haß, gegen die unspychologische Einordnung von Menschen in Scheinkategorien, gegen alle anerkannten Schranken zwischen verschiedenen Gruppen. Natürlich für eine Auffassung der Menschlichkeit, die auch im letzten SS-Mann und stalinistischen NKWD-Offizier immer noch den Menschen sieht oder sucht, auch wenn dieser selbst sich bemüht hat, die Spuren seines Menschentums zu verwischen.

Ich bin auch dringend dafür, daß die Menschen Schuld und Mitschuld auf sich nehmen lernen, die sich aus unseren verschiedenen geschichtlichen Zusammenrottungen ergeben. Dies ist ein Grundthema des Buches. Die Verdrängung solcher Komplexe kann früher oder später Vergiftungserscheinungen hervorrufen. Aber heute wird oft übersehen, daß das Auf-sich-Nehmen und Aufarbeiten solcher Lasten im allgemeinen nur möglich ist, wenn Menschen v o n d e r a n d e r e n S e i t e bereit sind zu verstehen und zu lieben.

Diese Liebe ist den Deutschen seit Ende des Zweiten Weltkrieges kaum entgegengebracht worden. Einzelne rühmliche Ausnahmen wie Victor Gollancz ändern nichts daran; das Existenzminimum an Liebe und Sympathie ist noch nicht erreicht. In den Stimmen von außen, die in den Hungerjahren von Deutschland Einkehr und Abrechnung mit der Vergangenheit forderten, klang oft Feindschaft und Verachtung mit. Das ist verständlich, das konnte kaum anders sein, und doch verhinderten diese Feindschaft und diese Verachtung die Bewältigung der Aufgabe, mehr noch als der Hunger. Später brachte der aufgeklärte Egoismus von Deutschlands Nachbarn ihre alten Ressentiments zum Verstummen, lange ehe sie überwunden werden konnten. Wenn man die Deutschen auch nicht liebte, so brauchte man sie doch, schätzte sie sogar. Dieser Entwicklung entsprach ein nicht minder oberflächlicher Anpassungs- und Verdrängungsprozeß in Deutschland selbst. Die eigentlichen seelischen und geistigen Aufgaben aber sind immer noch ungelöst, und nur menschliche Bindungen und Gefühle, tiefer und ehrlicher als alle taktischen Nützlichkeitserwägungen, können den Menschen in Deutschland bei ihrer Lösung helfen und dadurch auch zur Entgiftung und Entspannung der Politik beitragen.

Zuletzt noch ein Wort zur Form dieses Buches. Die Ungeduld mit einer Aussageform, die der Leser als willkürlich erfunden und deshalb für ihn nicht verpflichtend empfinden könnte, führt zwangsläufig zur Zertrümmerung oder Relativierung und Verdächtigung der Fabel durch den Autor selbst. Hier ist versucht worden, durch eine Art Umzingelung, durch Zurufe und sprechende Gesten von vielen verschiedenen Seiten her, dem Empfänger der Nachricht das Entrinnen zu erschweren. Daß eine ernstgemeinte Nachricht nur in konventioneller Form gegeben werden darf, ist ein in Mitteleuropa immer noch häufiger Irrtum. Wenn das, was der Schreibende zu berichten hat, gerade seine Vereinsamung ist, seine Ratlosigkeit gegenüber den Gedanken und Gefühlen, die auf ihn eindringen oder aus ihm ausbrechen, dann wird davon die Form seines Berichtes, seines eigenen Zeugnisses, ebenso bestimmt wie der Inhalt.

Erich Fried   London, Juni 1960

NACHWORT ZUR NEUAUFLAGE

Einundzwanzig Jahre nach meinem Nachwort zur ersten Auflage dieses Buches, dreißig Jahre nach Fertigstellung seiner ersten Fassung finde ich, daß ich nichts von dem, was ich damals geschrieben habe, widerrufen will. Ich fühlte mich versucht, einige Stilkorrekturen vorzunehmen, tat das dann aber nicht, weil das Verändern einer vor langer Zeit erschienenen Arbeit – sei es auch durch den Autor selbst – so leicht ein Verfälschen werden kann. Wer erinnert sich denn wirklich noch aller Gründe, die er hatte, eine ganz bestimmte Formulierung einer anderen vorzuziehen? Auch entspricht jedem Entwicklungsstadium die eine oder andere Stileigentümlichkeit, und zu mildern oder aufzurauhen kann Authentisches verwischen oder vermischen. So blieb alles genau stehen, wie es war.

Buch und Autor wurden nicht nur in Deutschland, wo das politische Mißverstehen schon bald nach 1945 wieder zu blühen begann, sondern zuweilen auch im Ausland gründlich mißverstanden. Ich erinnere mich eines Rezensenten in Israel, der in mir einen »schlecht getarnten Nazi« vermutete, einzig auf Grund dieses Buches, denn mein Protest gegen das Unrecht der Zionisten an den Palästinensern wurde erst sieben Jahre später, 1967, veröffentlicht. Auch ein alter deutscher Bekannter, Kommunist, der mir im Grunde wohlwollte, war erbost. Ich habe mir, meinte er, mit diesem Buch als Antifaschist kein Denkmal, sondern einen Grabstein gesetzt. Sonderbare Ähnlichkeit des Festhaltens an einem Haß, der, gerade, indem er sich weigerte, genau zu prüfen und feine Unterschiede zu machen, vielen zuletzt das Entkommen, ja den Aufstieg zu hohen Ämtern erleichtert hat, deren Schuld als Hintermänner und Drahtzieher viel größer war als etwa die einer Lagerwärterin, die zur Hitlerzeit in die Schule gegangen war und dann, nach Ende des Dritten Reiches, 1945 im Alter von 22 Jahren hingerichtet wurde.

Im Buch habe ich recht unmißverständlich angedeutet, daß es zum Teil das Schicksal Irma Greses war, das mich zu der Fabel von Helga und dem Soldaten veranlaßt hat. Es bleibt zu berichten, daß beim Lesen dieses Buches eine mir gut bekannte Frau, nach Deutschland zurückgekehrte Emigrantin, die wie ich vor der Judenverfolgung des Dritten Reiches geflohen war, auf Irma Grese mit ganz besonderer Feindseligkeit reagierte. Auf meine Frage, ob hinter dieser Feindseligkeit nicht doch mehr stecke als allgemeine

Überlegungen, erzählte sie mir, sie sei nach dem Kriege mit einem jungen jüdischen Komponisten, der das KZ überlebt habe, intim befreundet gewesen, und dieser habe immer noch von Irma Grese, die sehr schön gewesen sei, geschwärmt. Irma Grese habe an ihm Gefallen gefunden, eine heimliche Liebschaft mit ihm gehabt und ihm auch das Leben gerettet. Er habe sich aber nicht getraut, sich zu melden und dies bei ihrem Prozeß zu Protokoll zu geben.

Als ich vor mehr als zehn Jahren in Ungarn war, sprachen mich zwei Frauen an, ob ich beim Schreiben meines Buches Ein Soldat und ein Mädchen an Irma Grese gedacht habe. Ich sagte ihnen, daß die Helga des Buches zum Teil durch das, was ich von Irma Grese wußte, entstanden sei. Darauf sagten mir die beiden Frauen – ungarische Jüdinnen, die gut deutsch sprachen –, Irma Grese habe sie beide gerettet. Es sei im Lager gewesen, mitten im Winter. Eine andere Lageraufseherin habe ihnen befohlen, sich nackt auszuziehen und habtacht zu stehen. Ihre Kleider habe sie dann weggenommen. Gerade als sie meinten, es nicht mehr aushalten zu können, sei Irma Grese gekommen und habe sie gefragt, was denn los sei. Auf ihren Bericht hin habe sie sie ins Magazin mitgenommen, wo Kleider beraubter oder ermordeter Lagerinsassen aufgestapelt waren, und habe sie geheißen, sich sorgfältig von Kopf bis Fuß einzukleiden, besonders auf warme Unterwäsche und haltbare Strümpfe, mehr als ein Paar, und solides Schuhwerk zu achten, davon könne im Winter das Überleben abhängen. Sie mögen sich bei ihrer Auswahl nicht übereilen, sagte sie, sie habe Zeit. Als die beiden Frauen sich von Kopf bis Fuß eingekleidet hatten, forderte Irma Grese sie auf, nun nach denselben Kriterien Kleider für die anderen Frauen ihrer Hütte zusammenzupacken, soviel sie tragen konnten. Irma Grese kam bis in die Hütte mit, so daß ihnen niemand die Kleider wegnehmen konnte.

Schließlich möchte ich noch erwähnen, daß Derek Sington, einer der vier englischen Offiziere, die das KZ Belsen bei seiner Befreiung übernommen hatten, unabhängig von meinem Buch und ohne es zu kennen, ein Sachbuch »The Offenders« veröffentlicht hat. Sington, der nach nationalsozialistischen Rassenbegriffen selbst Jude war und als einer der Belastungszeugen im Prozeß gegen Irma Grese verhört wurde, kam in seinem Buch zur Überzeugung, daß der Prozeß und ihr Urteil nicht gerecht waren. Zwar meinte er, ebenso wie ich, daß die Schuld, die Irma Grese trug – wie andere Lageraufseherinnen und wie die meisten der unter den Lagerinsassen rekrutierten Kapos –, durch nichts wegzuleugnen sei, daß aber die

Todesstrafe (die wir beide überhaupt für ein Greuel hielten) in diesem Fall wegen einiger mildernder Umstände ein ganz besonders arges Unrecht gewesen sei.

Seither sind Jahre vergangen, auch Derek Sington ist leider längst gestorben, und aus der Nachkriegsstimmung in Europa ist wieder Vorkriegsstimmung geworden, entsprechend dem Spruch, den ich 1946 in meinem Manuskript zu diesem Buch dem Soldaten in den Mund legte:

> »Ich bin der Sieg / mein Vater war der Krieg / der Friede ist mein lieber Sohn / der gleicht meinem Vater schon.«

Die Rache an einigen jungen und törichten Menschen, die in untergeordneter Stellung die Schmutzarbeit des Dritten Reiches verrichten halfen, hat dann im kalten Krieg unfreiwillig dem Pendelausschlag nach der anderen Seite zusätzlichen Anstoß verliehen und den Wiederaufstieg weit schuldigerer Leute, z. B. Globke, erleichtert. Obwohl ich meine Ansichten, für die ich nach Erscheinen dieses Buches als schlechtgetarnter Nazi, als unverbesserlicher Apologet der Deutschen oder doch als allzu bereitwilliger Versöhnler und Verzeiher angegriffen wurde, nie geändert habe, wurde ich in der Folgezeit, als ich vor behördlichen Ungerechtigkeiten und Unmenschlichkeiten und dem Erstarken alter und neuer Barbarei warnte, als »Deutschlandhasser« angegriffen (von Theo Sommer). Die neueren Angriffe sind nicht richtiger als die alten. Was aber beide zeigen, ist, daß sich das Klima dieser Welt seit der ersten Niederschrift des Buches leider noch nicht genug geändert hat, um das, was mir damals am Herzen lag, heute veraltet, erreicht oder überholt erscheinen zu lassen. Die aktuellen Anlässe mögen jetzt auf den ersten Blick anders aussehen, aber so, wie ich mich unmittelbar nach 1945 mit verallgemeinerndem Deutschenhaß und Todesstrafe nicht abfinden konnte, so kann und will ich mich auch heute nicht mit dem abfinden, was aus der unheiligen Vermischung von Verhaltensmustern der Zeit des Hitlerfaschismus (aber auch der Weimarer Republikswirklichkeit und des wilhelminischen Deutschland) mit »Umerziehung« durch die Besatzungsmächte und kaltem Krieg hervorgegangen ist, einer allzu selbstgerecht gewordenen Gesellschaft, in der der gezielte polizeiliche Todesschuß umgetauft wurde und heute – und nicht nur in Bayern – offiziell »finaler Rettungsschuß« heißt, einer Gesellschaft, in der die am vielhunderttausendfachen Mord von Majdanek schuldig Befundenen mit einer einzigen Ausnahme nur zu mehrjähriger Gefängnisstrafe verurteilt wurden, jedoch ein Manfred Grashoff oder gar eine Irmgard Möller

(RAF), die keinen Mord begangen hat, was immer der unselige Kronzeuge Gerhard Müller behaupten mochte, zu lebenslanger Haft.* Zu erwähnen wäre zudem auch, daß durch den Anschlag auf den US-Computer in Heidelberg, bei dem drei Amerikaner getötet wurden und an dem Irmgard Möller laut Anklage teilgenommen haben soll, drei Bombenflüge schwerer amerikanischer B52-Bomberverbände in Vietnam, die der Computer zu ermöglichen hatte, unterbleiben mußten, wodurch nach amerikanischer Schätzung 15 000 bis 20 000 Vietnamesen – auch Frauen und Kinder – verschont blieben. Ich kann nicht meinen Frieden machen mit dem Unterschied zwischen der Bestrafung für die Verhinderung dieser Bombenflüge und der für die Massenmorde von Majdanek. Ich kann auch nicht meinen Frieden damit machen, daß Hausbesetzer und Demonstranten von Polizisten brutal zusammengeschlagen oder vor fahrende Autos oder S-Bahnzüge getrieben werden und daß biedere Bürger dazu billigend sagen: »Recht so, von denen müßte man noch viel mehr umbringen. Unter Adolf wären die alle gleich ins Gas gegangen«, oder daß Menschen, die sich um Polizeimethoden und Leben und Sterben von Gefangenen kümmern oder die gegen selbstmörderisches Wettrüsten und allseitige Verrohung und Abstumpfung ankämpfen, von den Einäugigen und Blinden auf a l l e n Seiten verleumdet werden. Nein, die Grundthemen dieses Buches sind leider noch aktuell. Menschlichkeit und Auflehnung gegen jedwede Unmenschlichkeit sind unteilbar.

Erich Fried   London, Oktober 1981

---

* Ich bin nicht für drakonische Vergeltung, aber die altgewordenen Sünder von Majdanek hätte ich alle zu lebenslänglichem Freiheitsentzug verurteilt, sie nur nachher aus Krankheits- oder Altersgründen bald laufenlassen.

»Ihm ist es gelungen, daß sich im Spiel mit der Sprache
zugleich kritische Gewalt und gemeißelte Präzision
des Gedankens zeigt.«
Hans-Jürgen Schmitt

Erich Fried

Anfechtungen
Gedichte. Band 10343

Befreiung von der Flucht
Gedichte und Gegengedichte. Band 5864

Die Freiheit den Mund aufzumachen
Gedichte. Band 10344

Frühe Gedichte
Mit einem Vorwort des Autors. Band 9511

100 Gedichte ohne Vaterland
Band 10988

Reich der Steine
Zyklische Gedichte. Band 5959

Von Bis nach Seit
Gedichte aus den Jahren 1945-1958. Band 11783

Ein Soldat und ein Mädchen
Roman. Band 5432

Fischer Taschenbuch Verlag

fi 384 / 6

Claassen extra
Ihre neue Geschenkreihe!

Mit Autorinnen von Rang:

Margaret Atwood
Die eßbare Frau
Lady Orakel
Verletzungen

Ingeborg Drewitz
Gestern war Heute
Bettine von Arnim

Marlen Haushofer
Die Wand
Himmel, der nirgendwo endet
Schreckliche Treue

Marie Luise Kaschnitz
Lange Schatten
Wohin denn ich

Irmgard Keun
Gilgi, eine von uns
Das kunstseidene Mädchen
Das Mädchen, mit dem die
Kinder nicht verkehren durften

Über weitere Titel dieser Reihe informiert Sie
Ihre Buchhandlung oder unser Prospekt.

Postfach 100 555, 31105 Hildesheim